LA ECONOMÍA EXPLICADA A MIS HIJOS

Martín Krause

Krause, Martín
La economía explica a mis hijos
ISBN 978-987-3677-33-5
© 2016 Grupo Unión

© 2016 Martín Krause
© 2016 Grupo Unión
Carlos Calvo 675
1108 Buenos Aires
Tel.: +54911 4550 5842
Correo: union@lugardelibros.com
www.lugardelibros.com
@unioneditorial

© 2016 Unión Editorial, S.A.
c/ Nicaragua, 17 • 28016 Madrid
Tel.: +34 913 500 228
Correo: editorial@unioneditorial.net
www.unioneditorial.es

Coordinación editorial Rodolfo Distel (@rdistel)

Composición por #MCHFS
Arte de tapa e ilustustraciones #Arghoost
Impreso por JMP Graphic, S.L.

Printed in Spain • Impreso en España

*A mi mujer, Ana, y a mis hijos Mora, Nicolás,
Catalina, Francisco y Vera*

*Mi más sincero agradecimiento
a María Fasce, que fue la primera en
interesarse en este libro y de quien recibí tan
sólo buenos consejos y sugerencias;
y a Mercedes Sacchi, quien con paciencia
revisó todo el texto y llevó a cabo la ardua
tarea de corregir mis errores.*

ÍNDICE

INTRODUCCIÓN

Actores y profesores tienen algo en común: ambos están obligados a transmitir lo que saben ante una audiencia, deben llegar a ella con su mensaje realizando una «actuación» que puede ser más o menos decorosa o directamente un fracaso. Al margen de los contenidos de cada obra en particular, o de cada materia, ha de establecerse una comunicación entre el actor o profesor y su auditorio.

Hay diferencias, por supuesto. El profesor tiende a dar prioridad al argumento racional, busca la comprensión de su alumno; el actor puede, y en casi todos los casos debe, transmitir un sentimiento. Uno enfatiza la razón; el otro, el corazón.

Los dos están sujetos a una calificación inmediata y directa por parte del auditorio. En el caso del actor, ésta es más obvia: el aplauso o el abucheo. En el caso del profesor, es más sutil: no hay aplausos pero hay ojos que se encienden o preguntas que se suscitan; también puede haber bostezos o párpados pesados a punto de cerrarse.

No estaba pensando en esto esa mañana. El día se iniciaba como tantos otros: despertando a mis hijos para llevar a cabo ese asombroso operativo comando que consiste en lavarse, vestirse, desayunar y aprestarse para ir al colegio en sólo media hora.

Esta vez había algo distinto, sin embargo. Me esperaba una invitación al colegio de mi hijo Francisco para hablar sobre mi actividad profesional, mi trabajo. Ya lo habían hecho otros padres. No sé si ellos habrán sentido alguna duda o aprensión, pero, ¿qué podía preocupar a un profesor universitario que ha dictado varias clases por semana durante años? No era la primera vez que visitaba el aula, pero sí la primera que me encontraba como el único padre frente a todos los alumnos. La maestra me presentó breve e informalmente y yo, seguro y confiado, me dispuse a dar una clase más.

Estaba preparado. Me había preguntado a mí mismo cómo explicar a esos niños de ocho años de qué se trataba la economía, y se me había ocurrido contarles cómo era un día normal de trabajo, incluyendo algunos detalles, y así lo hice: llego a la oficina, me siento frente al escritorio y enciendo la computadora. Mientras tomo un café, comienzo a hojear los diarios económicos en busca de las noticias y los análisis más importantes del día. Luego, como consultor en la materia, probablemente escriba alguna opinión o comentario sobre lo que está pasando en el país, o tal vez algún artículo para un diario local o extranjero. También hago y recibo varias llamadas telefónicas, preparo alguna clase o continúo con una investigación.

Si ésas eran las formas, luego abordé el contenido. Lo hice con absoluta conciencia del nivel de la audiencia que tenía enfrente. Ejemplos simples, conceptos sencillos. Al terminar, la maestra pidió un aplauso que los chicos brindaron con gran entusiasmo. Me despidieron como a un amigo más.

Me fui muy contento, porque había contribuido directamente a la educación de mi hijo y de sus compañeros y había podido utilizar para ese fin mi experiencia de profesor. Llegué a la oficina, prendí la computadora...

Poco tiempo después, el colegio organizó una exposición de trabajos realizados por los alumnos. Dibujos, pinturas y maquetas se desplegaban en grandes mesas y carteleras. En una de éstas, se exhibían los comentarios escritos por los chicos acerca de aquellas visitas; conclusiones tales como «El papá de Fulano es arquitecto y construye casas», «El papá de Mengano es médico y cura a los enfermos», o «tiene un negocio y vende zapatos». Sólo uno comentaba mi visita: «El papá de Krause lee el diario y toma café».

Volví a mi casa a buscar en los libros de economía algunas ideas que me hubieran permitido llegar mejor a esa particular audiencia. Pero encontré textos como el siguiente, donde un economista considera el hecho de que cada uno de nosotros, al elegir un pantalón en lugar de un saco, o alquilar un video en lugar de comer una hamburguesa, revela una preferencia:

> Sea X el conjunto de todas las alternativas. Para cada subconjunto S de X un «conjunto de opciones» C(S) representa los elementos escogidos de S. Una «función de elección» es una relación funcional que especifica un conjunto de opciones (S) en el dominio particular K de subconjuntos no vacíos de X. Podemos representar a

esta función de elección como «Q»), o más laxamente como C(S) tomando a S como variable dentro de K.[1]

Meses más tarde, un evento fortuito me brindó la posibilidad de intentar reivindicarme después de tamaña derrota.

Durante 1985, una compañía de teatro inglés había recorrido con éxito varias ciudades de los Estados Unidos interpretando *Nicholas Nickleby*, la obra de Charles Dickens. En ese entonces, la noticia me llamó la atención en dos sentidos: me gustó el nombre para mi hijo en camino y, además, me sentía en deuda con el escritor inglés porque conocía su historia pero no había leído su obra.

Nombré a mi hijo Nicolás, pero nunca me hice tiempo para leer el libro. Unos meses después, esperando entre una clase y otra, tuve la suerte de encontrar una versión completa de esa obra en inglés, en un comercio de libros usados cercano a la universidad.

Apenas pasadas las primeras páginas, me topé con Ralph Nickleby, ese personaje detestable, avaro, codicioso e inescrupuloso. El relato llegó en seguida a la descripción de la escena en la cual se pretende crear un monopolio de la distribución de pastelitos y rosquillas en Londres. Quedé absolutamente sorprendido por la exactitud del argumento en relación con los principios fundamentales de la economía, las opiniones de los participantes y la ulterior intervención de los legisladores.

---

[1] AMARTYA SEN, *Choice, Welfare and Measurement*, Cambridge, Harvard University Press, 1982, p. 42.

El pasaje era una descripción exacta de los criterios sostenidos por quienes buscan el amparo del Estado para evitar la competencia y lucrar en perjuicio de los consumidores, y también una muestra clara de que sólo el poder policial del Estado puede imponer un monopolio. Quedé asombrado. Dickens no había tenido intención de analizar un aspecto de la teoría económica, pero su ejemplo era mucho mejor que decenas de tratados y ensayos sobre economía. Tal vez, en aquella clase, si hubiera hablado de Dickens...

El libro mostraba, además, en forma sencilla, conceptos básicos que aún hoy funcionarios de los más altos niveles y economistas destacados manifiestan de manera equivocada. Obviamente, Dickens no era economista. Pero sí era un agudo observador de la vida cotidiana, tras cuyo velo funcionan irremediablemente nuestras conocidas leyes económicas.

Para entonces me había cansado también de leer libros de economía y trataba de evadirme de esta mundana realidad leyendo algo que me llevara lo más lejos posible. La física era un tema apropiado. Nada más alejado de la evolución de las tasas de interés o del dólar que especular sobre los orígenes del universo o conocer los experimentos que llevan a descubrir nuevas partículas subatómicas y sus correspondientes teorías.

En uno de esos libros encontré una referencia a Jonathan Swift y *Los viajes de Gulliver*. El autor trataba de demostrar hasta dónde pueden llevar los esfuerzos científicos mal dirigidos, presentando como ejemplo la visita de Gulliver a la Academia de Lagado, donde los científicos buscaban extraer rayos de sol de los pepinos o construir casas empezando por el techo. La cita me fascinó y busqué rápidamente el texto original. Encontré allí una refutación inimitable de los derroches del gasto público, escrita en el siglo XVIII, cuando aún nada se sabía de los burós planificadores y las secretarías de planeamiento, pero los reyes absolutistas cumplían tareas similares.

Estos dos descubrimientos —los textos de Dickens y de Swift— se presentaron como una atrayente solución para el problema que había afrontado en aquella aula del colegio. Podían indicar una forma de transmitir los conceptos fundamentales de la economía en términos accesibles y de un modo mucho más divertido y revelador, mostrando que son tan sencillos como los cuentos mismos.

Comencé mi búsqueda por los grandes títulos de la literatura. Leyéndolos y deslumbrándome con ellos, descubría infinidad de ejemplos relativos a todos los campos del interés económico. Pero a poco de meditar, no me pareció tan extraño. Después de todo, la literatura habla del ser humano, de la acción humana, dentro de cuyo ámbito encontramos la economía. No siempre hallaba un ejemplo claro, sencillo y divertido; pero siempre había alguna referencia. Recuerdo, por caso, que en *Veinte mil leguas de viaje submarino*, de Julio Verne, no encontraba ejemplos que terminaran de atraparme. Sin embargo, cuando el profesor Pierre Aronnax, ya embarcado en el Nautilus, visita la biblioteca del capitán Nemo, menciona que se habían seleccionado allí los mejores libros de la Tierra en geología, historia, arte, ciencias, pero explícitamente no había ninguno de política económica.[2] ¿Por qué razón?: el libro no lo dice.

Cuando el profesor pregunta con qué fondos se construyó el submarino, Nemo le contesta que posee vastas riquezas, «suficientes para pagar la deuda externa de su país». Apenas podía resistir la tentación de convocar a los argentinos a lanzarnos al unísono en la búsqueda del *Nautilus*, pero no debía alejarme de mi verdadero objetivo: descubrir el mejor modo de explicar la economía a mis hijos. Porque se trata también de explicar la vida, un aspecto de ella que está siempre presente en nuestras decisiones, no importa el destino que tratemos de darle.

Lo que encontré en mis lecturas está en estas páginas. Los invito a que se sumerjan en ellas conmigo. Tal vez, incluso, encuentren un libro de economía política digno de estar en la biblioteca del capitán Nemo.

---

[2] Julio Verne, *Vingt Mille Lieues Sous les Mers*, París, Librairie Genérale Franaise (1869-1870) 1968. «Libros de ciencia, de moral y de literatura, escritos en todos los lenguajes, abundaban; pero no vi ni una sola obra de economía política; parecían ser severamente prohibidos a bordo». (Livres de science, de morale et de littérature, écrits en toutes langues, y abondaient; maisje ne vispas un seul ouvrage d'économiepolitique; ils semblaient étre séverement proscrits du bord) (p. 107).

Uno
DE LA ÉTICA A LA ECONOMÍA
Smith, Mises y Borges

El Nosotros es siempre fruto de una agrupación que
une a dos o más Egos. Si alguien dice Yo, no se precisa
mayor ilustración para percibir el significado de la
expresión. Lo mismo sucede con el Tú y, siempre que
se halle específicamente precisada la persona de que
se trate, también acontece lo mismo con el El. Ahora
bien, al decir Nosotros, es ineludible una mayor
información para identificar qué Egos se hallan
comprendidos en ese Nosotros.
Siempre es un solo individuo quien dice Nosotros;
aun cuando se trate de varios
que se expresen al tiempo, siempre
serán diversas manifestaciones individuales.[1]

LUDWIG VON MISES (1881-1973)

Adam Smith es considerado el padre de la economía. ¿Fue acaso el primero que escribió sobre este tema? No, muchos lo habían hecho antes. Smith nació en el año 1723 y murió en 1790; en 1776, el mismo año en que murió su gran amigo, el filósofo David Hume, y los Estados Unidos declararon su independencia, Smith publicó el libro más famoso en la historia de la economía: Investigación sobre la naturaleza y causas de la riqueza de las naciones.

Ese voluminoso trabajo es considerado el primero que establece la economía como una disciplina autónoma, de ahí que decirle a Smith «padre» de la economía no es tan desacertado. Ahora bien, si hasta entonces muchos habían escrito de cuestiones económicas pero la econo-

---

[1] LUDWIG VON MISES, *La acción humana. Tratado de Economía*, 11.ª ed., Madrid, Unión Editorial, (1949) 2015, p. 53.

mía como tal no era una ciencia autónoma, ¿de qué otra formaba parte?

Aquí es donde la historia personal de Adam Smith resulta aleccionadora. Nació en Kirkcaldy, Escocia, y a los catorce años ingresó a la Universidad de Glasgow para luego asistir al Balliol College en Oxford. De regreso en Escocia, después de dar algunas conferencias, fue nombrado profesor de Lógica en 1751 y profesor de Filosofía Moral en 1752, en la Universidad de Glasgow.

He aquí el punto que quería destacar: el profesor de Filosofía Moral daba clases de Teología Natural, Ética, Jurisprudencia... y Economía. Es más, su primer libro, publicado en 1759, se llamó Teoría de los sentimientos morales. Ésa es la matriz de la que comienza a separarse la economía. Y no debe sorprendernos que así sea: después de todo, la ética y la economía estudian los mismos «hechos»: las acciones de los individuos. Sólo que lo hacen desde distintas perspectivas. La ética busca establecer si una determinada acción es buena o mala, la economía simplemente analiza las opciones a las que las personas se enfrentan, sus preferencias y las acciones conscientes que realizan para alcanzar sus objetivos, cualesquiera que éstos sean.

El libre albedrío

Decíamos, entonces, que la ética y la economía estudian las acciones deliberadas de las personas, ya que aquellas que son meros actos reflejos o fruto del inconsciente constituyen la materia para el estudio de fisiólogos y psicólogos.

La ética y la economía parten de un fundamento común: somos libres de decidir las acciones que queremos realizar. Esta aseveración ha motivado más de dos mil años de debate filosófico, y los filósofos dirán que ésta no es una disputa zanjada, que aún existen muchas dudas de que seamos realmente «libres» para decidir. Algunos alegarán que nuestras acciones están determinadas por la química del funcionamiento cerebral, otros, por nuestro subconsciente, por el entorno o la herencia biológica y cultural. Lo cierto es que, si en verdad estuviéramos «determinados» por alguna de esas circunstancias, poco campo quedaría para la ética... y para la economía; no podríamos calificar nuestras acciones de buenas o malas, la responsabilidad no estaría ya en nosotros, sino en las causas que las han determinado. Nuestras acciones no serían, finalmente, conscientes ni deliberadas. En lugar de estudiar las decisiones de los individuos, nos limitaríamos a estudiar las relaciones causales que los llevan irremediablemente a ellas.

Tomemos por ejemplo el personaje de un juego de computadora o video: la responsabilidad recae sobre aquel que maneja los controles del juego, puede equivocarse por distracción o falta de práctica, pero no se nos ocurre echarle la culpa al personaje que aparece en la pantalla; él simplemente estaba «determinado» por las instrucciones del juego y las órdenes que nosotros le dimos.

Usamos la razón para tomar decisiones y ésta es el gran instrumento que tenemos para ayudarnos en este mundo. El ser humano no posee un piloto automático que lo guíe, sino que está obligado a elegir y a decidir, y para ello debe razonar. Los animales, en cambio, se guían por instintos, por eso no les atribuimos responsabilidades éticas, no decimos «qué mal estuvo esa araña en comerse a esa mosca», no concebimos que haya una ética de los animales (aunque exista una ética sobre nuestros comportamientos respecto de ellos). Tampoco existe tal cosa como una «economía de los animales», y aunque algunos hayan querido encontrarla en las grandes obras que realizan las hormigas en los hormigueros o las abejas en los panales, no existen allí «acciones conscientes y deliberadas», sino programadas por los instintos: no es posible imaginar a una hormiga frente al dilema de trabajar o irse a la playa, o a una abeja que decida no colaborar en el panal porque piensa que la abeja reina no fue electa en forma democrática. No hay «elección racional», que es lo que estudia la economía.

Volvamos ahora a los detractores de este supuesto elemental: si realmente estamos determinados por algo y no nos es posible elegir, ¿para qué argumentar?, ¿por qué querrían convencerme de que estoy equivocado? Estoy, según su razonamiento, determinado a pensar como pienso, de la misma forma que quien pierde su tiempo tratando de cambiarme está determinado a pensar según su criterio.

Estas disquisiciones sólo sirven para mostrar que la economía no es una disciplina técnica alejada de los grandes temas que la filosofía discute. Está basada en ellos. Entonces, como muchos filósofos lo han hecho hasta ahora, asume que somos libres para decidir o, en otras palabras, que tenemos libre albedrío. Nos lo dice Dante en la *Divina Comedia*,[2] quien «en la mitad de su vida, se encontró en una oscura selva por haber perdido el recto sendero». Guiado por Virgilio y luego por su amada Beatriz, comienza a recorrer el Infierno, el Purgatorio y finalmente el Paraíso. Mientras se encuentra aún en el Purgatorio, Lombardo le ruega que pida por él cuando llegue al Paraíso, a lo cual Dante accede, no sin antes plantearle una duda que lo corroe íntimamente: el mundo está vacío de toda virtud y lleno de maldad, ¿la causa de este mal reside en el cielo o en la tierra?

La respuesta es que el hombre ha recibido el libre arbitrio, con el que incluso podría «contrariar en principio al santo cielo». Si no existiera el libre albedrío, no habría tampoco justicia. La ausencia de virtud y la presencia del mal se deben a las decisiones que los individuos toman libremente; no provienen del cielo ni de otras circunstancias. Como ven, el mismo principio que se encuentra en la base de la economía.

Individualismo metodológico

De la existencia del libre albedrío se desprende el «individualismo metodológico» que rige nuestra disciplina. En términos simples, significa que siempre comenzamos

---

[2] DANTE ALIGHIERI, *Divina Comedia*, México, Ed. Mexicanos Unidos, 1999, p. 20.

nuestro análisis con las acciones individuales. Los seres humanos pueden tomar decisiones solos o en conjunto con otros, pero en todos los casos las acciones que se realizan, las decisiones que se toman, son individuales.

Volviendo a la *Divina Comedia*, en todo el recorrido que Dante hace por el Infierno, el Purgatorio y el Paraíso lo que encuentra allí son siempre personas individuales. No encontramos algo así como «la hinchada de Boca», o «la clase obrera», sino una gran serie de individuos que, por cierto, han pertenecido a muchos grupos durante toda su vida: han sido parte de los «filósofos», o de los «poetas» o de los «políticos», incluso han pertenecido a varios de estos grupos, pero están allí como individuos. Están donde están porque han sido juzgados por sus acciones individuales, y en verdad todas las acciones lo son.

Cuando decimos «la hinchada de Boca gritó un gol», utilizamos una forma abreviada para expresar que José, Pedro, Raúl y otros que se encontraban viendo el partido gritaron «gol», pero no existe un ser «hinchada» con existencia independiente de los individuos que la componen, y de hecho el grito de la llamada «hinchada» es la suma de cada uno de los gritos individuales. Sin éstos, el «grito de la hinchada» simplemente no hubiera existido.

Los economistas también hacemos un uso particular del lenguaje al utilizar términos como «la demanda», «la oferta», «los productores», «los consumidores», «los ahorristas» y muchos otros, pero se trata tan sólo de una forma de clasificar distintas acciones de individuos. Nunca debemos olvidar que son éstos los que deciden demandar, ofertar, producir, consumir o ahorrar, y que sin esas decisiones individuales, tampoco habría demanda, oferta, consumo, producción o ahorro.

El mismo tema parece haber inspirado a Jorge Luis Borges el siguiente texto, llamado «Tú»:[3]

> Un solo hombre ha nacido, un solo hombre ha muerto en la tierra.
>
> Afirmar lo contrario es mera estadística, una adición imposible.
>
> No menos imposible que sumar el olor de la lluvia y el sueño que anoche soñaste.
>
> Ese hombre es Ulises, Abel, Caín, el primer hombre que ordenó las constelaciones, el hombre que erigió la primer pirámide, el hombre que escribió los hexagramas del Libro de los Cambios, el forjador que grabó runas en la espada de Hengist, el arquero Einar Tambarskelver, Luis de León, el librero que engendró a Samuel Jonson, el jardinero de Valtaire, Darwin en la proa del Beagle, un judío en la cámara letal, con el tiempo, tú y yo [...].

Veamos cómo lo plantea el economista Ludwig von Mises:

> Ante todo conviene advertir que la acción es siempre obra de seres individuales. Los entes colectivos operan, ineludiblemente, por mediación de uno o va-rios individuos, cuyas actuaciones se atribuyen a la colectividad de modo mediato. Es el significado que a la acción atribuyan su autor y los por

---

[3] JORGE LUIS BORGES, *El oro de los tigres, Obras completas*, tomo II, Buenos Aires, Emecé, (1972) 1996, p. 489.

ella afectados lo que determina la condición de la misma. Dicho significado de la acción da lugar a que determinada actuación se considere de índole particular mientras otra sea tenida por estatal o municipal. Es el verdugo, no el Estado, quien materialmente ejecuta al criminal. Un grupo de hombres armados ocupa una plaza; depende de la intención el que tal ocupación se atribuya a la nación y no a los oficiales y soldados allí presentes.

La coincidencia con el texto borgeano resulta evidente:[4]

Sólo gracias a las acciones de ciertos individuos resulta posible apreciar la existencia de naciones, Estados, Iglesias y aun de la cooperación social bajo el signo de la división del trabajo. No cabe percibir la existencia de una nación sin advertir la de sus miembros. En este sentido, puede decirse que la actuación individual engendra la colectividad. No supone ello afirmar que el individuo anteceda temporalmente a la sociedad. Simplemente supone proclamar que la colectividad la integran concretas actuaciones individuales.[5]

En una cancha de fútbol observamos una muchedumbre de gente, ¿se trata de una «hinchada» o de una simple aglomeración?: depende del significado que le den los individuos que la componen. En la estación Retiro, cuando la gente sale de los trenes se produce una aglomeración a la que no le asignamos ninguna existencia «colectiva», se trata de hecho de un grupo sin ningún

---

[4] LUDWIG VON MISES, *La acción humana. Tratado de Economía*, 11.ª ed., Madrid, Unión Editorial, (1949) 2015, p. 51.

[5] LUDWIG VON MISES, *op. cit.*, p. 52.

nombre especial. Quienes quieran comenzar el análisis de las acciones humanas desde entidades colectivas se van a encontrar con una barrera insalvable: cada uno de nosotros pertenece a distintos grupos al mismo tiempo. El grupo de los hinchas de River, el de los argentinos, el de los estudiantes, el de los jóvenes, el de los de habla hispana, el de los habitantes del Cono Sur, el de los amantes del rock...

En el cuento de Borges «El Congreso»,[6] el personaje Alejandro Ferri se suma a un grupo de personas cuyo objetivo es organizar el «Congreso del Mundo», un organismo que represente a todos los hombres de todas las naciones. El presidente de dicho grupo es Alejandro Glencoe y la secretaria, una noruega de nombre Nora Erfjord. Uno de los miembros, con el curioso nombre de Twirl, plantea el dilema que nos ocupa:

> Twirl, cuya inteligencia era lúcida, observó que el Congreso presuponía un problema de índole filosófica. Planear una asamblea que representara a todos los hombres era como fijar el número exacto de los arquetipos platónicos, enigma que ha atareado durante siglos la perplejidad de los pensadores. Sugirió que, sin ir más lejos, don Alejandro Glencoe podía representar a los hacendados, pero también a los orientales y también a los grandes precursores y también a los hombres de barba roja ya los que están sentados en un sillón. Nora Erfjord era Noruega. ¿Representaría a las secretarias, a las noruegas o simplemente a todas las mujeres hermosas? ¿Bastaba

---

[6] JORGE LUIS BORGES, *El libro de arena, Obras completas,* tomo III, Barcelona, Emecé, 1996, p. 24

un ingeniero para representar a todos los ingenieros, incluso los de Nueva Zelanda?

Difíciles preguntas, ¿verdad? Imposibles de responder, diría von Mises, sin recurrir al individualismo metodológico.

Dos cosas, entonces, hemos reconocido como fundamentales en este capítulo: que somos libres para decidir guiados por nuestra razón, y que como todas esas decisiones las toman individuos, es a partir de ellos que debemos iniciar nuestro estudio, que luego podremos ampliar abarcando grupos sociales más grandes, de distinto tipo, para tratar de comprender cómo se forman o cómo desaparecen, cuáles son sus estructuras y cómo funcionan.

Dos
LA ACCIÓN HUMANA
«*Volver de Jauja*» y el asno de Buridan

> *Hay aun otro elemento en el pluralismo de los*
> *fenómenos humanos, y es el hecho de que el hombre*
> *como individuo, en uno de sus aspectos, en uno de*
> *los niveles en los cuales existe, usa deliberadamente*
> *medios para ejecutar fines que están dados, o*
> *simplemente están «allí», mientras que en otro nivel*
> *también medita acerca de los fines, ha «posesión» de*
> *fines individuales, y de medios, y de un conocimiento*
> *mayor o menor acerca de cómo utilizar los medios*
> *para realizar fines dados, son los factores que forman*
> *y definen al «hombre económico», o que sirven para*
> *definir la conducta económica*
> *(dos maneras diferentes de decir lo mismo.*[1]
>
> FRANK H. KNIGHT (1885-1972)

Como hemos visto, los individuos realizan acciones para satisfacer sus necesidades, ya que éstas no se resuelven en forma automática. En el mundo real, los recursos son escasos, la supervivencia no está asegurada y es necesario actuar.

Actuar es, entonces, emplear ciertos medios para alcanzar ciertos fines y, en general, uno de esos medios suele ser el trabajo. Para tratar de comprender mejor esto, consideremos una situación en la que las necesidades estuvieran cubiertas y no fuera preciso actuar.

El siguiente es un relato del libro *Cuentos de Calleja*. Don Saturnino Calleja era español, y en el año 1876 creó en Madrid una editorial por medio de la cual publicó

---

[1] FRANK H. KNIGHT, *Science and Man*, Nueva York, Harcourt, Brace & Co., 1942, *Libertas* n.º 30, Buenos Aires, ESEADE, 5/1999, p. 80.

una enorme cantidad de cuentos infantiles, algunos de autores muy reconocidos, otros, como el que aquí se incluye, anónimos, pero de gran popularidad. El que quiero contarles se llama «Volver de Jauja».

Abrió los ojos Juanito, bostezó, estiró los brazos, e incorporándose en la cama, dirigió una mirada soñolienta al balcón de su alcoba.

— ¡Bah! —exclamó—. Aún falta para la hora del chocolate.

Metió nuevamente los brazos bajo las mantas, cerró los ojos y se volvió a dormir. ¿Ya todo esto diréis quién es Juanito? Pues es un muchacho perezoso hasta el extremo de que, si pudiera, no mascaría los alimentos para evitarse trabajo. Solía levantarse a las once del día en todo tiempo, aunque no hubiera amanecido.

— Tú debías haber nacido en Jauja — le decían sus padres.

— ¿Y qué pasa en Jauja, papá?

— Que allí no hay que molestarse para nada. ¿No has leído la descripción de ese país maravilloso en las aleluyas?

— Sí, pero creí que era una broma.

— Pues mira, cualquiera que se lo proponga, llega a Jauja. Otro día te explicaré cómo se hace el viaje.

El niño quedó pensativo y al día siguiente preguntó en la calle a unos transeúntes por dónde se iba a Jauja.

— Ya se conoce que no eres tonto —le dijeron—; pero una cosa es querer ir y otra llegar. Toma la calle de Toledo abajo, sigue el camino de Carabanchel y allí cerca tienes a Jauja.

El muchacho echó a andar y paso tras paso llegó a Carabanchel, pasó a Leganés y siguió andando, aunque nadie le dio señas del sitio en que se encontraría aquella tierra maravillosa. Al contrario, todos se reían de la infelicidad del chico y lo abandonaban a su suerte.

Cansado de caminar, Juanito se recostó en una cuneta del camino y allí quedó dormido a pierna suelta. Cuando despertó por la mañana, bien entrado el día, se encontró sobre una blanda alfombra de musgo, que tenía debajo muelles como los colchones.

Se levantó pesadamente de su cómodo lecho y al tender la vista a su alrededor se le presentó un extraordinario espectáculo. Unas casitas de un solo piso, blancas como la leche y con el techo rojo como la sangre, se extendían en filas, formando una especie de pueblo, con su plaza en el centro y todo. Aquí y allá se veían acostadas por el suelo multitud de personas. Juanito se acercó a una de ellas, admirado de que estuviera tan quieta y tuviese, sin embargo, los ojos abiertos. Cortésmente le preguntó:

— Caballero, ¿quiere usted hacerme el favor de decirme por dónde se va a Jauja?

— En ella estás, y ya se conoce que eres recién venido —contestó el interpelado bostezando—. Aquí no se acostumbra moverse de la cama sino a las horas de córner, y no siempre, porque hay ocasiones en que la comida viene ella sola a nuestra boca. Repara en las casas, que, dicho sea de paso, no sirven para nada. Son de turrón las paredes y los tejados de caramelo; los árboles, en fin, ya me he molestado bastante y estoy rendido, yeso que en Jauja me llaman el incansable.

— Pues ya ve usted; en mi casa me llaman perezoso, y me parece que soy el más diligente de todos ustedes —dijo Juanito, y separándose de su interlocutor, comenzó a recorrer las calles de la población.

Para cerciorarse de que las casas eran de turrón, dio tres o cuatro lametones en las paredes y alguno que otro bocado en las ventanas; el suelo estaba entarugado con pastelillos de hojaldre y el campo estaba cubierto con árboles de guirlache, cuyas hojas eran de riquísimo cabello de ángel. En cuanto a los pájaros, todos estaban ya guisados, unos con tomate, otros en salsa; sobre una piedra se veía un faisán trufado y trinchado, que gritaba de vez en cuando:

— ¡Estoy con trufas! ¡A la rica trufa!

Y tenía clavado el tenedor, para que no costase comerlo sino el trabajo de llevarse los trozos a la boca. Juanito estaba maravillado y continuaba su excursión. Los pavos, las perdices, gallinas y demás gente ordinaria lanzaban desde sus platos algún alón, muslo o pechuga, gritando en tono lastimero:

— ¿No hay quien se lo coma?

Más adelante llamó su atención un ruido de tambores y cornetas. Creyó que pasaba un regimiento y se adelantó al sitio donde el estrépito partía. Júzguese su sorpresa al ver que lo que tal barullo armaba era un inmenso depósito de juguetes, en el cual los tambores redoblaban solos, sonaban las cornetas, mugían unas vaquitas de esas que mueven la cabeza, balaban unos corderitos de blanquísima lana, corrían los velocípedos y los caballitos de máquina, andaban por estrechas vías unos trenes de vapor y otros eléctricos con sus estaciones, sus puentes y sus túneles, en un estanque de almíbar corrían unos barquitos de cuerda haciendo mil caprichosas evoluciones; en fin, que aquello era el delirio para un muchacho. Descolgó de un clavo un precioso uniforme de marina, con su sable y su gorra, y al ponérselo vio con sorpresa que se le ciñeron el pantalón y la levita, quedando a la medida; empuñó después una corneta, se montó en un blanco caballo de tornillo y comenzó a pasearse.

Apenas hubo recorrido cien metros cuando tropezó con una especie de bombo que había en el suelo; era el vientre de un habitante de Jauja, que por no molestarse ni se quejó del topetazo.

— Usted perdone —dijo Juanito.

Pero el otro siguió durmiendo del lado a que le volviera el encontronazo. Miró el muchacho a su alrededor y no vio sino barrigas abombadas que se destacaban sobre la hierba; eran los habitantes de Jauja, que dormían o velaban sin moverse del sitio en que cayeron a su llegada al país. De vez en cuando sonaba algo así como un trueno; era un jaujense que reventaba de gordo y el suelo se lo tragaba, sin duda porque tenía apetito.

Montado en su caballo y marchando con una velocidad de cuatro varas por hora, sin temor a romperse las narices, siguió Juan su camino admirando las novedades de aquel maravilloso país, hasta que, fatigado, se acercó al primero que vio con los ojos abiertos y le dirigió varias preguntas. El interrogado lo miró sin pestañear y no le contestó hasta que, cargado Juanito, le abrió la boca y le tiró la lengua; entonces el jaujense habló de esta manera:

— Gracias abierto boca, pegados tenía labios, lengua paralizada.

Con unos zorros de juguete tuvo que limpiarle Juanito el polvo de azúcar que le tapaba la boca y las narices, y el de Jauja siguió, en estilo telegráfico, hablando así:

— Aquí no nos movemos para nada; ésta es la tierra de los holgazanes, pero es tanta la comodidad, que no disfrutamos. Todo está a la mano, mas por no extenderla, nada cogemos, y gracias a que esta tierra despide un vapor alimenticio que nos nutre. Cada cual elige para dejarse caer el sitio que más le agrada, porque, una vez en el suelo, no hay fuerza humana que lo levante. Allá abajo, muy lejos, lo menos a veinte varas de aquí, hay una porción de ríos que en vez de agua llevan Jerez, Champagne, Burdeos, Rioja y manzanilla, sin contar el moscatel, el Madera, el Rhin, la malvasia y unos arroyuelos de Benedictino, Chartreuse y aguardiente que viene del propio Cazalla y de Chinchón. Pues allí duermen los borrachos con la cabeza metida en las corrientes de líquido. ¿ Crees que son felices? Pues cuando se les pasa el mareo darían cualquier cosa por huir de Jauja, pero no tienen fuerza para moverse y allí siguen, castigados por su propio vicio. Los golosos tienen la boca metida en tremendos estanques de arroz con leche, en fuentes de batatas o de riquísimas jaleas; el empacho los mata; cáusales asco el dulce, pero siguen condenados a comerlo, y es ése el más terrible suplicio. Los glotones, con la boca abierta, reciben sin cesar lonchas de jamón y pavos trufados, paellas inacabables y cuanto el gastrónomo más refinado pudiera adivinar. Ellos quisieran cerrar la boca, pero no pueden, y víctimas de la gula, preferirían la abstinencia y darían cualquier cosa por no tener que comer. Y, en fin, los perezosos que no nos movemos ni aun para comer, daríamos algo por que nos azotaran todos los días para hacernos levantar; pero como ves, la pereza nos mata, perdemos el uso de nuestros miembros y engordamos de tal suerte que estallamos como petardos al año o cosa así de vivir en Jauja. A mí apenas me quedan quince días de vida.

—¡Caramba! —dijo el chico—. ¿Conque si me acuesto estoy perdido?

—Sin género alguno de duda.

—¿Dónde está aquí la iglesia, para rogar a Dios?

—¿Cómo quieres que haya iglesia en la ciudad de los vicios?

Cayó de hinojos Juanito y, elevando su mirada al cielo, dirigió al Todopoderoso la siguiente súplica:

—¡Dios mío, volvedme a casa; haced que me zurren mis papás todo lo que puedan, que no me den chocolate ni dulces, ni juguetes, pero que yo me vea en mi casita lejos de este pan endemoniado!

Al despertar se encontró en su cama arrodillado y oyó el reloj, que daba las siete de la mañana. De un salto se lanzó del lecho, vistióse apresuradamente y saliendo al comedor, con gran sorpresa de todos, dijo a sus papás:

—En adelante no necesitaré que me despierten; seré bueno y laborioso, y si alguna vez no lo fuera, para castigarme no tendréis más que decirme estas palabras: Acuérdate de Jauja.[2]

---

[2] SATURNINO CALLEJA, *Cuentos de Calleja*, Santander, Ed. Calleja, 1925.

A primera vista, no parece que en Jauja los economistas tuvieran trabajo. En verdad, no parece que lo tuvieran tampoco otras profesiones, salvo moralistas, religiosos o filósofos que pudieran ayudar a sus habitantes a salir de ese dantesco infierno. ¿Existe un problema económico en Jauja? Por la somera descripción de Juanito, parecería que no; las necesidades humanas se satisfacen solas. Por lo menos, todas las de Juanito (comida, ropa y juguetes) parecen estar cubiertas.

Observemos un detalle sumamente interesante: esos jaujenses gordos acostados panza arriba en el suelo. ¿Qué es lo que este cuento nos está mostrando? Que cuando no hay necesidades a satisfacer no hay acción.

Y cuando no hay acción no hay análisis económico.

El asno de Buridan

La acción consiste en elegir qué fines serán satisfechos utilizando qué medios. Como los medios son escasos, ciertos fines quedarán siempre insatisfechos.

Ordenamos nuestros fines según las valoraciones que hagamos de cada uno de ellos, y aplicamos los medios más escasos a satisfacer los fines que tengamos más alto en nuestra escala de valores o preferencias.

Actuar no significa que un individuo deba dejar lo que está haciendo para hacer otra cosa. También está actuando quien elige seguir con lo que está haciendo, aunque tenga la oportunidad de cambiar.

Jean de Buridan fue un famoso filósofo francés del siglo XIV (1300-1358) quien realizó muchas contribuciones importantes a la economía y estudió fundamentalmente la moneda. En uno de sus textos sobre la voluntad plantea el caso de un asno, perfectamente racional, que se encuentra en el medio de dos parvas de heno, a la misma distancia de cada una de ellas. Como le resulta indiferente ir a una o la otra, no puede decidirse y finalmente, ¡muere de hambre!

¿Sería éste un caso similar al de los jaujenses y su indiferente desidia? Usemos el sentido común, ese que suele ser el menos común de los sentidos: ¿no parece ridícula la actitud del asno? Nada parece menos racional que dejarse morir por esa circunstancia. Y la verdad es que el asno de Buridan está enfrentado no a dos opciones (las parvas de heno) sino a tres: una parva, la otra, o morirse de hambre. No hay ninguna «indiferencia» aquí; el asno está eligiendo morirse de hambre por alguna circunstancia que nos costaría comprender. Si no mera así, si prefiriera vivir, sólo sería cuestión de buscar un mecanismo para elegir una parva o la otra, tirando una moneda, por ejemplo.

Nuestra ciencia forma parte de otra más amplia, la praxeología, que analiza la acción humana como acción consciente distinta de la conducta inconsciente; estudia la acción en sí, al margen de sus motivaciones o la evaluación de sus fines. Esto último pertenece al campo de la filosofía, la religión o la moral, mientras que el estudio de los fenómenos que ocasionaron determinadas actuaciones corresponde a la psicología.

Al actuar, el hombre pretende sustituir un estado menos satisfactorio por otro mejor. El hombre plenamente satisfecho no tendrá motivo para actuar. El cuento de Calleja, sin embargo, nos muestra personas que por un

exceso de consumo se encuentran en un estado de insatisfacción. Es que para que esos jaujenses actúen harían
falta dos requisitos más, el malestar solo no basta: deberían
ser conscientes de las posibilidades de un estado de cosas
más atractivo y también deberían conocer que se puede
controlar la voluntad evitando llegar a tal situación y que
existe una conducta que permite lograrlo. Tales son los
presupuestos básicos de la acción humana. En términos
del dilema planteado por Buridan, los asnos deberían
conocer la posibilidad de vivir (y la de morir si no eligen).

Los medios utilizados para la obtención de un fin no
aparecen siempre como tales; en el mundo sólo hay cosas.
En Jauja hay cosas que sus habitantes podrían utilizar
como medios para cambiar su situación, pero sólo la razón
convierte las cosas en medios útiles, y los jaujenses han
renunciado a ella, han renunciado a pensar. El hombre
tiene la capacidad de pensar, pero primero debe decidir
si quiere hacerlo.

La praxeología y la economía no pretenden determinar cómo deberían ser las actuaciones del hombre. Cada
individuo evalúa la utilidad de cada cosa como medio,
de acuerdo con su propia concepción y con el fin que
busque. En Jauja, la comida, la bebida, los juguetes, los
objetos en general, forman parte del medio ambiente, no
son objeto de acción humana, es decir que no son *bienes
económicos*. Dentro de la praxeología, la economía se
ocupa de aquellas acciones del hombre que impliquen la
satisfacción de sus necesidades mediante la utilización de
medios escasos, materiales o espirituales, que el individuo
evalúa como apropiados para obtener su fin.

En Jauja, los bienes no son escasos. Es más, ni siquiera hace falta el trabajo (un medio para alcanzar el fin deseado), ya que la comida llega directamente a boca de sus habitantes, la ropa se ciñe al cuerpo sola y hasta los panzones que revientan son tragados por la tierra sin necesidad de enterrarlos.

Sin embargo, existen otro tipo de necesidades: el jaujense le dice a Juanito «daríamos algo por que nos azotaran todos los días para hacernos levantar». El mal se reconoce y la posibilidad de una situación mejor también, sólo que no pueden identificar la conducta capaz de dirigirlos al fin buscado. Supongamos que este requisito sí existiera: un jaujense, entonces, se dedicaría a azotar a los demás y esta acción implicaría el nacimiento de la economía, ya que existe un recurso que incluso en Jauja es escaso: el tiempo. Si no te dan latigazos rápido, explotarás; el jaujense deberá administrar su tiempo de trabajo; la economía ya está presente.

Esta concepción de la economía se centra en las acciones del hombre, resalta las características del individuo y su relación con otros individuos en el marco de la colaboración social. Se estudian así las sociedades, pero sin perder de vista a los individuos, ya que cada uno de ellos es importante.

Definir la economía solamente como la ciencia que trata de la asignación de recursos escasos pone énfasis no en el hombre, sino en los recursos. De esta forma, la economía se «materializa», pierde de vista al ser humano y, no es extraño, crea la base sobre la cual políticos y tecnócratas tratan de administrar los recursos interfiriendo en las acciones de los hombres y, por ende, en su libertad. La búsqueda del mayor beneficio material es tan sólo uno de los móviles que determinan el accionar humano; el hombre bien puede verse impulsado a actuar también por la amistad, el amor, la cultura, la ciencia, el arte, la bondad y demás. Centrando nuestra atención en la acción humana, se «humaniza» la economía. Por suerte, Juanito vuelve de Jauja, de la no economía a la economía.

TRES

LA DIVISIÓN DEL TRABAJO
Adam Smith y Robinson Crusoe

> *Dame lo que necesito y tendrás lo que deseas, es el*
> *sentido de cualquier clase de oferta, y así obtenemos*
> *de los demás la mayor pane de los servicios que*
> *necesitamos. No es la benevolencia del carnicero,*
> *del cervecero o del panadero la que nos procura el*
> *alimento, sino la consideración de su propio interés.*
> *No invocamos sus sentimientos humanitarios sino su*
> *egoísmo; ni les hablamos de nuestras necesidades,*
> *sino de sus ventajas.*[1]

ADAM SMITH (1723-1790)

Al igual que ocurre con muchas otras ciencias, no todos los que se ocupan de la economía definen esta ciencia de la misma forma. No vamos a encontrar un acuerdo general, pero veamos algunas definiciones:

La *economía* es el estudio de la forma en que las sociedades deciden qué van a producir, cómo y para quién con los recursos escasos y limitados.[2]

De acuerdo con esta definición, la sociedad debe resolver en forma constante los llamados «tres problemas básicos»:

1. ¿Qué bienes y servicios deben ser producidos y en qué cantidad?
2. ¿Cómo debe producirlos?
3. ¿Para quién debe producirlos?

---

[1] ADAM SMITH, *Investigación sobre la naturaleza y causas de la riqueza de las naciones*, México, FCE, (1776) 1958, p. 16.

[2] STANLEY FISCHER, RUDIGER DORNBUSCH y RICHARD SCHMALENSEE, *Economía*, 2.ª ed., Madrid, McGraw- Hill, 1989, p. 3.

El problema central es la escasez, generada por la ilimitada sed de bienes y servicios que los individuos poseen, y los recursos limitados que existen para satisfacerlos. Es un problema de *asignación*, asignación de medios escasos entre fines alternativos y competitivos que nos obligan a elegir.

La definición antes mencionada da a entender que «las sociedades» más que los individuos son las que deciden el qué, el cómo y el para quién que se encuentra en el centro de la preocupación económica.

Por otra parte, esa misma definición parece plantear un problema mecánico, tecnológico, un problema típico de ingenieros, no de economistas. Las necesidades de los individuos parecen dadas y conocidas, por lo que el acento está puesto en la definición de qué bienes o servicios deben producirse para mejor satisfacerlas, cómo hacerlo de la forma más eficiente posible (es decir con una menor utilización de los recursos escasos) y cómo habrán de distribuirse una vez producidos. Se trata de un problema de cálculo, algo que una computadora podría realizar. Pero sucede en realidad que ignoramos cuáles son esas necesidades generales de la sociedad.

Sólo Pedro, en Catamarca, sabe cuáles son sus necesidades presentes, igual que Alicia en Corrientes o Abdul en Egipto. Si conociéramos cada una de sus necesidades y dispusiéramos de la información necesaria sobre la distinta disponibilidad de recursos y las tecnologías para transformarlos en productos y servicios que satisfagan esas necesidades, entonces sí podríamos responder al qué, cómo y para quién. Pero esas necesidades son subjetivas, es decir, se relacionan con la escala de valores de cada individuo y se manifiestan tan sólo en sus acciones. Solamente cuando observamos a alguien actuar comprobamos cuáles eran sus valoraciones en ese instante, y aun en ese caso sólo podemos afirmar cuáles fueron sus valoraciones pasadas, no las presentes o futuras.

Más satisfactorio

Dijimos que el individuo actúa con la esperanza de pasar de una situación menos satisfactoria a otra más satisfactoria; se encuentra en cierto grado de insatisfacción que quiere superar actuando, de otra forma no lo haría: nadie actúa para pasar a una situación peor. Nunca compramos una moto pensando que vamos a estrellarnos contra un cerco, sino porque estimamos que vamos a disfrutarla como medio de transporte. Nunca decidimos estudiar cierta profesión porque sabemos que al terminarla vamos a estar desempleados, todo lo contrario.

Claro que, como veremos, esas cosas a veces suceden, pero aquí es importante separar claramente el *ex-ante* del *ex-post*. Permítaseme presentar dos palabras bastante utilizadas en economía: *ex-ante* quiere decir «antes de realizar la acción», y *ex-post*, «después de haberla realizado». Entonces, puede ser que *ex-ante*, es decir, antes de realizar la acción, evaluemos que de hacerlo nos encontraremos en una situación mejor, pero luego, ex-post, el resultado sea otro y terminemos peor de lo que estábamos. Si hubiéramos sabido que con la moto nos iba a ir mal, o que era inútil dedicarle tiempo a estudiar determinada profesión, pues sencillamente no lo habríamos hecho, habríamos dedicado nuestros medios escasos (dinero, tiempo) para otros fines.

Esto es así por la sencilla razón de que no conocemos el futuro y no podemos saber de antemano todas las consecuencias de nuestros actos, lo cual no nos impide razonar, evaluar y tomar la decisión que creemos correcta.

Egoísmo y acción humana

Al decir que el ser humano actúa para pasar de una situación determinada a otra más satisfactoria estamos considerando la acción de un solo individuo en búsqueda de su propio objetivo. ¿Significa esto que el hombre es egoísta o que los economistas, con su «individualismo metodológico» suponen que así lo es?

Ni una cosa ni la otra. Todo depende de cómo definamos a una persona egoísta. Si lo es aquel que persigue sus propios objetivos, entonces todos somos egoístas, inclusive la Madre Teresa cuando dedicaba su vida a los más necesitados en Calcuta. Después de todo, ¿no era su objetivo personal entregarse a la ayuda de los demás? Los economistas asumen esta definición: que cada individuo persigue sus intereses personales, los cuales pueden incluir tanto aquellos que sirvan para gratificarse a sí mismo como los destinados a satisfacer a otros (lo que también implica una gratificación para sí mismo).

Decisiones solitarias

Muchos libros de economía de fines del siglo pasado y principios de éste analizaban las alternativas a las que se enfrentan los individuos con el ejemplo de Robinson Crusoe, quien, aun encontrándose en una isla desierta, debía tomar decisiones, debía elegir entre descansar o trabajar, entre sacrificar consumo para ahorrar recursos y convertirlos en útiles herramientas o no hacerlo. Crusoe, solo en la isla, tiene que tomar en cuenta buena parte de las categorías que la economía analiza: consumo, ahorro, inversión, productividad, preferencia temporal, interés y demás.

Esas categorías se mantienen a menudo en circunstancias en que no existe un solo individuo, sino varios relacionados entre sí. En el caso de Crusoe, a partir de la llegada de Viernes a la isla, por ejemplo. Se trata entonces de analizar los intercambios, las relaciones voluntarias que se establecen en el mercado cuando las personas cooperan unas con otras.

La figura de Robinson Crusoe fue abandonada por los textos de economía. En verdad, es una pena que haya sucedido así. Después de todo, la figura de un hombre solitario tomando decisiones sobre sus recursos escasos, si bien no es «realista» en el sentido en que ninguno de nosotros se encuentra en tal situación, sí lo es si consideramos que todos tomamos decisiones individuales con respecto a nuestros recursos. Es, además, una figura literaria mucho más real y efectiva que la figura introducida posteriormente: la «sociedad» asignando recursos.

Los individuos tomando decisiones existen, mientras que la «sociedad» como ente separado de ellos —ya lo hemos visto— no.

Vayamos entonces a Daniel Defoe. Lo que sigue es parte del «diario» que Robinson Crusoe escribe en la isla:

> 3 de noviembre: Salía cazar y maté dos aves con el rifle. Los pájaros eran similares a los patos y su carne muy sabrosa. Por la tarde, empecé a fabricarme una mesa.
>
> 4 de noviembre: Por la mañana comencé a distribuir el tiempo que debía dedicar a trabajar, a la caza, a dormir, y a distraerme. Así, decidí salir todas las mañanas a cazar durante dos o tres horas, siempre que no lloviese. Después trabajaría hasta las once en punto. A esta hora comería lo que tuviese. Dormiría un rato desde las doce hasta las dos, ya que en ese momento del día hacía mucho calor, y me pondría a trabajar de nuevo por la tarde. Empleé todo el tiempo asignado al trabajo este día y el siguiente en fabricar la mesa, pues aún era un trabajador poco hábil. Pero el tiempo y la necesidad me convirtieron en un buen artesano, como le habría sucedido a cualquiera que estuviese en mis circunstancias?[3]

Uno de nuestros medios principales, el tiempo, es de una escasez irremediable, ya que no somos inmortales y tenemos ciertas necesidades que «no esperan». Robinson, aunque esté solo en la isla, tiene que «distribuir el tiempo» que va a dedicar a cazar, a dormir, a trabajar, a distraerse. Ésta es una clara decisión económica.

---

[3] DANIEL DEFOE, *Robinson Crusoe*, Madrid, Cátedra, 2000, pág. 163.

La huella de Viernes

Vamos ahora a presentar un evento que cambia la vida del náufrago... y el análisis de la economía. Tras muchos años de vivir totalmente solo en una isla abandonada, Robinson descubre una huella humana en las arenas de la playa.

La aparición de otro «ser» humano en la isla modifica todas las perspectivas de Crusoe. Se presentan ahora problemas y circunstancias de una naturaleza completamente diferente de los que debió enfrentar. Su primera reacción es el temor, el miedo; la presencia de otro ser es en principio un peligro, un riesgo para su vida.

No obstante, una vez que conozca a quien dejó esa huella, descubrirá Crusoe que la existencia de otro ser humano puede ser algo más que una amenaza: puede ser la base de una relación social fructífera entre ambos. Esto es lo que llamamos «sociedad»: dos o más personas cooperan entre sí y obtienen los beneficios de esa cooperación. Y esta cooperación se basa en un fenómeno fundamental de la vida social: la división del trabajo.

La división del trabajo

Recordemos aquel libro tan importante: *Investigación sobre la naturaleza y causas de la riqueza de las naciones,* de Adam Smith. El primer capítulo se llama «De la división del trabajo»; allí, Smith explica los beneficios de este mecanismo y afirma que en él se basa el origen de la riqueza, presentando un ejemplo bien sencillo:

> Tomemos como ejemplo una manufactura de poca importancia, pero a cuya división del trabajo se ha hecho muchas veces referencia: la de fabricar alfileres. Un obrero que no haya sido adiestrado en esa clase de tarea (convertida por virtud de la división del trabajo en un oficio nuevo) y que no esté acostumbrado a manejar la maquinaria que en él se utiliza (cuya invención ha derivado, probablemente, de la división del trabajo), por más que trabaje, apenas podría hacer un alfiler al día, y desde luego no podría confeccionar más de veinte. Pero dada la manera como se practica hoy día la fabricación de alfileres, no sólo la fabricación misma constituye un oficio aparte, sino que está dividida en varios ramos, la mayor parte de los cuales también constituyen otros tantos oficios distintos. Un obrero estira el alambre, otro lo endereza, un tercero lo va cortando en trozos iguales, un cuarto hace la punta, un quinto obrero está ocupado en limar el extremo donde se va a colocar la cabeza: a su vez la confección de la cabeza requiere dos o tres operaciones distintas: fijarla es un trabajo especial, esmaltar los alfileres otro, y todavía es un oficio distinto colocarlos en el papel. En fin, el importante trabajo de hacer un alfiler queda dividido de esta manera en unas dieciocho operaciones distintas, las cuales son desempeñadas en algunas fábricas por otros tantos obreros diferentes aunque en otras un solo hombre desempeñe a veces dos o tres operaciones. He visto una pequeña fábrica de esta especie que no empleaba más que diez obreros, donde, por consiguiente, algunos de ellos tenían a su cargo dos o tres operaciones. Pero a pesar de que eran pobres y, por lo tanto, no estaban bien provistos de la maquinaria debida,

podían, cuando se esforzaban, hacer entre todos, [...] más de cuarenta y ocho mil alfileres, cuya cantidad, dividida entre diez, correspondería a cuatro mil ochocientos por persona. En cambio, si cada uno hubiera trabajado separada e independientemente, y ninguno hubiera sido adiestrado en esa clase de tarea, es seguro que no hubiera podido hacer veinte, o, tal vez, ni un solo alfiler al día; es decir, seguramente no hubiera podido hacer la doscientascuarentava parte, tal vez ni la cuatromilochocientosava parte de lo que son capaces de confeccionar en la actualidad gracias a la división y combinación de las diferentes operaciones en forma conveniente.[4]

La división del trabajo, entonces, aumenta la producción, que es, en definitiva, la riqueza. Ya que lo que realmente queremos es satisfacer ciertas necesidades y los bienes y servicios son medios para alcanzar esos objetivos, cuanto más medios se produzcan se reduce su escasez y se facilita la satisfacción de esas necesidades.

Smith dice que son tres las circunstancias que explican el aumento de la cantidad de productos obtenidos por el trabajo o la «productividad del trabajo», en términos actuales: la mayor destreza de cada obrero en particular, el ahorro de tiempo que comúnmente se pierde al pasar de una tarea a otra y la invención de un gran número de máquinas que facilitan y reducen el trabajo necesario.

Hoy se citan, en verdad, otras tres circunstancias. La primera de ellas está relacionada con aquello de lo que hablamos antes respecto del «individualismo metodológico», y se refiere a las innatas habilidades que cada hombre

---

[4] ADAM SMITH, *op. cit.*, p. 8.

tiene para realizar determinadas tareas; algunos son buenos para realizar tareas que demandan una enorme destreza y otros, en cambio, lo son para realizar grandes esfuerzos. La segunda es que los recursos de la naturaleza también se encuentran repartidos en forma desigual sobre la superficie de nuestro planeta, por lo que algunos abundan en ciertas zonas y escasean en otras. La tercera, por último, se refiere a cierto tipo de tareas cuya magnitud es tal que requieren el esfuerzo conjunto de más de una persona. Crusoe sabía bien de esto, pues había muchas tareas que no podía realizar cuando estaba solo.

Las diferencias de recursos y habilidades antes mencionadas llevan a la división del trabajo, y ésta, a la vez, profundiza la especialización: a medida que una persona se dedica a cierta tarea, va aumentando su conocimiento sobre ella y descubriendo formas de realizarla de manera más eficiente.

La especialización originada en la división del trabajo permite el incremento de la productividad y, por lo tanto, libera a cada individuo de la pesada tarea de abastecerse de sus necesidades básicas, permitiéndole *diversificar* sus actividades hacia otras de su interés. El crecimiento de las actividades relacionadas con el ocio, tales como el «entretenimiento«, no es otra cosa que el resultado del incremento en la productividad alcanzado gracias a la división del trabajo.

El grado de división del trabajo va a estar determinado por la extensión del mercado. Esto es fácil de comprender: la llegada de Viernes a la isla da origen a la división del trabajo. Si imaginamos la llegada de diez personas más, podemos considerar las posibilidades adicionales para la extensión de la división del trabajo. Esta extensión del «mercado» no es otra cosa que el incremento de las actividades destinadas a producir productos destinados a los demás, a diferencia de las actividades destinadas simplemente a satisfacer las necesidades propias.

Gracias a la división del trabajo podemos dedicarnos a muchas cosas sin tener que ocuparnos de atender las necesidades más elementales. Imaginemos por un momento que si esto no fuera así tendríamos que pensar en cosas que hoy no se nos cruzan por la cabeza: ¿dónde conseguir agua?, ¿qué se puede comer esta noche?, ¿dónde habrá un refugio para dormir? Precisamente ésas son las cosas que ocuparon a Robinson Crusoe cuando en muy poco tiempo pasó de vivir en sociedad y aprovechar los beneficios de la división del trabajo a la más absoluta pobreza, causada por la ausencia de esa sociedad. Robinson nos presenta un claro ejemplo de lo que significa «perder» los beneficios de la división del trabajo.

En el comienzo de la novela, Robinson recuerda los consejos que su padre, preocupado por la personalidad aventurera e imprudente del hijo, le daba para disuadirlo de su intención de abandonar el hogar:

> Me dijo que era propio de hombres desesperados, por un lado, o de los ambiciosos que aspiraban a fortunas superiores, por otro, el irse al extranjero en busca de aventuras, intentando medrar y hacerse famosos con empresas y en asuntos de condición fuera de lo común; que todo ello estaba o bien muy por encima de mí, o bien muy por debajo de lo que merecía; que

lo mío era el estado medio, o lo que podría llamarse el grado superior de la vida común, que según su larga experiencia era el mejor estado del mundo, el más adecuado a la felicidad humana, que no estaba expuesto a las miserias y sinsabores, al trabajo y los sufrimientos del estamento manual de la humanidad, ni se veía tampoco dificultado por el orgullo, el lujo, la ambición y la envidia del estamento superior. Me dijo que podía juzgar sobre la felicidad de este estado por lo siguiente: que éste era el estado de la vida que todos los demás envidiaban, pues los reyes se habían lamentado a menudo de las terribles consecuencias de haber nacido para cosas grandes, y deseaban que les hubiera tocado en medio de los dos extremos, entre el mísero y el poderoso; y que el sabio había dado testimonio de que éste era el medio justo de la verdadera felicidad cuando rogaba que no le correspondieran ni la pobreza ni las riquezas.[5]

Robinson era, entonces, un típico joven de una familia de medianos ingresos, lo cual le garantizaba la cobertura de ciertas necesidades básicas: comida, vestimenta, vivienda, un cierto grado de cultura y esparcimiento. La tragedia de su naufragio y la soledad en la isla lo privan por completo de los beneficios alcanzados por la sociedad gracias a la división del trabajo:

> Yo, pobre y mísero Robinson Crusoe, llegué a esta isla desafortunada después de naufragar en alta mar durante una tormenta. Di a la isla el nombre de Isla de la Desesperación. El resto de la tripulación del barco en el que viajaba se ahogó durante la tormenta y yo mismo estuve a punto de morir.

---

[5] Daniel Defoe, *op. cit.*, p. 86.

Pasé el resto del día atormentándome al pensar en las terribles circunstancias en las que me encontraba: carecía de comida, de ropas, armas o de un lugar donde cobijarme. Desprovisto de cualquier ayuda, pensé que me aguardaba la muerte: que sería devorado por alguna fiera o masacrado por los salvajes, o bien que perecería de hambre a causa de la escasez de comida. Cuando la noche estaba ya próxima, me eché a dormir sobre un árbol, pues tenía miedo de ser atacado por alguna criatura salvaje. Dormí muy profundamente, a pesar de que estuvo lloviendo toda la noche![6]

---

[6] DANIEL DEFOE, *op. cit.*, p. 161.

CUATRO

LA COOPERACIÓN SOCIAL
La Ley de Asociación
y el compañero Patafólica

Ninguna sociedad puede haber surgido de las virtudes amables y las cualidades apreciables del hombre, sino, por el contrario, que todas ellas deben haberse originado en sus necesidades, sus imperfecciones y sus variados apetitos; asimismo descubriremos que, cuanto más se desplieguen su orgullo y vanidad y se amplíen todos sus deseos, más capaces serán de agruparse en sociedades grandes y muy numerosas.

BERNARD DE MANDEVILLE (1670-1733)[1]

Adam Smith presenta la división del trabajo como el fundamento de la riqueza de las naciones. Pero, ¿lo es también para nosotros?

Es necesario plantear esta pregunta porque existe un camino alternativo para la obtención de bienes: la violencia. Podríamos cooperar con los demás, pero por cierto que también podríamos robar lo que otros poseen. Incluso puede que ésta forma de obtener bienes sea más rápida; tampoco requiere dar algo a cambio. Cada uno de nosotros se enfrenta siempre a dos posibilidades, cooperar o usar la violencia: ¿por qué hemos de preferir la primera?

Una obvia respuesta es dada por la ética: robar está mal, diría Kant, porque es necesario obrar el bien sin esperar nada a cambio, simplemente porque es un deber. Pero también los economistas consideran que está en el interés del individuo hacerlo. Veamos por qué.

---

[1] BERNARD MANDEVILLE, *La fábula de las abejas, o los vicios privados hacen a la prosperidad pública*, México, FCE, (1714) 1982.

La Ley de Asociación o ley de ventajas comparativas

Pocos años después de la publicación del libro de Adam Smith, otro gran economista realizó importantes contribuciones a la incipiente ciencia: su nombre fue David Ricardo. Ricardo explicó con suma claridad las ventajas de la división del trabajo, que los hombres descubrirían por su experiencia. Y si bien se refería a las ventajas fundamentales del comercio entre países o regiones, los principios de esa ley se aplican también a la relación entre dos personas.

Imaginemos que Pedro y Juan pueden producir manteca o tejer un saco de lana. Supongamos que en un día Pedro puede producir lo siguiente:

6 kilos de manteca o

4 sacos de lana

Por otro lado, Juan, ya sea porque tiene distintos recursos o distintas habilidades, puede producir en el mismo tiempo:

2 kilos de manteca u

8 sacos de lana

Si dedicaran la mitad de su tiempo a cada producto, Pedro y Juan obtendrían una producción total de:

4 kilos de manteca (3 de Pedro y 1 de Juan)

6 sacos de lana (2 de Pedro y 4 de Juan)

Pero si cada uno de ellos se dedicara a producir sólo aquello que hace más eficientemente (Pedro la manteca y Juan los sacos de lana) veríamos que la producción total de ambos sería:

6 kilos de manteca

8 sacos de lana

En este caso, los beneficios de la división del trabajo y la cooperación son evidentes. Pero Ricardo fue más allá y planteó algo que resulta, a primera vista, difícil de comprender: que estos beneficios se presentan aun en el caso en que uno de los dos sea más eficiente en la producción tanto de manteca como de sacos de lana.

Veámoslo con otro ejemplo: supongamos que Michael Jordan comprueba que el césped en el jardín de su casa está muy largo y requiere un recorte urgente; se le plantea el dilema de dedicar el próximo domingo a cortar el césped o jugar un partido de básquetbol. Sabe que puede llamar a Carlos, su jardinero, pero dadas sus condiciones atléticas resulta claro que Jordan es más eficiente que Carlos cortando el césped. Por supuesto que también lo es jugando al básquetbol. ¿Qué debería hacer Jordan? Evaluando las opciones en términos monetarios, estaremos todos de acuerdo en que le conviene ir a jugar ese partido por el que ganará miles de dólares y contratar a Carlos para que arregle el jardín. Esto es así porque Jordan es «comparativamente» o «relativamente» mucho más eficiente que Carlos jugando al básquetbol que cortando el césped. Pese a todo, Carlos es «relativamente» competitivo en una actividad, lo que genera el interés de ambos en cooperar.

La decisión de Jordan se entiende aún mejor si introducimos un importante concepto en el análisis económico: *el costo de oportunidad*. Cuando nos enfrentamos a una decisión como la de Jordan, no debemos tomar en cuenta el costo directo de cada una de las alternativas, sino el de la alternativa que no elegimos. En este caso en particular, el costo para Jordan de elegir cortar el césped no es el esfuerzo que dedique a esta tarea o el ahorro que realice sobre lo que tendría que pagarle a Carlos, sino que debe tomar en cuenta el «costo de oportunidad», que es lo que ganaría si fuera a jugar. En este caso, el verdadero costo de elegir arreglar el jardín asciende, seguramente, a varios miles de dólares.

Por otra parte, el costo de oportunidad de ir al partido es el de pagarle a Carlos para cortar el césped. Si comparamos un costo con otro, resulta evidente que a Jordan le conviene ir a jugar y contratar a Carlos como jardinero.

El lenguado y el compañero Patafólica

La cooperación social es posible porque es conveniente. Pero la sociedad no surge porque un día se reunieron los hombres y decidieron hacerla. Los hombres, persiguiendo sus objetivos personales, fueron creando un orden social espontáneo, basado en la colaboración, en compartir sacrificios y esfuerzos, en la división del trabajo.

Esa colaboración no surge por sentimientos de simpatía, de amistad o de un innato sentido de la colaboración de la especie, sino que se cumplen, como en otros casos, los requisitos necesarios para la acción. El hombre se ve impelido a abandonar las conductas salvajes y aisladas cuando comprende que las acciones realizadas bajo la división del trabajo dan mejores frutos que el aislamiento. Si no hubieran advertido eso, los hombres habrían continuado como los peces, comiéndose unos a otros, viendo en el otro a un enemigo. El principio de la división del trabajo ha sido el motor de la cooperación social, convirtiendo a los otros hombres de enemigos en potenciales colaboradores.

Volviendo ahora a los simpáticos *Cuentos de Calleja*, veremos que el compañero Patafólica no comprende los beneficios de la división del trabajo; sólo parece ver los sacrificios temporales que toda cooperación implica:

Morrongo I, rey de los gatos romanos, decidió casarse con la linda gata que cautivara su corazón. Muchas Zapaquildas se presentaron en palacio aspirando a la honra de ser elegidas por Morrongo; pero éste quería esposa bella, buena y sabia: tres cosas que no suelen verse juntas en una gata, por muy romana que sea.

Se puso tan malo, que comenzó a dar en el vicio de roerse las uñas y rascarse los bigotes, síntomas de grave dolencia entre los gatos.

Reuniéronse los médicos de cámara, y después de una discusión de quince días resolvieron que el Rey, o estaba bueno y sano, o a las puertas de la muerte. Sólo un médico viejo opinó que no sabía a ciencia cierta el mal que aquejaba a Su Majestad.

Morrongo empezó a enflaquecer, comprendiendo que la causa de su mal era vivir sin más afectos que los interesados de sus cortesanos. Una mañanita, antes que amaneciera, se lavó la cara y marchó de palacio, decidido a no volver hasta haber elegido una Reina digna del primer trono gatuno.

La primera noche la pasó cerca de un hormiguero situado al pie de un árbol. Apenas había comenzado a conciliar el sueño, cuando un ruido le despertó: oyó voces debajo de la tierra; a poco salieron muchas hormigas, y se reunieron a corta distancia de Morrongo. Una de ellas, la más atrevida, sin duda, se encaramó sobre una china puesta en dos pies, tosió para limpiarse el pecho, y tirándose de los puños de la camisa, dijo:

—¡Compañeras, ha llegado el momento de sacudir el yugo que nos abruma! ¡Nosotros somos la mayoría, y podemos hacer lo que nos dé la gana! Rara un grano de trigo por barba que nos dan, nos hacen sudar el quilo. Pues se me ocurre lo siguiente: que nos den doble comida, y no trabajemos más que la mitad; es decir, que no trabajéis, porque yo harto hago con hablar bien.

Aplausos estrepitosos acogieron las palabras del orador.

—Si nos dan lo que pedimos, seguiremos trabajando; pero si no, nos declaramos en huelga, y punto concluido.

—¡Bravo! ¡Bravo! ¡Viva el compañero Patafólica!

—¡Un momento! —dijo un hormigón viejo encarándose a otra china. ¿Y si vosotros trabajáis sólo la mitad y queréis doble ración, de dónde vamos a sacar los comestibles?

—¡Nada; huelga, huelga! —gritaban todos—. ¡Lo mejor es no trabajar!

—¡Oídme, por favor! —gritaba el viejo—. ¡Mirad que os perdéis!

¡Fuera! ¡Fuera! ¡Que se calle ese tío! ¡Tiradle de cabeza!

—¿Queréis que os cuente un cuento?—dijo de pronto el vejete.

—Siendo cuento, ¡venga! —gritaron algunos; y todos escucharon.

—En un autor romano he leído que una vez se pelearon los miembros y el estómago. Decían los miembros: «Pero, qué sinvergüenza es nuestro estómago, que come y no trabajar».

Las manos decían: «Si no fuera por nosotras, que cogemos el alimento y lo llevamos a la boca, medrado estaría el estómago». Las piernas añadían: «Pues, y sin nosotras, que llevamos al cuerpo adonde hay que comer. ¡Nada, nada; el estómago es un holgazán que está sacándonos el jugo, y ya es hora de que nos la pague todas juntas! ¡Desde ahora mismo dejamos nosotras de trabajar, y que rabie de hambre!».

Y así lo hicieron. Al principio, ¡qué gusto! Ni las piernas ni las manos se movían y estaban como piedras rosas, mientras el estómago radiaba de hambre y de sed. Pero al poco tiempo comenzaron a sentir las piernas y las manos una flojedad extraordinaria; tanto que, aun cuando quisieran, no podían moverse. Entonces, dijo la cabeza, que no había intervenido en el complot: «¿No comprendéis, algas de cántaro, que si el estómago come lo que le dais es para dároslo luego a vosotros en vida, fuerza y salud?». Comprendiéronlo los miembros, y se apresuraron a dar comida al estómago.

Pues aunque el compañero Patafólica os diga lo contrario, sabed que sois los miembros, y nosotros los jefes, el estómago. Vosotros trabajáis buscando las provisiones, pero nosotros las guardamos y las distribuimos para que duren en el mal tiempo; nosotros somos los médicos que os curamos cuando estáis malos, los ingenieros que os enseñamos a construir las viviendas, los guardianes que os defienden de los ladrones, los maestros que iluminan vuestro entendimiento, y los sacerdotes que os enseñan la moralidad. Decid ahora si comemos de balde lo que nos dais.

Bajaron las hormigas la cabeza y volvieron al hormiguero como unos corderitos, mientras Patafólica decía:

—¡Me ha fastidiado ese tío! ¡Desde hoy tendré que trabajar como los demás![2]

A regañadientes, Patafólica comprende que es preciso sacrificarse en aras de un beneficio mayor. Lo que incentiva a los hombres a cooperar entre sí no es ni más ni menos que el deseo de mejorar las condiciones de cada uno, algo que el viejo hormigón trata de explicar. Siempre habrá

---

[2] Saturnino Calleja, *Cuentos de Calleja*, Santander, Editorial Saturnino Calleja, 1925.

personas como Patafólica, que no vean claramente los beneficios de la cooperación social o que busquen sacar ventaja de los demás.

La división del trabajo, bien lo dice el hormigón con el ejemplo de los órganos del cuerpo, surge en virtud de ciertas características presentes en la naturaleza.

Una de ellas es la diferente aptitud de los hombres para la realización de trabajos. Los hombres nacen distintos.

No nos preguntamos por qué, es un dato.

Cuando la cooperación social se quiebra porque la boca, las manos y las piernas dejan de trabajar, son precisamente éstas las que comienzan a sentir flojedad e inmovilidad. Comprenden, entonces, al igual que comprendió el hombre, que el pequeño sacrificio de comida que den al estómago da como resultado un mayor beneficio posterior para cada uno.

CINCO

LA TEORÍA DEL VALOR
Hans Christian Andersen y Ricardo III

*Así pues, el valor no es algo inherente a los bienes, no es una
cualidad intrínseca de los mismos, ni menos aún una cosa
autónoma, independiente, asentada en sí misma. Es un juicio
que se hacen los agentes económicos sobre la significación que
tienen los bienes de que disponen para la conservación
de su vida y de su bienestar y, por ende,
no existe fuera del ámbito de su conciencia.*[1]

CARL MENGER (1840-1921)

Al observar el ámbito de las relaciones voluntarias o libres
se advierte una infinidad de intercambios: los hombres
cambian entre sí productos y servicios por millones en
forma continua, con el fin de alcanzar sus objetivos. Ya
hemos visto por qué lo hacen, pero nos queda aún por
averiguar por qué se desprenden de algo a cambio de
otra cosa en tal proporción. En otras palabras, ¿por qué
se intercambian varios cuadernos por un traje y no uno
por uno?

La relación que establecen las personas para intercambiar una cosa por otra se denomina «precio». Ahora bien,
para poder explicar esos precios, o relaciones de intercambio, debemos determinar previamente por qué las cosas
valen lo que valen, ya que es esto lo que determina que
no cambiemos un traje por un cuaderno, sino por varios.

Este tema fue discutido desde el inicio de la especulación filosófica, pero adquirió especial importancia en los
trabajos de los primeros economistas. Como dijimos, la

---

[1] CARL MENGER, *Principios de economía política*, 2.ª ed., Unión Editorial, (1871) Madrid 2012, p. 105.

economía era, en un principio, parte de la filosofía moral; quienes analizaban los intercambios y las proporciones en qué se realizaban trataban de determinar qué era un intercambio «justo». Los primeros economistas simplemente trataron de comprender por qué la gente intercambia cosas en determinadas proporciones, independientemente de la noción de justicia. Para ello, tomaron dos conceptos que pueden rastrearse hasta en Aristóteles mismo: «valor de uso» y «valor de cambio». El primero se refiere a la satisfacción que me brinda un determinado producto; es una noción claramente subjetiva. El segundo alude a lo que puedo obtener si lo intercambio, a los otros productos que podría conseguir entregando ese producto particular. Como veremos, no son conceptos equivalentes: puedo tener una extraordinaria foto de la familia a la que daría un alto «valor de uso», pero que seguramente tendría un muy bajo «valor de cambio», pues a pocos les interesaría y si hubiera algún interesado nunca lo estaría tanto como yo.

Adam Smith comenzó su análisis continuando con estas dos categorías del valor, aunque lo que más le interesaba era analizar el «valor de cambio», para comprender por qué se intercambiaban las cosas en tales proporciones. Un análisis detallado de su pensamiento podría mostrarnos que no buscó un «determinante» del valor de cambio, sino una «medida» de este valor, pero lo cierto es que le fue atribuida una teoría «objetiva» del valor de cambio, basada en la cantidad de trabajo que se necesita para adquirir un determinado bien.

Poco importa que se trate de una interpretación sesgada o errónea de su pensamiento, ya que las consecuencias han sido de enorme importancia. Lo mismo parece haber sucedido con David Ricardo, otro gran economista posterior a Smith que ya hemos mencionado, e incluso con Karl Marx. La interpretación generalizada fue que todos ellos sostenían una teoría del valor basada en la cantidad de trabajo necesaria para obtener un bien. Marx, entonces, habría llevado esta teoría hacia una lógica conclusión: si todo el valor proviene del trabajo, ¿de dónde sale la ganancia del capital? Resultaría de la explotación del trabajo; esta «plusvalía» les sería expropiada a los trabajadores por parte del capitalista. De ahí la necesidad de la revolución para «expropiar a los expropiadores».

Pero no olvidemos que el objetivo era comprender por qué la gente intercambia cosas en determinadas proporciones. Y si la respuesta a esto, como fue la de Marx, es que la gente estaría intercambiando cantidades iguales del trabajo socialmente necesario para producir esos bienes, a uno le queda pendiente la pregunta de por qué lo hace: ¿por qué se intercambian cosas que valen lo mismo? La respuesta radica en el valor de «uso»: lo hacen porque les dan un valor de uso mayor que el valor de cambio. Para explicar, entonces, las relaciones en que los intercambios se realizan debemos prestar atención a las valoraciones subjetivas y diversas que los individuos tienen de las cosas, que derivan de sus especiales circunstancias y de las diferentes escalas de necesidades personales.

Poco a poco, estamos llegando al nudo central del debate económico en los últimos doscientos años. Tal vez alguien más experimentado tenga algo para enseñarnos.

«Lo que el viejo hace es siempre correcto»,[2] es un cuento de Hans Christian Andersen, que dice así:

Les contaré ahora una historia que escuché cuando era chico, y cada vez que pienso en ella parece ser más y más encantadora, porque con los cuentos sucede como con tantas personas: se vuelven más y más encantadoras cuanto más viejas son; y eso es tan lindo.

Por supuesto, han estado ustedes en el campo. Han visto las casas de techo de paja, donde moho y hierba crecen solos; hay un nido de cigüeña en el borde del techo, porque no se puede estar sin la cigüeña. Las paredes están torcidas y las ventanas bajas, sólo una de ellas puede abrirse; el horno de barro se proyecta dentro del cuarto, y el viejo arbusto se reclina sobre el vallado donde hay un pequeño estanque de agua con un pato y varios patitos bajo el nudoso sauce. Y también hay un perro que ladra a todos.

Había exactamente tal casa en el campo y en ella vivía una vieja pareja, un campesino y su mujer. Aunque no tenían mucho, pensaban que podían desprenderse de una de sus posesiones, y ésa era el caballo, que solía vivir del pasto que crecía en la zanja al lado del camino. El viejo solía ir con él al pueblo y los vecinos se lo arrendaban, y a cambio le daban servicios; pero los dos viejitos pensaron que sería más útil para ellos venderlo, o cambiarlo por algo que les fuera de mayor utilidad. Pero, ¿por qué?

—Papá, tú entiendes esto mejor —dijo la mujer—. Hay ahora una feria en Copenhague; ve allí y vende el caballo o cámbialo por algo bueno. Lo que haces es siempre correcto. Ve entonces a la feria.

[2] HANS CHRISTIAN ANDERSEN, *Andersen's Fairy Tales*, Nueva York, Beekman House, 1978.

Y ella ató su pañuelo al cuello, porque eso lo sabía hacer mejor que él; le hizo un doble nudo, lo cual le daba una apariencia muy sagaz. Luego, limpió su sombrero y le dio un cariñoso beso, y así partió él con su caballo para venderlo o cambiarlo. Sí, su viejo entendió eso muy bien.

El sol brilló muy fuerte, no se veían nubes. La ruta estaba polvorienta porque bastante gente iba a la feria, ya sea en carro, a caballo o caminando. El calor del sol era terrible, y no se podía encontrar refugio en ninguna parte del camino.

Justo entonces un hombre iba también a la feria llevando una vaca. La vaca era una criatura perfecta como toda vaca puede ser.

—Seguro que da mucha leche —pensó el campesino—, sería algo muy bueno si puedo obtenerla a cambio de mi caballo.

—¡Eh!, ¡eh!, ¡usted, el de la vaca! —gritó—, tenemos que conversar. Como usted sabe, un caballo cuesta más que una vaca, pero eso no importa. Me sería más útil una vaca. ¿Los cambiamos?

—Muy bien —dijo el hombre de la vaca, y así cambiaron los animales.

El campesino había hecho entonces un negocio, y podría haber regresado; pero como se había hecho ya a la idea de ir hasta la feria, iría hasta allí de todas formas, aunque más no fiera para mirar; y así emprendió de nuevo el camino con su vaca. Tanto él como la vaca caminaban a un paso rápido, yes así como pronto alcanzaron a un hombre que llevaba una oveja. Era una linda oveja, en buenas condiciones y con abundante lana.

—Me gustaría tenerla —pensó el campesino—. Tendría suficiente pasto a los costados del camino, y en el invierno podría estar con nosotros en el cuarto. En realidad, sería mejor para mí tener una oveja que una vaca. ¿Las cambiamos?

Sí, al hombre de la oveja no le importaba eso, y así cambiaron de animales, y el campesino reinició su caminata con la oveja.

Pasando la tranquera vio a un hombre con un enorme ganso bajo el brazo.

—Ese sí que es un pájaro grandote —dijo el campesino—, tiene un montón de plumas y está gordo. Se vería muy bien en nuestro estanque. Y mamá podría juntar los desperdicios para darle. Ella decía a menudo: «Si tan sólo tuviera un ganso». Ahora puede tenerlo y lo tendrá. ¿Me lo cambiaría? Le doy la oveja por el ganso y muchas gracias por el negocio.

Sí, el hombre quería, y así cambiaron animales, y el campesino obtuvo el ganso. Ya estaba cerca del pueblo y el camino estaba cada vez con más gente. Lleno de gente y de ganado. Caminaban a la vera del camino y en la zanja hasta que pasaron por la huerta de papas donde estaba una gallina atada para que no se escapara si se asustaba. Era una gallina sin cola y un ojo le pestañeaba, pero tenía buen aspecto.

¡Che, che!, decía. Lo que quería decir con eso no puedo decirlo, pero el campesino, cuando la vio pensó: «Es la gallina más linda que haya visto. Es mejor que la bataraza del párroco. Me gustaría tenerla. Una gallina siempre puede encontrar un grano de trigo o dos. Casi se mantienen solas. Creo que sería una buena cosa si pudiera obtenerla a cambio del ganso».

—¿Cambiamos? —preguntó.

—Sí, no sería mala idea —dijo el granjero—. Hecho.

—Y así cambiaron los animales y el granjero se quedó con el ganso y el campesino con la gallina.

A esta altura ya había hecho unos cuantos negocios en su camino al pueblo. Hacía calor y estaba empezando a sentirse cansado. Quería un trago y un pedazo de pan. Entonces llegó a la posada y estaba a punto de entrar cuando el cocinero, que justo salía, se tropezó con él llevando una bolsa en su espalda.

—¿Qué tiene ahí? —preguntó el campesino.

—Manzanas podridas—contestó el cocinero—, una bolsa entera para los chanchos.

—Es increíble. Me gustaría que mamá viera esto. El año pasado sacamos sólo una manzana del árbol que tenemos en el fondo. Esa manzana teníamos que guardarla y la pusimos en el estante hasta que se echó a perder. Mamá dice que siempre es un signo de prosperidad. Ahora, aquí uno puede ver mucha prosperidad. Sí, me gustaría que lo viera.

—Bueno, ¿qué me daría a cambio? —preguntó el cocinero.

—¿Dar? Le daré mi gallina —y así fue como le dio la gallina por las manzanas y entró en la posada. Puso la bolsa contra la estufa pero no se dio cuenta de que estaba prendida.

Había muchos extraños en el bar, comerciantes de ganado, de caballos, y dos ingleses. Estos últimos eran tan ricos que tenían sus bolsillos llenos de oro y hacían permanentes apuestas. Ahora verán.

—¡Miss-s-s! ¡Miss-s-s! ¿Qué ruido es ése cerca de la estufa?

Las manzanas estaban empezando a hornearse.

—¿Qué es eso? —preguntaron todos. Bueno, en poco tiempo lo supieron, como también toda la historia acerca del caballo que había sido cambiado por la vaca y así hasta llegar a las manzanas podridas.

—Su mujer sí que se va a enojar cuando vuelva a casa —dijo el inglés—, va a haber un gran escándalo.

—Me dará besos, no patadas —dijo el campesino—. Mamá siempre dice que lo que el viejo hace siempre es correcto.

—¿Apostamos? —dijeron—. Tenemos mucho oro. Cien libras a una.

—Eso llenaría una bolsa —dijo el campesino—. Sólo puedo llenarla de manzanas, pero ¡adelante!

—¡Hecho! ¡De acuerdo! —dijeron, y así se hizo la apuesta.

Trajeron el carro del posadero y subieron los ingleses y el campesino, llevando la bolsa de manzanas podridas, y así llegaron a su casa.

—Buenos días, mamá.

—Lo mismo para ti, papá.

—Bueno, cambié el caballo.

—Ah, tú sabes lo que haces —dijo la mujer y le pasó su brazo por la cintura olvidándose tanto de los extraños como de la bolsa.

—Cambié el caballo por una vaca.

—¡Gracias a Dios por la leche que vamos a tener! —dijo la mujer—. Ahora podremos tener leche, manteca y queso en la mesa. Eso estuvo bien hecho.

—Sí, pero cambió la vaca por una oveja.

—Ah, eso es mejor aún —dijo la mujer—. Siempre eres tan inteligente. Tenemos pasto suficiente para una oveja. Ahora podremos tener leche de oveja, y queso de oveja, y medias de lana y hasta camisas de lana. La vaca no hubiera podido darnos eso; su pelo no nos sirve para nada. ¡Eres muy inteligente!

—¡Pero cambié la oveja por un ganso!

—Entonces, tendremos ganso para esta Navidad, papá querido. Tú siempre piensas cómo complacerme. ¡Eres tan considerado! Podemos atarlo y hacer que esté más gordo para Navidad.

—Pero cambié el ganso por una gallina —dijo el viejo.

—¡Una gallina! Bueno, ése sí fue un buen cambio —dijo la mujer—, la gallina pone huevos y los empolla; tendremos un gallinero; justo lo que deseaba desde hace tanto tiempo.

—Sí, pero cambié la gallina por una bolsa de manzanas podridas.

—¡Ahora sí que tengo que besarte! —dijo la mujer—. Gracias, mi marido, tengo algo que decirte. Cuando te fuiste pensé en prepararte algún plato exquisito, un delicioso omelette con cebollines. Así es que fui hasta lo de la maestra, porque sé que tiene cebollines. he pregunté si me prestaba algunos. «¿Prestarlos?», dijo. «Nada crece en mi jardín, ni siquiera una manzana podrida», que yo podría darle. ¡Ahora podré darle diez, una bolsa! ¡Eso es muy divertido, papá! —y le dio un gran beso.

—Esto es lo que me gusta —dijeron los ingleses—. Siempre yendo barranca abajo y tan contentos como siempre. ¡Esto vale nuestro oro!

Y así le pagaron las cien libras de oro al campesino, quien recibió besos y no patadas.

Sí, es siempre mejor que una mujer sostenga que su marido es el más inteligente, y que hace siempre lo correcto. Bueno, ésta es la historia que escuché cuando era chico, y ahora la escucharon también ustedes, y saben que lo que el viejo hace es siempre correcto.

Pensemos seriamente que lo que el viejo hace está siempre bien... pues es exactamente así. Muchos de nosotros creemos, como el inglés, que el pobre viejo estaba siendo estafado y que al volver a su casa buena le esperaba. Sin embargo, es la mujer misma la que nos enseña por qué se realizan los intercambios.

Sólo cuando la teoría «objetiva» del valor comenzó a ser refutada a fines del siglo pasado pudo llegar a entenderse la actitud del viejo campesino. El viejo aprecia cada cosa según su aptitud para eliminar una necesidad determinada, es decir, va ordenando las cosas en razón de su utilidad para aumentar su propia satisfacción, que en este caso es la de satisfacer la de su mujer. Y es ella la que describe esa escala de valoraciones: la vaca por su leche, la oveja por su lana, el ganso por su carne, la gallina por sus huevos y hasta las manzanas podridas porque hay quien las necesita y da a cambio cebollines.

El inglés, como muchos otros, cree que el caballo vale más que la vaca, ésta que la oveja, y así sucesivamente. Pero ésa es «su» valoración. Para muchos, el caballo valdrá más que la vaca, pero para el viejo no es así.

Y por eso lo cambia. Llegamos aquí a resolver el acertijo de por qué se cambian las cosas: alguien cambia algo cuando «subjetivamente» valora en más lo que recibe que lo que entrega. De esta forma se explica la motivación por el cambio y, además, se muestra una situación en la cual los dos sujetos del intercambio ganan. Con la teoría de un valor objetivo de las cosas, los intercambios no podrían explicarse, pues siempre cambiarían un mismo valor por otro, o uno siempre ganaría en perjuicio del otro, lo que no haría nada fácil explicar el porqué de tantos intercambios voluntarios.

La economía moderna se basa en que las personas cambian las cosas sólo porque valoran en más lo que reciben de lo que dan. Es inútil entonces tratar de «medir» el valor, ya que depende de consideraciones subjetivas de cada individuo y en esto cada uno es distinto de otro. Las valoraciones del viejo campesino sólo él puede conocerlas y se expresan solamente en sus acciones en el mercado. Esto es, sólo podemos conocerlas al verlo actuar.

En la economía de mercado, la suma de las valoraciones subjetivas individuales se refleja en los precios.

Los economistas clásicos no podían explicarse por qué vale más el oro que el hierro, si se tiene en cuenta que éste último es más «útil».

Alicia a través del espejo, de Lewis Carroll nos ayudará a explicar un poco más este tema. Alicia visita una tienda que atiende una oveja. Veamos qué sucede:

> ¡Vamos, decídete!, ¿qué es lo que quieres comprar?
>
> —¿Comprar?—repitió Alicia con un tono de voz entre atimbrado y asustado... pues los remos, la barca y el río se habían esfumado en un instante y se encontraba de nuevo en la pequeña y oscura cacharrería de antes.
>
> —Querría comprarle un huevo, por favor —dijo al cabo con timidez—. ¿A cuánto los vende?
>
> —A cinco reales y un ochavo el huevo... y a dos reales la pareja.
>
> —¿Entonces dos huevos cuestan más barato que uno? —preguntó Alicia, asombrada, sacando su monedero.
>
> —Es que si compras dos huevos tienes que comerte los dos — explicó la oveja.
>
> —En ese caso, me llevaré sólo uno, por favor—concluyó Alicia, colocando el dinero sobre el mostrador; pues estuvo pensando que— vaya una a saber si están todos buenos...[3]

En este país tan increíble, un huevo «vale» más que dos, porque al comprarlos hay que comerlos, y la gente parece no querer hacerlo (¿serían ya las preocupaciones por el colesterol?). Es decir, es más valiosa la alternativa de comer un huevo que dos. ¿Adónde fue a parar la concepción del valor objetivo de las cosas? ¿Cómo podrían explicar esto Ricardo o Marx con su teoría de que la

---

[3] LEWIS CARROLL, *Alicia a través del espejo*, Madrid, Alianza, 1984.

cantidad de trabajo socialmente necesaria para producir un objeto determina su valor?

En nuestro cuento tenemos ya varias valoraciones distintas: la del viejo, la de cada uno de los que le cambian algo, la del inglés. Todos ellos valoran la vaca, la oveja, el ganso y demás, de forma diferente. Si existiera un valor «objetivo» de las cosas, sea dado por la cantidad de trabajo u otra cosa, no sería demasiado difícil «medir» ese valor. Ahora bien, nadie cambiaría algo de más «valor» (de acuerdo con esa medición) por algo de menos «valor», por lo que los intercambios no se realizarían (el caso del inglés). ¿Para qué complicarme con el cambio si voy a terminar igual que antes?

¿Para qué ir hasta el pueblo y volver con el mismo valor? Pero sí lo cambiaría cuando valoro más lo que voy a recibir que lo que voy a dar. Es lo que hace el viejo y todos los hombres, incluido Ricardo III.

¡Un caballo! ¡Un caballo! ¡Mi reino por un caballo![4]

El valor, entonces, es algo subjetivo, a tal punto que Ricardo III está dispuesto a entregar todo su reino a cambio de un caballo.

Esto lo explica una ley básica y fundamental de la economía: la ley de la utilidad marginal decreciente. Ella combina los conceptos de utilidad y escasez y dice que las

---

[4] WILLIAM SHAKESPEARE, «Ricardo III, Acto V, Escena IV», *The Complete Works*, Oxford University Press, 1988, p. 220.

cosas son valoradas como medios por su capacidad para alcanzar ciertos fines que son considerados más o menos urgentes. Cada uno de esos medios es valorado en forma separada. La primera unidad de un determinado bien es asignada a satisfacer la necesidad más importante que podamos tener en el momento de actuar. En el momento en que Ricardo III pronuncia su célebre frase, nada hay más importante para él que salvar su vida y evitar la derrota en la batalla, para lo cual necesita urgentemente un caballo. Ante una necesidad tan imperiosa, el medio de satisfacerla adquiere un valor supremo.

La ley de la utilidad marginal decreciente dice que unidades sucesivas de ese bien van a ser menos valoradas porque serán asignadas a satisfacer necesidades menos importantes. Suponiendo que Ricardo III hubiera obtenido un caballo (algo que no sucede, por lo que muere en la batalla), ¿cuánto hubiera estado dispuesto a dar por un segundo caballo? Seguro que mucho menos, y en este caso particular tal vez muy poco, pues tan sólo lo tendría como repuesto en caso de que muriera el que ahora cabalga. ¿Y un tercero? Menos aún.

Es decir, la utilidad decrece a medida que agregamos una unidad adicional; decrece en cuanto se va reduciendo su escasez y, por el contrario, aumenta en la medida en que esa utilidad crece.

Significa que siempre valoramos y tomamos decisiones sobre unidades específicas de un determinado bien. Ricardo III debería tener muchos caballos, pero en ese momento está valorando tan sólo uno, no a los caballos que posee en general; de allí el concepto de utilidad «marginal»:

siempre valoramos esa unidad que está en el «margen», no el *stock* completo.

Esta teoría sirvió para resolver una paradoja que desvelaba a los economistas: la de los diamantes y el agua. ¿Cómo puede ser que el agua, que es tan útil y necesaria para nuestra vida, tenga un valor tan inferior al de los diamantes? La respuesta es que no valoramos el «agua» o los «diamantes» en abstracto, sino que lo hacemos tomando en cuenta todo el *stock* disponible de agua que tenemos en un momento y cuánto valoraríamos una unidad más. Es ésa la unidad que estamos valorando. Asigno un bajo valor al agua porque tan sólo abriendo la canilla de mi casa tengo cientos de litros disponibles y uno más no me agrega nada; en cambio, como no tengo ningún diamante, uno de ellos será muy valioso para mí. Si nos dieran a elegir entre un litro de agua y un diamante, no hay duda que elegiríamos este segundo por la sencilla razón de que no tenemos escasez de agua; pero nuestra decisión no sería la misma en medio de un desierto. En esa circunstancia puedo preferir el agua a un diamante, de la misma forma que Ricardo III prefería un caballo a todo su reino.

Imaginemos que estamos en medio del desierto y nos acercamos a un oasis donde un beduino nos ofrece agua. La primera unidad la destinaremos a la necesidad más importante, digamos, calmar la sed. Una segunda unidad podremos utilizarla para refrescar nuestra cabeza, una tercera para refrescar el cuerpo, una cuarta para llenar la cantimplora, una quinta para darle de beber al camello, una sexta para mojar el turbante. Cada unidad adicional va a satisfacer una necesidad de menor importancia. Ahora bien, si tuviéramos que desprendernos de una de ellas para, por ejemplo, intercambiarla por algo de comida, ¿cuál sacrificaríamos? Pues obviamente dejaríamos de atender la necesidad de menor importancia —mojar el turbante— para obtener otra cosa que va a satisfacer una necesidad más urgente, el hambre. Pero estamos tomando una decisión, valorando, esa unidad «marginal», no todo el *stock* de agua que tenemos, ya que no estoy llamado a sacrificar toda el agua, sino a entregar tan sólo una unidad.

Podemos, por lo tanto, redactar esta ley de la siguiente forma: «cuanto más grande es la cantidad de un bien que poseemos, menor es su utilidad marginal; cuanto más pequeña es esa cantidad, mayor es su utilidad marginal».

SEIS

EL DERECHO DE PROPIEDAD
El principito y Don Quijote

El término «propiedad», en su uso particular,
significa «aquel poder que un hombre
reclama y ejercita sobre las cosas externas
del mundo, y que excluye a todos los otros
individuos». En su acepción más amplia
y correcta comprende todo aquello
a lo cual una persona tiene derecho
y a lo cual puede asignarle valor
y que permite a todos los demás
gozar de similar prerrogativa.[1]

JAMES MADISON (1751-1836)

Para que los intercambios estudiados en el capítulo anterior se realicen, es necesario que los participantes «posean» las cosas, es decir, tengan uno de los atributos de la propiedad, que es el derecho de su dueño a transferir su posesión a otro. En términos prácticos, el dueño de la vaca acepta a cambio el caballo porque cree o sabe que el viejo tiene el derecho de propiedad sobre él.

Cualquiera de nosotros sabe bien que si tomáramos a cambio algo que no es propiedad de quien nos lo da estaríamos recibiendo un problema; un problema con el verdadero dueño, quien se lanzaría a la carga a reclamar lo suyo o, en sociedades organizadas, haría el reclamo por medio de la justicia.

Los otros atributos de la propiedad son el derecho del dueño para decidir cómo va a usar su propiedad y el de

---

[1] JAMES MADISON; «Property», publicado el 27 de marzo de 1792 en National Gazette, forma parte de *The Papers of James Madison*, vol. XIV, Virginia, University Press of Virginia, 1985, pp. 266-68.

disfrutar los ingresos o beneficios que provengan de ella. Por eso cuidamos la propiedad, porque significa riqueza.

Llamamos «propiedad» a todo tipo de posesión personal: animales, libros, relojes, autos, ropa, dinero.

Es decir, pueden ser sujetos de propiedad todos los recursos naturales de la tierra (minerales, ríos y demás), herramientas, máquinas, fábricas, escuelas, casas, calles, mercaderías y más aún, hasta nuestras habilidades y talentos: nuestra habilidad para producir, nuestra capacidad para trabajar o crear son nuestra propiedad.

¿Y estrellas? ¿Podemos poseer estrellas? Bueno, yo no conozco a nadie que posea estrellas pero, ¿por qué no? En verdad, *El principito*, de Antoine de Saint-Exupéry, encuentra a alguien así:

El cuarto planeta era el del hombre de negocios. El hombre estaba tan ocupado que ni siquiera levantó la cabeza cuando llegó el principito.

—Buenos días —le dijo éste—. Su cigarrillo está apagado.

—Tres y dos son cinco. Cinco y siete, doce. Doce y tres, quince. Buenos días. Quince y siete, veintidós. Veintidós y seis, veintiocho. No tengo tiempo para volver a encenderlo. Veintiséis y cinco, treinta y uno. ¡Uf! Da un total, pues, de quinientos un millones seiscientos veintidós mil setecientos treinta y uno.

—¿Quinientos millones de qué?

—¡Eh! ¿Estás siempre ahí? Quinientos millones de... Ya no sé... ¿Tengo tanto trabajo! Yo soy serio, no me divierto con tonterías. Dos y cinco, siete...

¿Quinientos millones de qué? —repitió el principito, que nunca en su vida había renunciado a una pregunta, una vez que la había formulado.

El hombre de negocios levantó la cabeza:

—En los cincuenta y cuatro años que habito este planeta, sólo he sido molestado tres veces. La primera fue hace veintidós años por un abejorro que Dios sabe de dónde vino. Produjo un ruido espantoso y cometí cuatro errores en una suma.

La segunda fue hace once años por un ataque de reumatismo. Me hace falta ejercicio. No tengo tiempo para moverme. Yo soy serio. La tercera vez... ¡Hola aquí! Decía, pues, quinientos un millones...

—¿Millones de qué?

El hombre de negocios comprendió que no había esperanza de paz.

—Millones de esas cositas que se ven a veces en el cielo.

—¿Moscas?

—Pero no, cositas que brillan.

—¿Abejas?

—¡Pero no! Cositas doradas que hacen desvariar a los holgazanes. ¡Pero yo soy serio! No tengo tiempo para desvariar.

—¡Ah! ¿Estrellas?

—Eso es. Estrellas.

—¿Y qué haces tú con quinientos millones de estrellas?

—Quinientos un millones seiscientos veintidós mil setecientos treinta y uno. Yo soy serio, soy preciso.

—¿Y qué haces con las estrellas?

—¿Qué hago? Nada. Las poseo.

—¿Posees las estrellas?

— Sí.

—Pero he visto un rey que...

—Los reyes no poseen; «reinan». Es muy diferente.

—¿Y para qué te sirve poseer estrellas?

—Me sirve para ser rico.

—¿Y para qué te sirve ser rico?

—Para comprar otras estrellas, si alguien las encuentra. Este, se dijo el principito, razona un poco como el ebrio.

Sin embargo, siguió preguntando.

—¿Cómo se puede poseer las estrellas?

—¿De quién son?—replicó, hosco, el hombre de negocios. —No sé, de nadie.

—Entonces son mías, pues soy el primero en haberlo pensado.

—¿Es suficiente?

—Seguramente. Cuando encuentras un diamante que no es de nadie, es tuyo. Cuando encuentras una isla que no es de nadie, es tuya. Cuando eres el primero en tener una idea, la haces patentar: es tuya. Yo poseo las estrellas porque jamás, nadie antes que yo, soñó con poseerlas.

—Es verdad —dijo el principito—. ¿Y qué haces tú con las estrellas?

—Las administro. Las cuento y las recuento —dijo el hombre de negocios—. Es difícil. ¡Pero soy un hombre serio! El principito no estaba satisfecho.

—Yo, si poseo un pañuelo, puedo ponerlo alrededor de mi cuello y llevármelo. Yo, si poseo una flor, puedo cortarla y llevármela. ¡Pero tú no puedes cortar las estrellas!

—No, pero puedo depositarlas en el banco.

—¿Qué quiere decir eso?

—Quiere decir que escribo en un papelito la cantidad de mis estrellas. Y después cierro el papelito, bajo llave, en un cajón.

—¿Es todo?

—Es suficiente.

Es divertido, pensó el principito. Es bastante poético. Pero no es muy serio.

El principito tenía sobre las cosas serias ideas muy diferentes de las ideas de las personas mayores.

—Yo —dijo aún— poseo una flor que riego todos los días. Poseo tres volcanes que deshollino todas las semanas. Pues deshollino también el que está extinguido. No se sabe nunca. Es útil para mis volcanes yes útil para mi flor que los posea. Pero tú no eres útil a las estrellas...

El hombre de negocios abrió la boca pero no encontró respuesta y el principito se fue.

Decididamente las personas mayores son enteramente extraordinarias, se dijo simplemente a sí mismo durante el viaje?[2]

El hombre de negocios lo expresa bien: la propiedad es riqueza, le sirve para ser rico. También dice algo cierto: en sus orígenes la propiedad se me extendiendo a medida que la gente se iba apropiando de lo que no tenía dueño, de la misma forma que si encuentras un diamante es tuyo y si encuentras una isla que no es de nadie, es tuya. Él quiere poseer las estrellas, pero el principito le dice claramente que de nada le sirve si no puede disfrutar sus beneficios.

La propiedad, en realidad, no significa que el propietario disfrute solamente de los beneficios que ésta pueda darle, sino que debe también soportar todas las cargas y responsabilidades de lo que haga con ella. La creciente extensión de la propiedad privada favoreció e impulsó el avance de la civilización en dos sentidos. El primero de ellos es el incentivo al progreso: está claro que pondré mis mayores esfuerzos en cualquier tipo de actividad en la medida en que pueda gozar plenamente de los frutos del esfuerzo realizado en el aprovechamiento de mis recursos. En otros términos, si mi único recurso es mi capacidad

---

[2] ANTOINE DE SAINT-EXUPÉRY, *El principito*, Bs. As., Emecé, 1989, p. 45.

de trabajo, está claro que sólo me esforzaré si tengo la seguridad de que el fruto de mi esfuerzo me pertenece, es mi propiedad.

Vano resulta tratar de inducir a las personas a esforzarse al máximo si luego el resultado de esta acción es utilizado por otro, si no ejercen sobre ese esfuerzo su derecho de propiedad.

El segundo aspecto por el cual la extensión de la propiedad privada favoreció el avance de la civilización se refiere a la protección de los recursos, es decir, de las cosas que son objeto de propiedad. Lo dice claramente el principito: «Yo poseo una flor que riego todos los días. Poseo tres volcanes que deshollino todas las semanas. Pues deshollino también el que está extinguido. No se sabe nunca. Es útil para mis volcanes y es útil para mi flor que los posea».

¡Por supuesto que es útil! Si no tenemos derechos de propiedad, no tenemos ninguna razón para preocuparnos de cuidarla. Basta dar un paseo por nuestras plazas o paseos públicos para poder ver que la «propiedad pública» no es en realidad propiedad de todos, sino propiedad de nadie. Y nadie se preocupa de su cuidado.

Lo mismo sucede con la depredación de los recursos sin propietario definido: las ballenas desaparecen, pero no sucede lo mismo con las ovejas, las vacas o las gallinas, cuyos propietarios no sólo se preocupan por mantenerlas, sino incluso por acrecentarlas. Pero las ballenas no son de nadie y, por lo tanto, la actitud racional de quienes las explotan es la de lucrar al máximo antes de que otros lo hagan, desentendiéndose de los efectos posteriores de sus acciones. Cuando los recursos son tratados como propiedad común, se asegura la destrucción del medio ambiente.

En cambio, cuando estos recursos se encuentran en manos de un «dueño», quien tiene el derecho de obtener los beneficios y la responsabilidad de soportar las cargas, ese dueño tiene un incentivo directamente relacionado con el valor de esos recursos.

Hace un tiempo, una propaganda televisiva mostraba una familia que tiraba los desperdicios de su comida sobre la alfombra del comedor y decía: «Usted no hace eso en su casa, no lo haga en su ciudad». La educación es muy importante para el mantenimiento de los lugares públicos, pero esa misma persona poco educada para comprender que no deben ensuciarse las plazas es, en cambio, lo suficientemente educada como para comprender que en «su» casa no debe hacerlo. La propiedad educa y guía las acciones del hombre al mejor mantenimiento de sus recursos.

Mientras tanto, los recursos «públicos» son «propiedad» de todos. A diferencia de lo que sucede con las propiedades privadas, pocos individuos tienen el tiempo o los recursos para poder informarse de las políticas de manejo de los recursos comunes y menos aún de las operaciones diarias. Tampoco pueden razonablemente influenciar sobre cada una de las decisiones, por lo que éstas son tomadas por un grupo reducido de individuos. De este modo, se separa la autoridad de la responsabilidad. Mientras que los deseos de la mayoría se ven así diluidos, en cambio, algunos intereses bien organizados pueden dirigir sus claros intentos a orientar el manejo de esos recursos para su beneficio.

Por último, la posesión de propiedad es también posesión de poder. En la medida en que la propiedad privada permite que la posesión se encuentre dividida entre un gran número de personas propietarias y no concentrada en un rey o en el Estado, distribuye el poder e impide que se concentre y sea controlado por unos pocos.

El origen de la propiedad

El hombre de negocios que encontró el principito, sin embargo, no había leído a John Locke (1632-1704). El filósofo inglés analizó el origen de la propiedad y sostuvo que se produce cuando el ser humano «mezcla su trabajo con» el objeto del que pretende ser propietario. Es decir, de nada vale clamar que soy dueño de la Luna si no puedo hacer nada para poseerla, si no puedo tomar efectiva posesión de ella, si no puedo mezclar mi trabajo con ella.

El hombre de negocios puede sostener que posee todas las estrellas, pero el mero deseo no genera propiedad. Para ser dueño de una tierra desocupada, es necesario trabajarla, establecer sus límites. Sólo entonces puedo decir que he adquirido su propiedad donde antes no existía ninguna.

La necesidad de esta importante institución, sin embargo, no estuvo siempre presente, como observa Harold Demsetz:

En el mundo de Robinson Crusoe los derechos de propiedad no desempeñan ningún rol. Son un instrumento de la sociedad y su significación deriva del hecho de que ayudan a formarse las expectativas que se pueden sustentar razonablemente en las relaciones con otros. Estas expectativas encuentran su expresión en leyes, hábitos y costumbres de una sociedad. El propietario de ciertos derechos de propiedad posee el reconocimiento de sus pares para permitirle actuar de determinadas maneras. Un propietario espera que la comunidad impida que otros interfieran en sus propias acciones a partir de que tales acciones no están prohibidas en la especificación de sus derechos.[3]

Aun cuando ya se vive en sociedad, el derecho a la propiedad de ciertos recursos no siempre es necesario. Así sucede cuando los bienes a ser propiedad no llegan a ser escasos. Si un bien no es escaso, no es un bien «económico» y no es sujeto a propiedad. Cuando un bien pasa a serlo, surge entonces la necesidad del derecho de propiedad como un mecanismo de protección de tal recurso.

Demsetz observa, por ejemplo, que en el caso de los indios que habitaban la península del Labrador existía una clara relación entre el establecimiento de derechos de propiedad privada y el comercio de pieles de castor. Con anterioridad a la llegada de los europeos, este comercio no existía; el consumo de pieles era bajo, sólo el requerido para sus propias necesidades, y éste no afectaba la reproducción de los animales. Cada uno cazaba para

---

[3] HAROLD DEMSETZ, «*Hacia una teoría de los derechos de propiedad*», Libertas, N° 6, Buenos Aires, ESEADE, mayo de 1987, p. 84.

obtener las pieles que necesitaba y había suficientes pieles para todos.

Pero con la llegada de los europeos se abrió la posibilidad de que la caza de pieles de castor fuera un lucrativo negocio para los indios: surge entonces un precio para las pieles, y sube y aumenta su caza. La caza indiscriminada amenaza ahora llevar a una situación que ha sido descripta por Garrett Hardin[4] como la «tragedia de la propiedad común». Cada cazador se ocupa de obtener la mayor cantidad de pieles posible, pero ninguno de ellos se ocupa de cuidar que los animales se reproduzcan. Resultado: la depredación, la desaparición de la especie.

Demsetz señala que los indios resolvieron este problema asignando derechos de propiedad, y comenta un relato anónimo de 1723, donde se muestra que el principio de los indios es marcar los límites del terreno de caza seleccionado por medio de marcas en los árboles realizadas con sus propias vinchas tribales, de modo que nadie ingrese en las zonas de otros. Hacia la mitad del siglo, estos territorios de caza estaban relativamente estabilizados.[5]

Este análisis económico de la propiedad se contrapone muchas veces con una visión idealizada de la sociedad primitiva, que suele ser presentada como un paraíso donde los seres humanos satisfacen todas sus necesidades sin

---

[4] Garrett Hardin, «The Tragedy of the Commons», *Science:*, 162, 1968, pp. 1243-1268.

[5] Eleanor Leacock, «El territorio de caza de los "montañas"y el comercio de pieles», *American Anthropological Association*, vol. 56, n.º 5, parte 2, informe n.º 78.

conflictos y en una completa armonía y paz. Esta idea fue muy popularizada por Jean Jacques Rousseau, pero ya antes Cervantes la ponía en boca de don Quijote:

> Dichosa edad y siglos dichosos aquellos a quien los antiguos pusieron nombre de dorados, y no porque en ellos el oro, que en esta nuestra edad de hierro tanto se estima, se alcanzase en aquella venturosa sin fatiga alguna, sino porque entonces los que en ella vivían ignoraban estas dos palabras de tuyo y mío. Eran en aquella santa edad todas las cosas comunes; a nadie le era necesario para alcanzar su ordinario sustento tomar otro trabajo que alzar la mano y alcanzarle de las robustas encinas, que liberalmente les estaban convidando con su dulce y sazonado fruto. Las claras fuentes y comentes ríos, en magnífica abundancia, sabrosas y transparentes aguas les ofrecían. En las quiebras de las peñas y en lo hueco de los árboles formaban su república las solícitas y discretas abejas, ofreciendo a cualquier mano, sin interés alguno, la fértil cosecha de su dulcísimo trabajo. Los valientes alcornoques despedían de sí, sin otro artificio que el de su cortesía, sus anchas y livianas cortezas, con que se comenzaron a cubrir las casas, sobre rústicas estacas sustentadas, no más que para defensa de las inclemencias del cielo. Todo era paz entonces, todo amistad, todo concordia; aún no se había atrevido la pesada reja del corvo arado a abrir ni visitar las entrañas piadosas de nuestra primera madre; que ella, sin ser forzada, ofrecía, por todas las partes de su fértil y espacioso seno, lo que pudiese hartar, sustentar y deleitar a los hijos que entonces la poseían.[6]

---

[6] MIGUEL DE CERVANTES SAAVEDRA, *Don Quijote de la Mancha,* tomo I, Buenos Aires, Losada, (1605) 1997, p. 86.

La economía muestra que esta visión utópica de don Quijote es únicamente posible en comunidades pequeñas que, debido a la limitada cooperación social producto de la división del trabajo, sólo pueden atender las necesidades básicas de un número pequeño de personas. Cuando éstas sobrepasan cierto número, la escasez de los medios se hace evidente y nacen conflictos que deben ser resueltos en forma pacífica para garantizar la coexistencia de todos y evitar su agotamiento. En el mundo de hoy, un «paraíso» de tal naturaleza garantizaría el sostenimiento de algunos cientos de miles de personas, pero no de los millones que hoy lo ocupan y que, en mayor o menor medida, buscan obtener un sustento de él.

La clara y correcta asignación y delimitación de derechos de propiedad permite actuar a los individuos en defensa de lo que valoran. El derecho de propiedad crea «protectores» de los recursos, que tienen incentivos para cuidar y multiplicarlos y, si no lo hacen, para pagar los costos de sus acciones con la pérdida de su capital. Por ejemplo, un propietario que tala su bosque irracionalmente destruye su propiedad y es sancionado por el mercado pues su precio, basado en los rendimientos futuros, caerá irremediablemente. No es de extrañar que los recursos que presentan problemas de subsistencia sean los que no cuentan con propietarios (protectores), en particular especies como las ballenas, los elefantes y tigres, mientras que los que sí los tienen (vacas, gallinas, chinchillas o visones) prosperen.

Esto ya fue señalado por Hardin (1968):

La tragedia de la propiedad común se desarrolla de esta forma. Supongamos unos pastizales abiertos a todos. Es de esperar que cada pastor tratará de poner la mayor cantidad de ganado en la propiedad común. Dicho arreglo puede funcionar relativamente bien por siglos debido a que las guerras tribales, los robos y las enfermedades mantienen el número tanto de hombres como de animales por debajo de la capacidad de sustento de la tierra. Finalmente, sin embargo, llega el día de la verdad, esto es, cuando el tan deseado objetivo de la estabilidad social se convierte en una realidad. En este punto, la lógica inherente de la propiedad común genera irremediablemente la tragedia.

Cada pastor comprende que si agrega una oveja más a su rebaño recibirá todos los beneficios que pueda obtener de ella: carne, lana, leche. Una oveja más en el valle, sin embargo, genera un costo: el mayor consumo de los pastizales. Pero como las consecuencias de ese mayor consumo recaen sobre todos los pastores, a nuestro pastor le conviene agregarla, y lo mismo hacen los demás.

En forma aproximada, la lógica de la propiedad común ha sido comprendida desde hace mucho tiempo, tal vez desde el descubrimiento de la agricultura o el invento de la propiedad privada en la tierra. Pero es entendida principalmente en ciertos casos especiales que no son suficientemente generalizados. Aún hoy, los pastores que arriendan tierras públicas en las praderas del oeste demuestran una tal comprensión ambivalente, presionando constantemente a las autoridades federales para incrementar el número de ganado al punto que el sobrepastoreo produce erosión. De la misma forma, los océanos del mundo continúan sufriendo de la supervivencia de la filosofía de la propiedad común. Las naciones marítimas aún responden automáticamente al canto de sirena de los «mares abiertos». Creyendo en los «recursos inexaustibles del océano», aproximan a la extinción a especie tras especie de peces o ballenas.

Y más adelante:

Al revés, la tragedia de la propiedad común reaparece en problemas de polución. Aquí no es cuestión de sacar algo de la propiedad común, sino de poner algo en ella —cloacas, o desperdicios químicos, radioactivos en el agua; humos pestilentes y nocivos en el aire...[7]

Ahora bien, el problema que se presenta, sobre todo en temas relacionados con el medio ambiente, es la dificultad, en algunos casos, de establecer una clara delimitación de los derechos de propiedad: nos encontramos con un problema tecnológico. No obstante, el mercado mismo genera los incentivos para desarrollar la tecnología necesaria para apropiar recursos si es que éstos se prueban valiosos.

Veamos un ejemplo de la historia argentina. En algún momento de la colonización del Río de la Plata, los españoles trajeron a esta región algunos ejemplares de ganado equino y vacuno, los que encontraron un habitat fértil para su reproducción, ya que contaban con enormes superficies de pastizales y no existían en la zona muchos depredadores. No resulta extraño que se reprodujeran con facilidad y dieran origen al «ganado cimarrón». Pero la

---

[7] HARDIN, *op. cit*, p. 1245.

cacería indiscriminada de vacunos y equinos provocó la disminución drástica de su número.[8]

En ese momento, el ganado cimarrón era una «propiedad común». Al no existir un dueño específico, nadie tenía el incentivo de cuidarlo y el ganado era objeto de depredación (como ocurre hoy con las ballenas). El ganado cimarrón era un recurso móvil y la extensión de la pampa hacía imposible controlarlo, aun cuando la yerra pudiera asignar a distintos dueños ciertas cabezas de ganado. Esto fue así hasta que los incentivos generados por la propiedad de la tierra y el interés de los dueños de manejar racionalmente el recurso dieron paso al avance tecnológico que permitió la delimitación clara de derechos de propiedad: el alambrado.

A partir de la difusión de esa innovación tan simple para nosotros hoy, nunca hubo ya problemas de depredación del ganado y los propietarios se encargaron de cuidar atentamente su reproducción. Pero hubo un momento en que en la Argentina hubiera debido considerarse a las vacas como una especie «en peligro de extinción». Pocos ejemplos resultan tan claros como éste para comprender el papel que cumplen los derechos de propiedad.

---

[8] Antonio Elio Brailovsky y Dina Fogelman, *Memoria verde: Historia ecológica de la Argentina*, Bs. Aires, Sudamericana, 1991, p. 57.

SIETE

LOS CONTRATOS Y EL MERCADO

El señor Micawber

Si no demanda una justificación
para la propiedad, y no interfiere
los contratos individuales
en su propio beneficio.[1]

ANTHONY DE JASAY (1925)

La división del trabajo y la propiedad privada son los requisitos básicos para la existencia del intercambio mercantil de bienes y servicios. Estos intercambios se hacen efectivos a través de contratos y compromisos. Los primeros implican obligaciones legales; los segundos, morales.

Son obligaciones asumidas voluntariamente, como la del vendedor que se compromete a entregar un determinado producto en cierta fecha y condiciones, y la del comprador que se compromete a abonar el precio acordado en el tiempo y la forma establecidos. Puede tratarse también de la entrega de un dinero a préstamo y la obligación de su repago en las condiciones acordadas. Muchos de estos contratos tienen un formato escrito y son firmados por los participantes; otros, son compromisos verbales que las partes aceptan cumplir y respetar.

En todos los casos se trata de la transferencia de ciertos derechos de propiedad de una persona a otra, o varias. Se transfieren derechos de propiedad y no cosas en sí: en muchos casos la propiedad del objeto queda en poder del dueño original, quien transfiere su uso por un determinado período.

---

[1] ANTHONY DE JASAY, *El Estado: la lógica del poder político*, Madrid, Alianza, 1993, p. 31.

David Hume (1711-1776) incluyó el cumplimiento de las obligaciones contractuales como deducción de la segunda y tercera ley de la naturaleza. Las tres leyes mencionadas por Hume como fundamentales para conseguir paz y seguridad en la sociedad son:

1. La estabilidad de la posesión.
2. La transferencia por consentimiento.
3. El cumplimiento de las promesas.

Estas tres leyes son básicas y necesarias para el funcionamiento de los mercados y la economía.

Un derecho de propiedad resulta violado y los intercambios resultan frustrados, cuando las obligaciones contractuales no se cumplen. Una sociedad en la que predominen tales actitudes no podrá favorecer los intercambios y progresar. Es el mal ejemplo que muestra el matrimonio Micawber a David Copperfield en la novela de Dickens:[2]

> Sólo se tomaban esa molestia [de visitar al matrimonio] los acreedores, algunos de ellos terriblemente exigentes. Entre ellos, un zapatero que fue una vez a las siete de la mañana y gritaba al pie de la escalera:
> —¡Vamos! ¿Aún no ha salido usted? ¡Págueme! ¡No se esconda, que eso es una cobardía! ¡Por nada del mundo cometería yo una villanía semejante! ¡Págueme! ¡Págueme en seguida! ¡Vamos!

---

[2] CHARLES DICKENS, *David Copperfield*, Buenos Aires, Acme, 1971.

Al ver que sus insultos no obtenían contestación, la cólera lo ahogaba y escupía las palabras: «¡tramposo y ladrón!», que tampoco lograban una respuesta. Cuando se convencía de la infructuosidad de sus insultos, salía de la casa, atravesaba la calle, y situándose frente a las ventanas en las que sabía que dormía el señor Micawber, continuaba vociferando como un energúmeno. En tales momentos, el señor Micawber caía en la más espantosa desesperación, y hasta hubo un día, según supe por un grito estridente de su mujer, en que llegó a simular que se degollaba con una navaja de afeitar; pero media hora más tarde lustraba sus zapatos con minucioso cuidado y salía a la calle tarareando una cancioncilla, con su elegancia y dignidad de costumbre. Su mujer estaba dotada de igual flexibilidad de carácter: la vi ponerse muy enferma a las tres, porque habían venido un momento antes a cobrar los impuestos, y a las cuatro comer con invariable apetito costillas de cordero, rociadas con vasos de cerveza, habiendo tenido que empeñar dos cucharillas de té para pagar el gasto. Recuerdo que un día habían trabado un embargo en la casa, y al regresar yo, contra mi costumbre, a las seis, la encontré desmayada, caída cerca de la chimenea, con uno de los gemelos en los brazos, como siempre, y con los cabellos medio arrancados, lo que no fue óbice para que aquella misma noche estuviese más alegre que nunca, sentada ante el fuego de la cocina, comiendo unas costillas de ternera; contándome la grandeza de su papá, de su mamá y de la gente importante que recibían.

El funcionamiento de una economía de mercado no es posible con este tipo de conductas, que convierten los contratos en compromisos de muy costoso cumplimiento y demandan un claro papel de la justicia para garantizarlo. Si no existe «orden jurídico», las conductas como las de Micawber se generalizan y los intercambios se ven reducidos a sus más primitivas y limitadas características, como el trueque más elemental.

Los contratos son, además, un *costo* a tener en cuenta en los intercambios. El economista Ronald Coase los denominó «costos de transacción». Incluyen lo necesario para encontrar a la otra parte de un intercambio, negociar con ella y, después de haber llegado a un acuerdo, verificar su cumplimiento. Todas estas actividades pueden ser tan costosas que ciertos intercambios son descartados, ya que no logran cubrirlas. De allí que una correcta información y el acceso a una justicia eficiente reducen estos costos y multiplican las posibilidades de intercambio.

La libertad contractual, además, por un lado, permite a los individuos expresar sus valoraciones subjetivas y trasladar los recursos de la economía hacia aquellos usos que son más valorados; por otro, obliga a los individuos a prestar atención a las necesidades de los demás, a efectos de poder satisfacer las propias. Como dice una canción de Charly García: «Dios es empleado en un mostrador, da para recibir». En la economía de mercado, todos somos empleados en mostradores: sólo dando podemos recibir. Pero, ¿cómo es eso de que sólo satisfaciendo a los demás pueden obtenerse los objetivos propios?

—Jamás me hubiera creído —me dijo la señora Micawber, sentándose para recobrar el aliento después de haber subido con uno de los mellizos en brazos para enseñarme mi cuarto—, antes de mi matrimonio, cuando vivía con mamá y papá, que algún día me vería obligada a alquilar habitaciones en mi casa.

Pero mi marido atraviesa por circunstancias difíciles, y ante éstas debo callar todo sentimiento de orgullo.

—Tiene usted razón, señora —le respondí.

—Los apuros de mi marido lo agobian por el momento —continuó diciendo la pobre señora—, y no sé si le será posible salir de ellos. Cuando yo vivía en casa, con papá y mamá, no podía imaginar el sentido doloroso de la palabra apuro; pero experiencia ilustra, como decía con frecuencia papá. —No recuerdo a ciencia cierta si me dijo también que su marido había sido oficial de infantería de marina, o si lo he inventado yo; pero estoy convencido actualmente, aunque no funde mi creencia en ningún hecho indudable, de que en su juventud debió servir en la marina. En el momento en que lo presento al lector era corredor al servicio de diversas casas; pero, por su mala suerte, ganaba poco, y hasta temo que nada.

—Si los acreedores de mi marido no quieren concederle nuevos plazos—continuó diciéndome la señora Micawber—, ellos sufrirán las consecuencias, porque cuanto antes se acabe este estado de cosas será mejor. Tan difícil como extraer sangre de una piedra es que por el momento encuentren dinero en casa, y si se presentan demandas judiciales, tendrán que cargar, además, con los gastos judiciales.

No he podido todavía explicarme cómo la señora Micawber hablaba todo esto a un niño, como era yo, pero creo que era tal su inquietud por el estado de cosas que pasaban que les hubiera dicho lo mismo a los gemelos. Así, cada vez que conversábamos, era siempre sobre el mismo tema.

¡Pobre señora Micawber! «He hecho todo lo posible por luchar contra la mala suerte», me solía decir, y decía la verdad, no lo dudo. Sobre la puerta de la calle había colocada una gran placa de metal en la que estaban grabadas estas palabras: «Colegio de señoritas, dirigido por la señora Micawber», pero ni una señorita recibió nunca educación en tal colegio ni vino a pretenderla. Verdad es que el aspecto exterior e interior de la casa no era como para animar a ninguna «señorita» a subir las deterioradas escaleras en busca de «educación».

La situación planteada es sobrecogedora: una familia con hijos pequeños en tal estado de cosas ablanda el corazón de cualquiera. No hay que dudar tampoco que la suerte influye en muchos casos en el éxito o en el fracaso de cada uno. Pero, ¿qué ofrece la señora Micawber a la sociedad para que ésta le dé algo a cambio? ¿Qué necesidad de otros está satisfaciendo, para así poder satisfacer las propias? La educación es una necesidad que existe hoy y existirá siempre, pero en la economía de mercado son los consumidores los soberanos y a sus requerimientos hay que ajustarse, de la misma forma que otros se ajustan a los nuestros.

Cuando uno no ofrece nada que interese a los demás, puede vivir sólo de transferencias voluntarias (donaciones) o forzosas de parte del prójimo.

El zapatero mencionado al principio, en cambio, sí supo satisfacer una necesidad ajena, movido sólo por su interés en satisfacer sus propias necesidades con lo que recibía a cambio. Y no juzgamos el carácter de éstas; puede que sean moral o lógicamente más justificables que las del señor Micawber.

Lo que no entendía la señora Micawber es que los consumidores se dirigen a donde les ofrecen lo que más desean por los menores precios y así, comprando y dejando de comprar, deciden enriquecer a los pobres y empobrecer a los ricos. Indirectamente, están decidiendo que la educación es necesaria, pero en otras condiciones, con otra calidad. El consumidor es un duro soberano: no se interesa ni por la situación personal del señor Micawber, ni por la del zapatero, ni por la de cualquier otro empresario. En cuanto alguien le ofrezca cosas mejores, la más firme lealtad puede quebrarse.

Los mandatos de los consumidores se van trasladando, a la vez, a los sectores más básicos de la economía. Sigamos con el ejemplo de la educación. Si los consumidores sienten de pronto una gran necesidad de educación, habrá una rápida escasez de maestros. Los pocos existentes, entonces, elevarán rápidamente el precio de sus clases ya que no pueden materialmente atender a todos los nuevos interesados y prefieren trabajar con aquellos que más las valoren. El mayor precio de las clases incitará a otros a dedicarse a esta profesión en vez de a otras, y serán necesarios, además, cursos de preparación de maestros. Por otro lado, el nuevo interés en la educación hará que crezca la demanda de libros y cuadernos; los que los fabrican necesitarán más papel y los que hacen papel, más madera para extraer papel.

Con cada peso que gastan, los consumidores están ordenando hasta el más mínimo detalle de todo el proceso productivo, y les pagan el sueldo a todos. Por eso se suele decir que los ciudadanos votan con sus pesos y que el mercado es como una democracia en la cual cada peso es un voto.

OCHO

LA MONEDA
Cándido y la ciudad de Fortuna

> *Sólo se puede entender verdaderamente el origen*
> *del dinero si aprendemos a considerarlo como una*
> *institución social, como el resultado espontáneo,*
> *el producto no planificado de los esfuerzos*
> *específicamente individuales de los miembros*
> *de la sociedad.*[1]

CARL MENGER (1840-1921)

Cuando vimos el cuento del viejo campesino que cambiaba el caballo por una vaca y luego por otros animales, observamos una forma de intercambio ciertamente primitiva: el «intercambio directo» o trueque.

En economía, las desventajas que presenta este tipo de intercambio suelen ser denominadas «doble coincidencia de necesidades». En el caso del viejo campesino, que quería cambiar una vaca por una oveja, no solamente necesitaba encontrar a quien tuviera una, sino que, además, necesitaba encontrar al dueño de una oveja que estuviera dispuesto a cambiarla por una vaca. ¿Qué hubiera sucedido si el dueño de la oveja no estaba interesado en una vaca? El intercambio se habría frustrado y el viejo campesino habría seguido su camino en busca de intercambios, un proceso costoso en tiempo y en esfuerzo.

No obstante, habría averiguado el viejo en esa circunstancia que el dueño de la oveja, si bien no estaba dispuesto a aceptar una vaca, se habría desprendido de

---

[1] CARL MENGER, «El origen de la moneda», *Libertas*, año II, n.º 2, Buenos Aires, ESEADE, mayo de 1985, p. 229.

ella a cambio de un toro. Al continuar recorriendo el mercado, el viejo puede haberse topado con el dueño de un toro que estuviera dispuesto a intercambiarlo por una vaca. Así, no habría tardado mucho tiempo en comprender que podía intercambiar la vaca por el toro y luego buscar al dueño de la oveja para ofrecerle un toro a cambio de ella. De esta forma el intercambio se realiza, sólo que ahora de manera «indirecta».

Entre uno y otro paso un fenómeno extraordinario ha ocurrido: ha nacido la moneda. El toro cumple el papel de medio de intercambio. Quiere decir que ya no es demandado simplemente por los servicios que pueda brindar como «toro», esto es, por ejemplo, para reproducción, sino que es requerido para cumplir una función totalmente nueva y diferente. Que el ganado haya sido utilizado históricamente como moneda lo demuestra que tanto las palabras «pecuario» como «pecuniario» tienen la misma raíz.

Una numerosa serie de productos cumplieron el papel de medios de intercambio en la historia: el tabaco en Virginia, el azúcar en el Caribe, la sal en Abisinia, el ganado en Grecia, los clavos en Escocia, el cobre en Egipto, el cacao entre los mayas, y en otros lugares los cereales, el té, los caracoles.

Con el tiempo, en muy diversas sociedades se registró una evolución similar hacia los metales, en particular el cobre, la plata y el oro. ¿Por qué razón? Pues porque la experiencia probó que cumplen ciertas condiciones mejor que otros productos. Esas condiciones son las siguientes:

1. *Uso generalizado*. Si vamos a realizar un intercambio indirecto es preferible cambiar lo que uno tiene por otro producto que sea ampliamente aceptado, ya que eso facilitará el intercambio posterior. Los metales mencionados adquirieron esa característica.

2. *Homogeneidad*. Tendrá mejores posibilidades aquel producto que presente características regulares, reduciendo, entonces, los costos y esfuerzos de evaluación de cada unidad. Tomando por ejemplo los animales como medio de intercambio, dado que cada uno de ellos tiene distinto peso o tamaño, habría que evaluar muy detalladamente en cada caso la equivalencia entre uno y otro. Resulta más sencillo utilizar un producto cuyas características sean muy similares, como un mismo tipo de grano de cacao. Los metales no tienen esta característica en su origen, ya que una «pepita» de oro no es igual a otra, pero el proceso de amonedamiento les da esa regularidad.

3. *Transportabilidad*. Es otra característica importante porque el dinero está destinado a trasladarse de un punto a otro, pasando por distintas manos. Por cierto que el transporte de ganado es mucho más complejo que el de clavos, caracoles o monedas.

4. *Durabilidad*. La leche no sería en este sentido un buen medio de intercambio: su valor tiene poca duración porque en cuestión de días se deteriora y debe ser consumida antes de que esto suceda. Los granos de cacao duraban aproximadamente un año en circulación, pero otros productos tienen una durabilidad mucho mayor.

5. *Divisibilidad*. Es importante que el producto a utilizar sea fácilmente fraccionable. El ganado, en este

caso, no lo es para transacciones de poco valor; en el otro extremo, la sal definitivamente lo es.

6. *Estabilidad en el precio.* Ningún producto tiene un precio inmutable. Es imposible que no cambien las condiciones que afectan la oferta y la demanda de cada producto (las preferencias de los consumidores, la disponibilidad de recursos, la tecnología para su producción), pero hay ciertos productos que presentan variaciones más abruptas que otros. Resultan mejores medios de intercambio aquellos que presentan suaves variaciones, lo que permite calcular con mayor grado de previsibilidad.

7. *Dificultad para la falsificación.* Finalmente, son mejores aquellos productos cuya falsificación es engorrosa, ya que este peligro siempre existe. En el caso de los mayas, parece que algunos rellenaban cascaras vacías de granos con tierra, y lo hacían tan hábilmente que la falsificación no se notaba.

El dinero tal como hoy lo conocemos surgió de un proceso evolutivo que llevó siglos: la gente fue utilizando el ganado, la sal, el tabaco y muchos otros productos como medios de intercambio hasta reconocer las ventajas que ofrecían los metales. En sus orígenes, el ganado comenzó a cumplir la función de dinero pero supongamos que vamos ahora con una vaca a comprar un paquete de cigarrillos. ¿Cómo nos dan el vuelto? ¿O debo comprar tantos cigarrillos como el valor total de la vaca? Por no hablar de lo incómodo que resultaría llevar una vaca hasta el kiosco.

Esos productos que los hombres van seleccionando como medios de intercambio, como cualquier otro, son escasos: la gente sacrifica otras cosas para tenerlos; es decir, tienen su precio. Claro que no se puede poner al dinero un precio en términos de dinero, de la misma forma que no se puede poner precio a una vaca en términos de vacas. El precio del dinero está determinado por su poder para comprar otras mercancías.

Los bienes que en distintos momentos adquirieron las características de dinero han sido sumamente variados, y siempre adaptados a las condiciones de cada región; no podemos esperar que los metales preciosos lleguen a ser un medio de intercambio adecuado en una región aislada donde no hay existencia de ellos. Lo mismo parece suceder en un hipotético país donde su abundancia es abrumadora. Los *Cuentos de Calleja*[2] nuevamente nos proporcionan un ejemplo:

Una vez había un joven llamado Ruperto, mozo el más listo y avisado de su aldea y aun de cuantas se encontraban veinte leguas a la redonda. Cierta noche se hallaba en un grupo de chicuelos de su edad que, congregados alrededor de la lumbre, escuchaban con embeleso la relación que de sus aventuras hacía un soldado veterano, lleno de cicatrices, que le valieron los modestos galones de sargento de inválidos.

El narrador se encontraba en el punto más interesante de su relato.

—La gran ciudad de Fortuna —decía— está situada en la cima de una altísima montaña, tan escarpada que son pocos los que llegan a subirla. Allí el oro circula en abundancia tal, que los habitantes no saben qué hacerse del metal precioso. De él están

2 SATURNINO CALLEJA, *Cuentos de Calleja*, Santander, Editorial Saturnino Calleja, 1925.

fabricadas las casas, de maciza plata los muros de las fortalezas, y los cañones que la defienden son enormes diamantes taladrados. Las calles están empedradas con monedas de cinco duros, siempre nuevecitas, porque en cuanto empiezan a perder el brillo las sustituyen con otras acabadas de acuñar. Los guijarros, en que se suele tropezar, son brillantes como avellanas, despreciados a causa de la abundancia extraordinaria con que el suelo liberalmente los prodiga. En una palabra: el que viva allí puede considerar como mendigos a los más poderosos de la tierra. Lo malo es que el camino que allá conduce es áspero y difícil, y sucumben los más sin haber podido llegar a la ciudad del oro.

Ruperto no echó en saco roto las palabras del soldado; y así es que, apenas logró la ocasión de quedarse a solas con él, le preguntó:

—¿Sabe usted por dónde se va a esa ciudad encantadora?

—Y tanto como lo sé, hijo mío; pero no te aconsejo que intentes el viaje.

—¿Por qué?

—El camino es largo y penoso. Yo me volvía la primera jornada, asustado de las dificultades que es preciso vencer. Pero, en fin, si estás resuelto a marchar, debo advertirte lo siguiente: para llegar a Fortuna hay dos caminos; uno muy largo lleno de piedras y de escabrosidades; si vas por allí las agudas puntas de los guijarros destrozarán tus pies y la fatiga te abrumará. Te saldrán al encuentro mil dificultades terribles; tendrás que luchar con crueles enemigos, y si logras, por fin, vencerlo todo, llegarás a Fortuna ya viejo y extenuado, cuando las riquezas no te sirvan para nada. El otro camino es llano y corto, pero...

—¡Basta! No diga usted más; indíquelo ahora mismo, que del resto yo me encargo.

—Bueno, bueno; te lo indicaré, y quiera Dios que no te pese el no haber querido escucharme hasta el final.

Y el rapazuelo, sin despedirse siquiera de sus padres ni de su hermano, echó a andar por donde el viejo soldado le indicara; y anda que te anda, iba más contento que unas castañuelas, pensando en las riquezas que le aguardaban y que creía tener ya al alcance de su mano.

Al cabo de dos días llegó a la orilla de un caudaloso río. En él había una barca yen la barca un negro de colosal estatura. Nuestro mozo se acercó al barquero y le preguntó:

—Buen hombre, ¿se va por aquí a Fortuna?

—Sí, mocito; pero es preciso atravesar el río.

—Bueno, pues páseme usted.

—¿Sabes cuánto cuesta?

—No

—Cincuenta duros.

—¿Pero, hombre, tengo cara yo de tenerlos, ni aun de haberlos visto juntos en mi vida? Sea usted complaciente y páseme de balde.

—Este río, amiguito, no se pasa gratis nunca. Es el primer paso hacia Fortuna y hay que pagarle de algún modo. Si no tienes dinero, es igual; déjame que te corte un pedacito de corazón. Quizá te duela un poco al principio, pero luego quedará como si lo tuvieras entero.

Ruperto dejó que el negro le abriese el pecho y le sacara un pedacito de corazón.

Cuando pasó a la otra orilla, dio un suspiro de satisfacción. El primer paso estaba dado, y ya veía la hermosa ciudad de Fortuna, cuyas resplandecientes murallas despedían hermosísimos reflejos. Pero notó que tenía mucho menos afán en llegar a la ciudad de oro y un extraño vacío en el pecho.

Siguió, con todo, su marcha, pero aun no habría andado cien pasos, cuando una nueva dificultad vino a estorbarle el camino. Este se estrechaba entre dos montañas inaccesibles y la entrada del desfiladero estaba custodiada por otro guardián tan negro como el de la barca.

—¿Adónde vas, muchacho?—preguntó a nuestro mozo.

—A la ciudad de Fortuna.

—En efecto, éste es el camino; pero hay que abonar el pasaje. Es un pedacito de corazón.

Sin vacilar abrió su pecho Ruperto y dejó en manos del terrible portero un manojito de fibras de aquel órgano de vida.

Y siguió andando, andando hacia la ciudad, que a sus ojos se mostraba cada vez más próxima y más hermosa. Pero cada vez sentía menos afán por llegar. Aún no habían terminado las dificultades. El camino se cortaba de pronto, formando un terrible barranco: sólo pensar en atravesarlo hubiera sido un delirio. Ruperto creyó fracasadas sus esperanzas y se sentó desalentado sobre una piedra.

En aquel momento, un buitre de gran tamaño bajó desde la cima de una montaña, y acercándose, le dijo:

—¿Quieres pasar? Pues dame un pedazo de tu corazón.

—Tómale y pásame —dijo Ruperto, desesperado.

El buitre hundió su pico en el pecho de Ruperto y sacó un buen trozo de corazón. En seguida cogió a nuestro mozo con sus garras y lo llevó al otro lado del abismo.

Ahora sí que estaba a las mismas puertas de Fortuna. Ya podía contar hasta el número de torres que por encima de los altos muros se levantaban, y dio por hecha su felicidad, si es que ésta consiste en el dinero.

En la puerta lo detuvieron. Allí el corazón era género de contrabando, y por eso le sacaron lo que le quedaba del suyo y le pusieron uno de acero muy bonito, pero duro como el diamante. Sólo escapó a la requisa una pequeña fibra, que pasó inadvertida detrás del corazón de metal.

—Al fin estoy dentro —se dijo Ruperto.

Pero, con gran extrañeza suya, no le produjo la ciudad de oro, ni sorpresa ni alegría.

—¿Para qué quiero las riquezas —exclamaba— si he perdido mi corazón y con él mis ilusiones?

Y paseaba por la ciudad, mirando con soberano desprecio aquellas riquezas que estaban al alcance de su mano y que tanto halagaron antes su ambición.

Aquel brillo deslumbrante llegó a molestarle.

—Aquí, por lo visto —se dijo— no hay más que oro. ¡Maldito metal, que me has costado mi corazón! ¡Dios mío! ¿Quién me devolverá mi corazoncito?

Buscó amigos, pero no logró hallarlos, porque aquella gente tenía el corazón de acero y Ruperto sentía que aquella fibrilla que le quedaba del suyo le hacía sufrir atrozmente.

Sin amigos ni afectos en aquella ciudad del oro, Ruperto se acordó de sus padres y de su hermano y lloró amargamente su destino.

Y entonces resolvió volver a la blanca casita de su aldea y vivir en ella como a Dios fuere servido. Al salir de la ciudad sintió una extraña alegría. Pero aquel maldecido corazón de acero le hacía sufrir horriblemente; sólo la fibrilla que le quedaba del suyo palpitaba de gozo dentro del pecho. Siguió el primer camino que encontró y entonces no halló dificultades. Parecía que le habían nacido alas en los pies. Iba cuesta abajo, y así se marcha muy aprisa.

Cuando llegó a su aldea estaba tan pobre como antes y, además, aquel corazón frío y duro no le dejaba respirar. Latía con la igualdad de un cronómetro. ¡Tic! ¡Tac! ¡tic! ¡tac!

Su hermano fue el primero que le salió al encuentro, lleno de alegría. Le abrazó, le besó y le acompañó hasta su casa entre los mayores transportes de júbilo.

Pero el corazón de acero no dejaba a Ruperto regocijarse. Las lágrimas no acudían a sus ojos y sentía en el pecho como una mano que le oprimiese.

Su anciano padre le estrechó en sus brazos y tampoco logró conmover aquel duro corazón. Ruperto sentía una angustia extraordinaria.

Pero llegó su madre, que corrió desalada hacia su hijo, le abrazó llorando y sus lágrimas cayeron sobre el pecho de Ruperto. Entonces, ¡oh poder del amor de madre!, aquel corazón de acero apresuró sus latidos y, no pudiendo resistir más, saltó como salta el roto muelle de un reloj.

La fibrilla era ya un corazón nuevo y Ruperto un hombre feliz.

Y cuando le hablaban de las riquezas, decía:

—Dios las dará si convienen; pero nada de buscarlas por atajos, costa del corazón y las ilusiones.

A medida que Ruperto se va acercando a la famosa ciudad de Fortuna, el dinero resulta intercambiable por pedacitos de corazón. En el primer obstáculo que se encuentra, el negro barquero le pide cincuenta duros y como Ruperto no los tiene, paga entonces con su corazón. Pero ya en el segundo, el otro guardián negro con el que se topa pide solamente un pedacito de corazón.

Lo mismo hace el buitre.

Cuando llega a la ciudad de Fortuna, con sus muros de plata maciza y cañones de diamantes, casas de oro puro y calles empedradas con monedas, está claro que los pedazos de corazón han tomado el papel de medios de intercambio.

El corazón de Ruperto es un medio de intercambio. «Allí el corazón era género de contrabando», dice el cuento. El corazón de Ruperto es un medio de intercambio, porque es un bien económico, porque es escaso, porque hay demanda de corazones. Al poco de estar allí, se da cuenta de que a nadie le interesa el oro, pero sí los corazones: a la gente de Fortuna le interesa conseguir sus pedazos y están dispuestos a entregar a cambio distintos productos o servicios. Por eso pudo Ruperto llegar hasta allí.

Esos pedacitos de corazón cumplen para los habitantes de Fortuna el mismo papel que tantos otros medio de intercambio cumplen para nosotros. Como el oro en nuestra sociedad, los fortunenses pueden usarlo para consumo propio, para mejorar su corazón o bien para cambiarlo por otras cosas que necesiten.

El cuento muestra, además, que el dinero, tal como los demás bienes, está sujeto a la ley de la utilidad marginal decreciente. Esto quiere decir que las primeras unidades de un bien que obtenemos son asignadas a satisfacer las necesidades prioritarias en nuestra escala de valores, mientras que, a medida que incorporamos más unidades, éstas son asignadas a necesidades menos importantes. Las primeras unidades de oro que Ruperto recibe tienen un alto valor para él, no así las siguientes, hasta llegar a valores negativos. Por el contrario, los pedazos de corazón que entrega tienen poco valor para él al principio, pero su valor aumenta en forma considerable a medida que se hace más y más escaso.

Algo similar le sucede a Cándido cuando visita El Dorado, junto a su criado Cacambó, en la fábula moral imaginada por Voltaire. Allí el oro y las piedras preciosas son tan abundantes que no tienen valor; los niños juegan con ellas y son consideradas meras «piedras» por sus habitantes.

Encamináronse al primer lugarcillo que se descubría, y vieron a la entrada de él unos chicos con vestidos de glasé de oro, pero muy desgarrados y hechos jirones, que jugaban a la rayuela; detuviéronse un poco a mirarlos, y observaron que tiraban con unas piezas redondas, poco mayores que el peso duro, unas amarillas, otras coloradas otras verdes, otras azules, y todas muy resplandecientes. Dio les gana de examinar de cerca lo que aquello fuese, y advirtieron que las que no fueran de oro purísimo, eran esmeraldas, zafiros, topacios, rubíes, y cualquiera de ellas era digna de adornar la mitra del emperador del Mogol. Cándido dijo a su criado:

—Sin duda que estos caballeritos son los hijos del rey que se entretienen enjugar a la rayuela.

En esto apareció por allí el maestro y dijo a los niños que ya era tiempo de volver a la escuela, que ya se habían divertido bastante.

Cándido, hablando otra vez a su criado, le dijo:

—Mira si yo tenía razón; éste a lo que parece será el preceptor de los señores infantes.

Los andrajosillos dieron fin a su diversión, y corriendo y saltando se marcharon con el maestro. Cándido echó de ver que se habían dejado tirados por el suelo los tejillos con que habían jugado; se apresuró a recogerlos, dio voces al maestro que ya iba un poco distante, le hizo detener y, llegándose a él con mucha cortesía, le manifestó por señas y ademanes que sus altezas serenísimas se habían dejado olvidadas aquellas preciosidades, y que le suplicaba tuviese la bondad de recibirlas. El maestro le miró de alto a bajo, se sonrió, tomó los tejos, volviólos a tirar a una zanja que había inmediata al camino, y se marchó.

Amo y mozo se ocuparon en recogerlos, y se llenaron las faltriqueras con enormes topacios, carbunclos y amatistas.

—¿En qué mundo estamos? —decía Cándido a su criado—. ¿Qué tierra es ésta? ¿Qué educación darán a estos príncipes, cuando los acostumbran desde su niñez a despreciar de esta manera los metales y pedrerías más exquisitas? ¿Qué te parece? ¿Qué dices de esto?

Pero Cacambó no decía nada, porque estaba poco más o menos tan aturdido y maravillado como su señor. Encamináronse a la primera casa del pueblo, comparable con cualquiera de los palacio de Europa. Bullía gente en el portal y parecía que también adentro había concurso; sonaba una música muy agradable, y por puertas y ventanas salía un olor de comida tan halagüeño y provocativo que excitaba inmediatamente el deseo de entrar. Cacambó, acercándose un poco, oyó que hablaban en peruano, que era precisamente su lengua materna; porque el lector no debe ignorar (a no ser que se le haya olvidado) que Cacambó había nacido en un lugarcillo de Tucumán, en donde aquella lengua es familiar y corriente.

—Yo seré su intérprete de usted —le dijo a su amo, vamos adentro que esto tiene trazas de ser una buena taberna.

Dos criados y dos mozas de aquel figón o hay acá, o lo que ello fuese, vestidos de terciopelo con bordaduras de oro, y anudados los cabellos entre cintas y sartas de perlas, les convidaron a que se sentaran a una mesa de ébano y marfil que había en el primero de aquellos salones. Sirviéronles cuatro sopas diferentes, guarnecidas cada una de ellas con un papagayo relleno, después un gavilán cocido que pesaba doscientas libras, después dos monos asados de un sabor exquisito, trescientos pájaros-moscas espetados en agujas de platina, verduras, compotas, pastas, frutas, helados, todo delicioso y servido en platos de cristal de roca, y muchos excelentes licores fermentados de pita y de caña de azúcar, con los cuales llenaban muy a menudo los criados unas profundas copas de lapislázuli, que hacían pedazos tirándolos al suelo luego que habían servido una vez.

Los demás huéspedes que comían en otras mesas eran la mayor parte de ellos arrieros, trajineros, carromateros, y algunos mercaderes de feria; pero todos tan atentos, tan corteses, que habiendo hecho algunas preguntas a Cacambó con la más delicada circunspección, respondieron a la que él les hizo de una manera tan elegante y fina como pudieran los más remilgados académicos. Acabada la comida, creyeron los dos viajeros que sería conveniente pagarla, y para ello echaron sobre la mesa dos piezas de oro de las más grandes que habían recogido. El figonero y su mujer, al ver aquello, empezaron a reír tan desapoderadamente que se apretaban los ijares para no reventar. Por último, el huésped, conteniéndose un poco, les dijo:

—Bien se conoce, que son ustedes forasteros, y como son tan pocos los que pasan por esta tierra, nos habrán ustedes de perdonar la risa invencible que nos ha causado el ver que ustedes hayan creído pagar la comida con esas pastas, de las cuales nos servimos aquí para empedrar los caminos.[3]

No dice Voltaire cuál era la moneda del país, aunque más adelante se mencionan «duros» en la traducción citada y «libras esterlinas» en el original en francés, pero sin duda no eran de oro, que sobreabundaba en aquel país y no tenía valor.

---

[3] VOLTAIRE, *Cándido y otros cuentos*, Bs. As., Hispamérica, 1982, p. 49.

En nuestro mundo real, por el contrario, los metales como el oro, la plata y el cobre fueron, tras un proceso de selección, elegidos como los principales medios de intercambio. Hoy no los usamos; nos hemos acostumbrado a los billetes de papel, pero la vinculación de las monedas con los metales continuó hasta no hace tanto tiempo, a tal punto que el último vínculo entre una moneda y el oro data de 1971.

Las monedas metálicas llevaban diferentes nombres, pero lo que realmente importaba era la cantidad y la calidad del metal que contenían. Esto era lo que determinaba los «tipos de cambio» entre ellas. Es decir, si una libra tenía una onza de oro, y un dólar un cuarto de onza, entonces la relación entre una y otra era 1 libra = 4 dólares. Existía una moneda común que llevaba distintas denominaciones, pero era la misma que se utilizaba en todos los países.

Los nombres de estas monedas cumplían un papel importante, que era el de certificar su calidad. Durante mucho tiempo, las monedas de metal eran acuñadas por acuñadores que le daban al metal la forma de monedas y que certificaban su «calidad» y pureza poniéndole su sello. Así, por ejemplo, la historia nos muestra que un tal conde Schlick comenzó a acuñar monedas de plata en su castillo en 1519, sin tener un permiso oficial. Como el valle era llamado Joachimsthal, las monedas comenzaron a ser llamadas *Joachimsthakrgulden* o *Joachimsthalergroschen*, nombres complicados aun para los alemanes, por lo que fueron luego llamadas thalergroschen o simplemente thalers, de donde luego devino el «tálero», y de allí el ahora tan famoso «dólar».[4]

Cualquiera podía acuñar, pues era un servicio que se daba a quienes llevaban el metal al acuñador con ese objeto; y es así como en el siglo XVI llegó a haber unos 1500 tipos diferentes de táleros y unos 10.000 distintos se acuñaron hasta el año 1900. ¿Y no proliferaban las falsificaciones? Pues el mejor remedio contra las mismas no era otro que la competencia. El negocio del acuñador era que le llevaran el metal para ser acuñado. Si quería obtener un beneficio de corto plazo deteriorando la calidad del metal (por ejemplo, mezclándolo con níquel), esto sería rápidamente detectado por los avispados comerciantes, quienes al recibir tales monedas habrían pedido más, pues lo que querían recibir era cierta cantidad de oro, sin importar cuántas monedas esto fuera. Y un acuñador que actuaba de esa forma perdía rápidamente sus clientes. Las monedas que hacía no eran bien aceptadas o se les hacía un descuento sobre su valor, por lo que pocos querían llevar su metal a acuñar. Para atraer y conservar clientes, el acuñador debía mantener la calidad y la pureza de sus emisiones.

Dentro de los que acuñaban moneda se encontraban, también, príncipes, duques y otros nobles, quienes podían acuñar el metal propio que obtuvieran. En tal sentido, el «señor» no podía crear moneda de la nada y cuando intentaba hacerlo su moneda perdía valor. La

---

[4] JACK WEATHERFORD, *The History of Money*, Nueva York, Three Rivers Press, 1997, p. 113.

historia muestra que algunos señores vieron en esto una oportunidad para obtener recursos con los que cubrir sus gastos; demandaban, entonces, a sus subditos que llevaran todas las monedas de metal en su poder, las fundían, las mezclaban con otros metales y como resultado obtenían una cantidad mayor. Devolvían la cantidad de monedas originalmente recibida y les quedaba un número de ellas para su uso. Parecía algo mágico, como si efectivamente hubieran creado dinero de la nada.

A diferencia de esa «moneda mercancía», en la actualidad utilizamos la denominada «moneda fiduciaria». Se trata de billetes de papel cuyos nombres continúan los de las monedas de metal. El origen de estos billetes es asignado a China: el traslado de cantidades de monedas metálicas era una tarea pesada y peligrosa; en algún momento alguien habrá aceptado un documento que aseguraba la disponibilidad de determinada cantidad de moneda metálica en depósito. Esos depósitos o cajas constituyeron el origen de los bancos; inicialmente, incluso, fueron los mismos acuñadores quienes ya contaban con depósitos apropiados para el metal. Recibían cantidades de metal o monedas y cobraban por el servicio de custodia, tal como hoy un moderno banco cobra por el servicio de mantenimiento de una cuenta corriente.

El depositante contaba con determinado depósito y disponía de un recibo que alguna vez habrá sido aceptado como forma de pago por alguien en lugar del metal mismo. Fue entonces cuando aparecieron los sustitutos de dinero en forma de recibos de papel. Por supuesto que para que estos recibos comenzaran a circular era necesaria la confianza no solamente en quien entregaba el recibo, sino también en la banca o caja donde los metales o el dinero estaban depositados. A partir de ese momento, los sustitutos de dinero comenzaron a circular libremente, ofreciendo un atractivo servicio gracias a la facilidad de transporte.

El sistema bancario

El origen del sistema bancario se encuentra en esas «cajas» de depósito que custodiaban el metal y otorgaban recibos que luego circulaban en su reemplazo. No muy lejos de ello surge también una característica del sistema bancario moderno, que está en el origen de las llamadas «corridas bancarias»: el sistema de reservas fraccionarias.

En algún momento, aquel que tenía el dinero metálico en custodia habrá notado que los depositantes siempre mantenían una determinada proporción del metal en sus depósitos, y se habrá preguntado por qué no darles un uso a esos recursos, esto es, prestarlos. Anteriormente existían quienes prestaban el dinero propio, pero ahora estos «banqueros» comenzaron a prestar el dinero que habían recibido de otros; eran ya intermediarios entre ahorristas e inversores. Es decir, mantenían una cierta «fracción» del dinero recibido en depósito y prestaban el resto, sabiendo que de todas formas los depositantes no irían todos juntos a retirar todos los fondos. Esto da origen al «multiplicador» bancario, o creación secundaria de dinero. Veamos cómo funciona:

Un depositante lleva sus fondos, 100 «pesos», al Banco A. Este banco sabe, por experiencia, que sus depositantes suelen retirar, en promedio, no más del 20 por ciento del dinero depositado; por lo tanto, el banco mantiene una reserva por ese monto y luego presta el resto.

Banco A   Depósito   100   Reserva 20
                                   Préstamo 80

El banco presta ese dinero y quien lo recibe lo utiliza para pagar algo. Probablemente, ese dinero en circulación será nuevamente depositado en algún banco o incluso en el mismo. Supongamos que el dinero ingresa en el Banco B, el que ahora hace lo mismo que el anterior, mantiene el 20 por ciento en sus reservas y presta el resto:

Banco B   Depósito   80   Reserva   16
                                   Préstamo 64

Los 64 pesos que el Banco B presta vuelven a circular y quien los recibe los deposita ahora en el Banco C, con lo que la situación se repite:

Banco C   Depósito   64   Reserva   13
                                   Préstamo 51

Y así sucesivamente. El dinero se «multiplica», por eso se da el nombre de «multiplicador bancario» a este fenómeno, que significa que los bancos son creadores secundarios de circulante. Si siguiéramos con el proceso antes descripto hasta el final, veríamos que la cantidad total de dinero secundario creado alcanza a cinco veces el monto del depósito original, esto es, un total de 500.

Resultará ahora evidente que si por alguna circunstancia los depositantes deciden retirar más del 20 por ciento de los depósitos de un banco, éste no tiene forma de entregarlos ya que el dinero no está allí, ha sido prestado, y la mayoría de las veces en plazos que no permiten su recuperación inmediata. Las malas experiencias en este sentido han alertado la atención de los depositantes, quienes saben que si llegan tarde pueden encontrarse sin dinero que retirar; esto da origen a las «estampidas», donde la percepción de que este riesgo existe acelera el retiro de depósitos hasta agotar los recursos disponibles en el banco.

Los gobiernos y la moneda

Como ya se mencionó, originalmente los gobiernos acuñaban su moneda, pero también lo hacían otros. Es más, las monedas metálicas circulaban sin barreras por lo que en un determinado territorio podían encontrarse monedas emitidas por distintos acuñadores o gobiernos; lo importante era la cantidad de metal que contenían.

La competencia, no obstante, no es algo que agrade a muchos, menos aún a los gobernantes, ya que les impone una disciplina que suelen lamentar. No es de extrañar que, a medida que los soberanos fueron incrementando su poder centralizado y absolutista, impusieron medidas para limitar o impedir la competencia contra su propia moneda. Dos de esas medidas fueron el monopolio de la acuñación y el curso forzoso.

Mediante el monopolio de la acuñación, se prohibía a todo acuñador privado o gobierno regional o local acuñar sus propias monedas; ese derecho quedaba reservado exclusivamente para el gobierno central. No obstante, por más que nadie pudiera acuñar en ese territorio, ingresaban en él todo tipo de monedas metálicas que imponían un cierto grado de competencia.

Para restringir esa competencia, el soberano convertía su moneda en la única que podía ser utilizada para la realización de todo tipo de pagos y en la redacción de todos los contratos. De esta forma, se convertía en ilegal el uso de todas las otras monedas que no fueran las del soberano.

Una vez desplazada la competencia, el soberano podía utilizar su poder monopólico y emitir monedas degradando su contenido metálico y aumentando la cantidad en circulación, lo cual le permitía obtener una nueva fuente de ingresos para cubrir sus gastos. Pero esa mayor oferta de dinero no se compadecía con una mayor demanda, por lo que su valor estaba condenado a caer, provocando así el aumento del precio de las demás cosas.

Veamos esto con un ejemplo: digamos que el precio de un kilo de manzanas era de una onza de oro, lo cual equivalía a una moneda de oro del soberano. Si el soberano duplicaba la cantidad de moneda por el procedimiento de mezclar por partes iguales el oro con otro metal, esto en nada cambiaba el tipo de cambio entre las manzanas y el oro: el kilo de manzanas seguía costando una onza de oro, pero para obtener las frutas había que desembolsar dos monedas. Es decir, el precio del kilo de manzanas había pasado de una moneda a dos. Estamos en presencia de la *inflación*, fenómeno de largas y numerosas experiencias en la historia mundial.

Aunque las monedas fueran falsificadas de esa forma, los metales, sin embargo, no podían ser producidos fácilmente. Era necesario encontrar yacimientos, de por sí escasos, y, por otra parte, la producción del metal era costosa. Esto imponía un límite «físico» a la cantidad de moneda que podía crearse, a tal punto que desde 1492 hasta la fecha, el *stock* de oro nunca creció más del 5 por ciento anual, incluso en épocas como las de descubrimientos en California o Sudáfrica; si descontamos estos pocos períodos de «fiebre del oro», el *stock* de oro nunca creció más de un 1 o 2 por ciento anual. No es de extrañar que esta limitación al crecimiento de la oferta de dinero diera como resultado años y hasta siglos de precios relativamente estables, e incluso, levemente decrecientes.

Esa limitación física no existe en el caso del papel moneda, ya que los costos de su impresión son mínimos y no existe un límite a la disponibilidad de papel y otros materiales necesarios para la impresión. Por ello, una vez que los gobiernos cortaron la vinculación del papel moneda con los metales, no hubo ya otra limitación para el aumento de la oferta monetaria que no fuera la decisión de la autoridad monetaria respecto de la cantidad de dinero a imprimir.

Con el tiempo, pero sobre todo a partir del siglo XX, los gobiernos dejaron esta tarea en manos de los llamados bancos centrales. Estas instituciones tienen generalmente como tarea controlar la oferta monetaria, algunas veces con un objetivo ligado a la actividad económica o el empleo; en la actualidad, con un objetivo relacionado con mantener el valor de la moneda, esto es, evitar la inflación.

No es una tarea sencilla. El valor de la moneda se determina como el de cualquier otro bien, por medio de la demanda y la oferta. Un banco central, por cierto, no controla la demanda de moneda, que es la que realizan los individuos, las familias, las empresas. Para mantener el valor de la moneda tiene que estimar cuál va a ser la demanda que cada uno de estos actores va a requerir en un determinado período. Para ello, se toman ciertos indicadores indirectos (la actividad económica, por ejemplo). En cuanto a la oferta, hemos visto que debido a la creación secundaria de dinero por parte del sistema bancario, tampoco puede éste contar con un control total de la oferta de dinero.

A esta dificultad «informativa» de los bancos centrales para cumplir con el cometido que le fue asignado, se agrega la presión política de los gobiernos que buscan expandir la cantidad de moneda, tanto para cubrir sus gastos como para alentar una bonanza artificial de la economía.

Para evitar esos problemas, algunos han propuesto otorgar a los bancos centrales «independencia» del poder político. Esto, tal como podemos verlo hoy en el caso de los Estados Unidos y su Reserva Federal, de Europa y su nuevo Banco Central Europeo o del Japón, Suiza y otros países, puede resolver el problema de las presiones políticas, pero no elimina los problemas de información.

Para reducir estas dificultades, un premio Nobel de Economía, Milton Friedman, ha propuesto que se le imponga a una banca central independiente una norma estricta: que no deje crecer la oferta monetaria más allá del 3 por ciento anual. Esto significa no prestar atención a la demanda de dinero en un período determinado, dado que la experiencia muestra que en un período de tiempo prolongado la producción tiende a crecer a un ritmo del 3 por ciento anual. Si la cantidad de moneda crece a esta tasa, entonces el valor se mantendrá, ya que la demanda de moneda depende del nivel de actividad económica y la cantidad de transacciones que por ello se realicen.

Hay quienes han propuesto, en cambio, una norma que signifique atar una moneda a otra por intermedio de la creación de una caja de conversión, lo que significa que la autoridad monetaria carece de poder de decisión en materia de oferta de dinero. Ese poder se traslada a quien corresponda, según sea la moneda de conversión: el dólar, por ejemplo, en el caso de la convertibilidad llevada a cabo en la Argentina a fines del siglo XX; otros países han adoptado el euro.

Por último, otro premio Nobel de Economía, Friedrich A. von Hayek, ha propuesto regresar al concepto de competencia en la acuñación de monedas, permitiendo a la gente que elija la moneda que quiere utilizar. Es el mismo concepto que explicamos al considerar a los acuñadores de metal compitiendo entre sí. El argumento es simple: si la gente es libre de elegir la moneda, elegirá aquella que mejor servicio le brinde, que mejor mantenga su poder adquisitivo, por lo que las malas monedas quedarán desplazadas, ya sean monedas gubernamentales, el dólar, el euro, o monedas privadas.

NUEVE

EL AHORRO Y LA INVERSIÓN

Shakespeare y Scheherazade

> *Los capitales se forman por medio*
> *de los ahorros o de la economía.*
> *Nosotros ahorramos o economizamos,*
> *cuando no consumimos para satisfacer*
> *nuestras necesidades o nuestros placeres.*
> *Por lo tanto, ahorro es el valor*
> *que hemos economizado de esta manera,*
> *y con estos ahorros sucesivos*
> *se forman y aumentan los capitales.*[1]

JEAN-BAPTISTE SAY (1767- 1832)

Los bancos cumplen dos funciones principales, claramente distintas entre sí. Por un lado, actúan como una «caja de seguridad», manteniendo el dinero que se les entrega en depósito, el cual ha de estar disponible «a la vista» por parte de su propietario, el titular de la cuenta. Por otro lado, cumplen el papel de intermediarios entre el ahorro y la inversión. Algunas veces, se producen serios problemas cuando se mezclan una función y la otra, tal como hemos visto en el capítulo anterior y ahora veremos en mayor detalle.

Ese posible problema, que puede dar origen a las llamadas «corridas bancarias» nos lo describe Scheherazade en el Relato del Corredor Nazareno de *Las mil noches y una noches.*[2] Cuenta Nazareno:

---

[1] JEAN-BAPTISTE SAY, *Tratado de economía política*, París, Gillaumin, (1803) 1841, p. 68.

[2] *Las mil noches y una noche*, versión de Vicente Blasco Ibáñez sobre la traducción de J. C. Mardrus, Barcelona, Círculo de Lectores, 1980, p. 158.

Cuando murió mi padre ya había llegado yo a la edad de hombre. Y por eso fui corredor como él, pues contaba con toda clase de cualidades para este oficio, que es la especialidad entre nosotros los coptos.

Pero un día entre los días, estaba yo sentado a la puerta del khan de los corredores de granos, y vi pasar a un joven, como la luna llena, vestido con el más suntuoso traje y montado en un borrico blanco ensillado con una silla roja. Cuando me vio este joven me saludó, y yo me levanté por consideración hacia él. Sacó entonces un pañuelo que contenía una muestra de sésamo, y me preguntó: «¿Cuánto vale el ardeb [medida árabe de capacidad] de esta clase de sésamo?». Y yo le dije: «Vale cien dracmas». Entonces me contestó: «Avisa a los medidores de granos y ve con ellos al khan Al-Gaonalí, en el barrio de Baba Al-Nassr; allí me encontrarás». Y se alejó, después de darme el pañuelo que contenía la muestra de sésamo.

Entonces me dirigía todos los mercaderes de granos y les enseñé la muestra que yo había justipreciado en cien dracmas.

Y los mercaderes la tasaron en ciento veinte dracmas por ardeb. Entonces me alegré sobremanera, y haciéndome acompañar de cuatro mediadores, fui en busca del joven que, efectivamente, me aguardaba en el khan. Y al verme, corrió a mi encuentro y me condujo a un almacén donde estaba el grano, y los medidores llenaron sus sacos, y lo pesaron todo, que ascendió en total a cincuenta medidas en ardebs. Y el joven me dijo: «Te corresponden por comisión diez dracmas porcada ardeb que se venda a cien dracmas. Pero has de cobrar en mi nombre todo el dinero y lo guardarás cuidadosamente en tu casa, hasta que lo reclame. Como su precio total es cinco mil dracmas, te quedarás con quinientos, guardando para mí cuatro mil quinientos. En cuanto despache mis negocios, iré a buscarte para recoger esa cantidad». Entonces yo le contesté: «Escucho y obedezco». Después le besé las manos y me fui.

Y efectivamente, aquel día gané mil dracmas de corretaje, quinientos del vendedor y quinientos de los compradores, de modo que me correspondió el veinte por ciento, según la costumbre de los corredores egipcios.

En cuanto al joven, después de un mes de ausencia, vino a verme y me dijo: «¿Dónde están los dracmas?» Y le contesté en seguida: «A tu disposición; hételos aquí metidos en este saco». Pero él me dijo: «Sigue guardándolos algún tiempo, hasta que yo venga a buscarlos». Y se fue y estuvo ausente otro mes, y regresó y me dijo: «¿Dónde están los dracmas?» Entonces yo me levanté, le saludé y le dije: «Ahí están a tu disposición. Hételos aquí» Después añadí: «Y ahora, ¿quieres honrar mi casa viniendo a comer conmigo un plato o dos, o tres o cuatro?» Pero se negó y me dijo: «Sigue guardando el dinero, hasta que venga a reclamártelo después de haber despachado algunos negocios urgentes». Y se marchó. Y yo guardé cuidadosamente el dinero que le pertenecía, y esperé su regreso.

Volvió al cabo de un mes, y me dijo: «Esta noche pasaré por aquí y recogeré el dinero». Y le preparé los fondos; pero aunque le estuve aguardando toda la noche y varios días consecutivos no volvió hasta pasado un mes, mientras yo decía para mí: «¡Qué confiado es ese joven! En toda mi vida, desde que soy corredor en los khanes y los zocos, he visto confianza como ésta». Se me acercó y le vi, como siempre, en su borrico, con suntuoso traje; y era tan hermoso como la luna llena, y tenía el rostro brillante y fresco como si saliese del hammam, y sonrosadas mejillas y la frente como una flor lozana, y en un extremo del labio un lunar, como gota de ámbar negro [...]

Y al verle, le besé las manos, e invoqué para él todas las bendiciones de Alá, y le dije: «¡Oh, mi señor! Supongo que ahora recogerás tu dinero». Y me contestó: «Ten todavía un poco de paciencia, pues en cuanto acabe de despachar mis asuntos vendré a recogerlo». Y me volvió la espalda y se fue. Y yo supuse que tardaría en volver, y saqué el dinero, lo coloqué con un interés de veinte por ciento, obteniendo de él cuantiosa ganancia. Y dije para mí: «¡Por Alá! Cuando vuelva, le rogaré que acepte mi invitación, y le trataré con toda largueza, pues me aprovecho de sus fondos y me estoy haciendo muy rico».

La clave allí son las palabras «y yo supuse que tardaría en volver», pues lo cierto es que ese dinero está en «custodia», tal como lo está en la caja de un banco y «a la vista» de su legítimo propietario. El corredor Nazareno tenía ese dinero en custodia, algo que explícitamente le había pedido el joven. ¿Está cumpliendo con su obligación cuando, debido a que éste no aparece, le da otro uso al colocarlo a interés? ¿Qué le habría sucedido si el joven regresaba y como en ocasiones anteriores le preguntaba «dónde están los dracmas»?

Pues en aquellas épocas esas cosas se arreglaban con la espada... En los sistemas bancarios modernos los bancos hacen algo que el corredor Nazareno no podía hacer: cuando alguien quiere retirar sus fondos, no se le entregan «esos fondos específicos» sino otros, ya que un billete es tan bueno como otro de igual valor. El problema se presenta cuando todos, o un gran número de los depositantes, se presenta a retirar su dinero.

Existen tres sistemas bancarios posibles que pueden hacer frente a esta situación de distintas formas:

1. El banco mantiene el dinero recibido en custodia sin tocarlo: en tal caso se habla de un «encaje del ciento por ciento»; esto es, reservas totales por los depósitos recibidos.

2. El banco mantiene sólo una parte de ese dinero en reserva y presta el resto; el depositante conoce tal circunstancia: en este caso estamos en presencia de un sistema de «reserva fraccionaria», cuya solvencia se sostiene en tanto y en cuanto los depositantes no van a retirar esos depósitos al mismo tiempo o, en caso de que lo hagan, el banco pueda negarse a devolverlos por haberlos prestado.

3. El banco mantiene sólo una parte de ese dinero en reserva y presta el resto, pero tiene acuerdos con otros bancos, líneas de crédito disponibles, para recurrir en caso de que los retiros excedan el monto de sus reservas.

En muchos sistemas bancarios modernos, nos encontramos con una situación del tercer tipo pero en la cual quien otorga esas líneas de crédito no es otro banco cualquiera, sino la autoridad monetaria, el banco central, que actúa en esta función como «prestamista de última instancia».

Claro que para hacerlo, el banco central tiene que crear dinero, tiene que emitir, por lo que en sistemas monetarios con reservas en metales o monedas extranjeras, lo podrá hacer en la medida en que esas reservas se lo permitan, ya que de otra forma estará alterando la conversión.

De todas formas, nos queda pendiente el hecho de que en sistemas de «reservas fraccionarias» los bancos están trasladando dinero desde una de sus funciones, la de custodia, hacia la otra, la intermediación entre el ahorro y la inversión.

El ahorro

La segunda función que los bancos cumplen es la de ser intermediarios entre el ahorro y la inversión. Antes de explicar cómo cumplen con esta tarea, es necesario analizar qué es el ahorro.

Existen dos tipos de ahorro, aunque en ambos casos se trata de una abstención del consumo presente: el ahorro simple y el ahorro capitalista. El primero se realiza para poder tener un mayor consumo en el futuro; el segundo es el que busca acumular factores para una mayor producción en el futuro. El objetivo del primero es simplemente el consumo posterior: tarde o temprano los recursos ahorrados serán consumidos. El objetivo del ahorro capitalista es mejorar el esfuerzo productivo. En este sentido, los bancos y el mercado de capitales transforman parte del ahorro simple en ahorro capitalista.

Esto se relaciona claramente con un fenómeno de fundamental importancia, que en economía se denomina «preferencia temporal». Veamos de qué se trata.

Toda acción busca satisfacer una necesidad futura; si bien ésta puede ser inmediata, entre el momento de la acción y el momento en que se alcanza el fin buscado transcurre determinado tiempo. Un ejemplo claro de esto es el del tiempo que se necesita desde que se siembra hasta que se cosecha, o el del tiempo necesario para obtener un buen vino o para que crezca un árbol. Ese «período de producción» es algunas veces prolongado; otras, muy breve.

Por otra parte, el producto obtenido nos brinda utilidad por un período limitado: algunos simplemente un momento (un alimento calma el hambre por un rato; después, la necesidad de alimento vuelve a presentarse). Otros productos tienen una capacidad de brindar utilidad más prolongada en el tiempo y por eso los llamamos «bienes duraderos».

El período de producción y la duración de la utilidad siempre entran en nuestras consideraciones, ya que se nos presentará la necesidad de optar entre períodos de producción más cortos o más largos y entre fabricar bienes más durables que otros. Al hacer estas elecciones, estamos indicando las necesidades de qué período preferimos satisfacer. Así, si utilizamos nuestros recursos para obtener los bienes de más breve período de producción y menor tiempo de utilidad, estaremos mostrando una preferencia por el presente, mientras que si hacemos lo contrario, mostraremos una preferencia por algún momento en el futuro.

A efectos de poder esperar hasta que el producto esté listo en el futuro, sea éste cercano o lejano, debemos haber acumulado otros productos que permitan satisfacer nuestras necesidades mientras esperamos obtener aquellos resultados futuros. Imaginémonos en una situación como la de Robinson Crusoe: ocupamos todo el día simplemente en obtener los alimentos necesarios para esa jornada. Es más, supongamos que ese alimento son cocos y que Crusoe es capaz de obtener dos cocos por día dado el tiempo que le lleva trepar a la palmera y conseguirlos. En esas circunstancias, está satisfaciendo sus necesidades más inmediatas.

Depender de lo que se obtenga en el día es, por cierto, inseguro. Si Robinson se enfermara o el clima no le permitiera trabajar, ya no podría satisfacer sus necesidades más elementales. Cuando se piensa en el futuro, aunque más no sea en el día siguiente, se piensa en la posibilidad de asegurar la forma de satisfacer esas necesidades futuras. En este sentido, Crusoe podría encontrar cocos más grandes o más durables. De esta forma, continuando con su cosecha de dos por día podría satisfacer su consumo de un día con uno solo de ellos y comenzar a acumular una provisión de cocos para los días siguientes.

Una vez que Crusoe acumulara cierto número de cocos en su provisión, podría pensar un método más «indirecto» de obtenerlos, pero que al mismo tiempo le garantizara un período de producción más breve. Es así como podría decidir que durante varios días no va a buscar nuevos cocos, sino que va a consumir su provisión. Mientras tanto dedicará su trabajo a fabricar una caña larga que le permita obtener cocos sin necesidad de trepar a la palmera. Con esa herramienta, Crusoe puede obtener, digamos, cuatro cocos por día en la mitad de tiempo, con lo que su provisión vuelve a crecer y esto le permite tener más tiempo para otras actividades, para comenzar a satisfacer otras necesidades. Se dice que este procedimiento es «indirecto» porque, en lugar de trepar directamente a la palmera, primero se fabrica la caña y luego se buscan los cocos. Es un método más indirecto, pero mucho más productivo.

Lo que hemos descripto aquí es el proceso de ahorro (abstención del consumo)-inversión-creación de capital (herramienta). Y es ahora la posesión de ese «capital» lo que permite a Crusoe un gran aumento de su productividad y, por lo tanto, de su riqueza.

Las herramientas reducen el tiempo de producción, aunque se deba seguir un camino más «largo», ya que incluye su propia producción. Como el hombre prefiere, en igualdad de circunstancias, los procesos más breves que los más extensos, una vez satisfechas las necesidades inmediatas se dedicará a los proyectos que requieren más tiempo. Entonces, ahorramos para poder explorar esos métodos más indirectos; reemplazamos la actividad de trepar a la palmera por la de construir una larga caña. Y muchas veces ese procedimiento lo usamos para obtener productos que de otra forma no podríamos conseguir: para incrementar la pesca no tenemos más remedio que dejar de lado la caña de pescar y construir un bote y una red.

El interés

En la vida social, ya no en la soledad de Crusoe, hay diferentes personas con distintas preferencias temporales. Algunos desean aumentar las perspectivas de su consumo futuro y están dispuestos a ahorrar; otros, por el contrario, quieren consumir en el presente más de lo que su capacidad actual les permite o quieren dedicar recursos a métodos más indirectos que puedan aumentar la productividad del trabajo. Estos dos últimos grupos (los que quieren consumir más ahora o los que quieren invertir ahora para producir más en el futuro) deben convencer a los primeros para que pongan a su disposición esos recursos provenientes de su capacidad de ahorro. Para ello, tienen que tentarlos con un consumo «mayor» en el futuro, ya que no tendría sentido para los primeros abstenerse del consumo hoy para obtener lo mismo mañana; aspiran a un «premio» por esa postergación. Esa distinta valoración entre el presente y el futuro es lo que denominamos «interés».

Como esa preferencia por satisfacer una necesidad antes que después existe en todo tiempo y circunstancia, el interés, que es en verdad la diferencia en el precio de un mismo bien en el futuro comparado con el precio del mismo bien en el presente, no puede dejar de existir.

Sin embargo, el «interés» no tiene prestigio y durante muchos siglos ha sido vilipendiado y se ha denigrado a muchos que cumplían esa función de intermediario entre el ahorro y la inversión.

Tal vez el más famoso caso lo describa William Shakespeare en *El mercader de Venecia*. Recordemos la historia: Bassanio quiere enamorar a Porcia, y cree que para poder hacerlo debe mostrar un nivel de vida acorde con el de esta mujer, por cierto bastante dispendioso. Para ello, le pide a su amigo Antonio un préstamo de tres mil ducados. Antonio, el mercader de Venecia, no tiene el dinero consigo en ese momento, pues lo ha invertido todo en mercaderías que se encuentran en viaje a muy diversos destinos, pero acepta salir como garante del pedido que se le haga al judío Shylock. Éste, cansado de ser discriminado y criticado por prestar dinero a interés, pone como condición del préstamo un «interés» peculiar: una libra de la carne de Antonio.

> Shylock: Tres mil ducados; ya, ya.
> Bassanio: Sí, señor, por tres meses
> Shylock: Por tres meses; ya, ya.
> Bassanio: De lo cual, como os dije, Antonio será el fiador.
> Shylock: Antonio será el fiador, ya, ya.
> Bassanio: ¿Me podéis ayudar? ¿Me daréis esa satisfacción? ¿Sabré vuestra repuesta?
> Shylock: Tres mil ducados, por tres meses, y Antonio como fiador.
> Bassanio: ¿Qué respondéis a eso?
> Shylock: Antonio es un buen hombre.
> Bassanio: ¿Habéis oído alguna acusación en contra?
> Shylock: Ah, no, no, no, no: lo que pretendo al decir que es un buen hombre es haceros comprender que tiene suficiencia. Sin embargo, sus medios son sólo una suposición: tiene una nave rumbo a Trípoli, otra a las Indias; también he oído decir en el Rialto que tiene otra en México, otra rumbo a Inglaterra, y otras mercancías aventuradas, dispersas por ahí. Pero los barcos no son más que tablas, y los marineros no son más que hombres: hay ratas de agua y ratas de tierra, ladrones de agua y ladrones de tierra, quiero decir, piratas; y además está el peligro de aguas, vientos y rocas. No obstante, es hombre con suficiencia. Tres mil ducados: supongo que podré aceptar su garantía
> Bassanio: Estad seguro de que sí podéis.
> Shylock: Quiero asegurarme de que puedo, y, para que me asegure, quiero pensarlo. ¿Puedo hablar con Antonio?
> Bassanio: ¿Os parece bien comer con nosotros?
> Shylock: Ah ya, ¿para oler a puerco, para comer de esa morada en que vuestro profeta el Nazareno conjuró al diablo a meterse?

Compraré con vosotros, venderé con vosotros, hablaré con vosotros, pasearé con vosotros, y así sucesivamente: pero no quiero comer con vosotros, ni beber con vosotros, ni rezar con vosotros. ¿Qué noticias hay en el Rialto? ¿Quién viene por aquí?

Entra Antonio.

Bassanio: Este es el signor Antonio.

Shylock: [aparte]. ¡Qué aire tiene de publicano hipócrita! Le odio porque es cristiano, pero más aún porque, con baja simplicidad, presta dinero gratis y hace bajar, aquí en Venena, el tanto de la usura. Si le puedo agarrar alguna vez entre mis manos, saciaré contra él esa antigua querella. Odia a nuestro pueblo sagrado, y, donde se reúnen más los mercaderes, se burla de mí, de mis tratos y de mi ganancia bien obtenida, que él llama usura. ¡Maldita sea mi tribu si le perdono!

Bassanio: Shylock, ¿oyes?

Shylock: Estoy echando cuentas de lo que tengo ahora, y, por lo que mi memoria calcula aproximadamente, no puedo reunir al momento el total de los tres mil ducados. Pero, ¿y qué? Me proveerá Tubal, un rico hebreo de mi tribu. Pero ¡calla! ¿Cuántos meses deseáis?[a Antonio]. Dios os dé buena suerte, buen señor: acabamos de nombrar a vuestra señoría.

Antonio: Shyhlock, aunque yo no presto ni pido prestado recibiendo ni dando interés, sin embargo, para remediar las necesidades urgentes de mi amigo, romperé mi costumbre. [A Bassanio]. ¿Está informado él de cuánto necesitas?

Shylock: Sí, sí, tres mil ducados.

Antonio: Y por tres meses.

Shylock: Se me había olvidado: tres meses: eso me dijisteis. Bien, entonces vuestra garantía, y vamos a ver... Pero escuchad: creo que decíais que prestabais ni pedíais con intereses.

Antonio: Nunca lo acostumbro

Shylock: Cuando Jacob apacentaba las ovejas de su tía Labán —este Jacob fue el tercer heredero desde nuestro padre Abrahán, por lo que hizo en su favor su sabia madre; sí, el tercer heredero...

Antonio: ¿Y qué pasaba con él? ¿Cobraba intereses?

Shylock: No, no cobraba intereses: no exactamente intereses, como diríais vosotros: fijaos lo que hizo Jacob. Cuando Labán y él concertaron que todos los corderillos que nacieran rayados o manchados serían propiedad de Jacob, entonces, al entrar en celo las ovejas, se las echaron a los carneros, al fin de otoño, y, al cumplirse el acto de la generación entre esos lanudos progenitores, el astuto pastor peló unas varas, y, cuando se hacía el acto natural, las plantó ante las ovejas en celo que, concibiendo entonces, parieron en su momento corderillos de varios colores, que fueron para Jacob. Ese fue un modo de prosperar, y él recibió bendiciones: y la ganancia es bendición, con tal que los hombres no roben.

Antonio: Aquello por lo que sirvió Jacob era un riesgo, una cosa que no estaba en su mano lograr, sino regida y determinada por la mano del Cielo. ¿Está escrito eso para hacer buena la usura? ¿O vuestro oro y vuestra plata son ovejas y carneros?

Shylock: No sé qué decir: yo los hago criar tan deprisa como si lo fueran: pero hacedme caso, señor.

Antonio: Fíjate en esto, Bassanio: el diablo puede citar las escrituras para sus intenciones: un alma mala, mostrando testimonio sagrado, es como un bribón con cara sonriente, una hermosa manzana de corazón podrido. ¡Ah, qué buen exterior tiene la falsía!

Shylock: Tres mil ducados: es buena suma redonda. Tres meses de doce... Entonces, vamos a ver el interés.

Antonio: Bueno, Shylock, ¿os lo habremos de agradecer?

Shylock: Signor Antonio, muchas veces me habéis censurado en el Rialto por mi dinero y mis usuras: yo siempre lo he llevado encogiéndome de hombros con paciencia, pues la resignación es la divisa de mi tribu. Me llamáis impío, perro verdugo, y me escupís en mi gabán de hebreo; y todo ello, por el uso de lo que es mío. Bueno, entonces, parece ser que necesitáis mi ayuda; vamos allá, pues: venís a verme y decís: «Shylock, querríamos dineros»: eso decía, después de haber vaciado vuestros mocos en mi barba y de darme una patada como para alejar a un perro ajeno de vuestro umbral: dineros es lo que queréis. ¿Qué os habría de decir? ¿No os habría de decir:

«¿Acaso tiene dinero un perro? ¿Es posible que un perro pueda prestar tres mil ducados?». ¿O debo hacer una profunda reverencia, y con acento de esclavo, con aliento húmedo y con susurrante humildad, deciros: «Noble señor, el viernes pasado me escupisteis encima: tal día me disteis patadas; tal vez otra vez me llamasteis perro; y por esas cortesías, os prestaré todo ese dinero»?

Antonio: Dispuesto estoy a llamarte otra vez todo eso, a escupirte otra vez, a darte patadas. Si quieres prestar ese dinero, no lo prestes a amigos tuyos: pues ¿cuándo la amistad ha recibido de un amigo un fruto del estéril metal? Más bien préstaselo a tu enemigo, a quien, si no cumple, le puedes exigir el castigo con mejor cara.

Shylock: ¡Vamos, mirad cómo os enojáis! Querría ser amigo vuestro y conseguir vuestro cariño, olvidar las vergüenzas con que me habéis manchado, proveer a vuestras necesidades presentes, y no cobrar ni un ochavo de interés por mi dinero, y no me queréis oír: es muy amable lo que os ofrezco.

Antonio: Eso sería amabilidad.

Shylock: Mostraré esa amabilidad. Venid conmigo a un notario, poned aquí vuestra sola firma, y, como broma divertida, si no me pagáis el día determinado, en tal lugar, la suma o sumas que se expresan en el documento, la indemnización se fijará en una libra exacta de vuestra hermosa carne, para ser cortada y quitada de la parte de vuestro cuerpo que me plazca.

Curiosamente, el debate entre Antonio y Shylock es inútil desde la perspectiva de la economía moderna, ya que los dos no están haciendo cosas muy diferentes: Shylock restringe su potencial consumo e invierte una cierta suma (el préstamo a Bassanio) en espera de un retorno que valora más (una cantidad mayor de dinero o, en caso de no cumplimiento, una libra de la carne de Antonio). Antonio hace lo mismo: restringe su potencial consumo presente adquiriendo mercaderías y contratando barcos y tripulaciones, en espera de obtener al cabo de un tiempo una mayor cantidad de dinero.

Por otro lado, lo que obtiene Shylock (y, en tal caso, Antonio) no es la «ganancia del capital», sino la diferencia entre una valoración futura y una presente. Como tal, y dada la preferencia temporal, la existencia del interés es inevitable. Aquellos que poseen factores de producción (tierra, trabajo o capital) obtienen dos tipos de ingresos: por un lado, los precios superiores que los consumidores pagan por el hecho de haber coordinado satisfactoriamente esos factores; por otro, el interés que se asocia al tiempo transcurrido desde que se produce el gasto en los factores de producción hasta que se obtiene el producto final.

Pero como las valoraciones son subjetivas, cada uno puede hacer lo que le parezca con su dinero: prestarlo en contrapartida de una suma mayor en el futuro, como hace Shylock, o prestarlo en contrapartida de una satisfacción, sea ésta un agradecimiento de parte de quien recibió el préstamo, un favor, reputación o prestigio. Ambos, Antonio y Shylock, son remunerados por el préstamo y están disponiendo de su propiedad como les parece, por lo que todo el debate acerca de si el interés era «usura», un debate que tomó varios siglos, no tenía mayor sentido desde el punto de vista estrictamente económico.

Mucho más importante es entender que la tasa de interés refleja las preferencias temporales de las personas y que cuanto más se inclinen éstas por el presente, más alta será la tasa de interés necesaria para igualar el rendimiento de los precios de hoy con los precios del mañana. Veamos esto con un ejemplo: supongamos que abrimos el diario y la primera plana trae la amarga noticia de que un meteorito impactará contra la Tierra y que se duda de la supervivencia de la raza humana. ¿Quién estaría dispuesto a posponer su consumo en esas circunstancias? ¿Cuál sería la tasa de interés? Pues el valor de los bienes futuros sería nulo, por lo que la tasa de interés que iguale bienes presentes con bienes futuros tendería al infinito. En otras palabras, nadie, ni con una tasa de interés infinita, estaría dispuesto a «ahorrar» en tales circunstancias, ¿para qué? Sólo cuando se tiene una perspectiva extendida hacia el futuro, incluso considerando a los herederos descendientes, los bienes en el futuro adquieren cierto valor y pueden compararse con los bienes en el presente, de lo cual se desprende una tasa de interés.

DIEZ

EL EMPRENDEDOR, LAS GANANCIAS Y LOS SALARIOS

Edgar Allan Poe y «El escarabajo de oro»

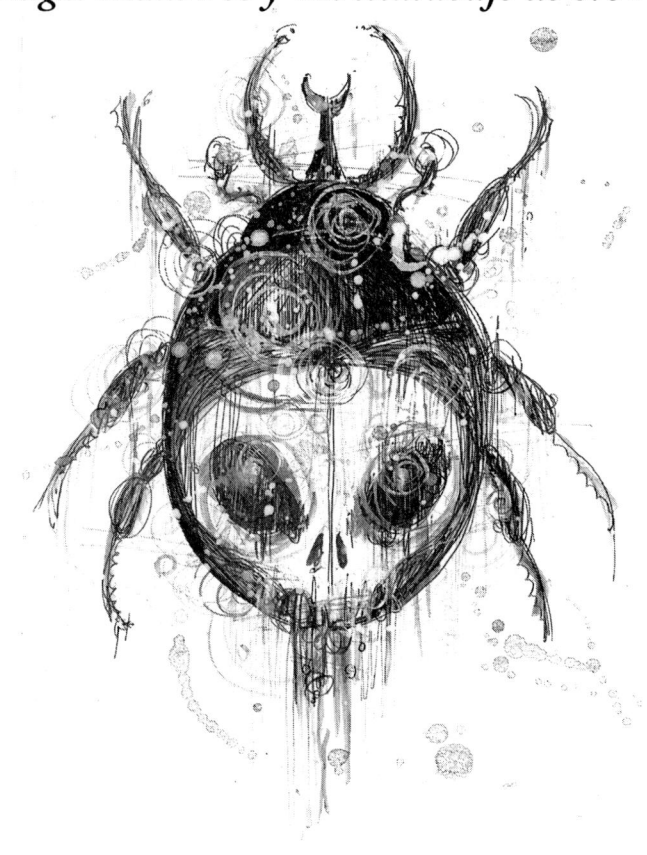

Las oportunidades de ganancia surgen cuando los
precios de los productos en los mercados de productos
no están ajustados a los precios de los recursos en los
mercados de factores. En otras palabras, «algo» se
vende a precios distintos en dos mercados, debido a
la imperfecta comunicación entre dichos mercados.
Este «algo», ciertamente, se vende en formas físicas
distintas en los dos mercados; en el mercado de factores
aparece como un complejo de materias primas, y
en el mercado de productos como una mercancía
de consumo. Pero, económicamente, sigue siendo la
«misma» cosa la que se vende a precios distintos, ya
que el complejo de recursos contiene todo lo que se
requiere tecnológicamente (y nada más que eso) para
proporcionar el producto. El empresario nota esta
discrepancia de precios antes que otros.[1]

ISRAEL KIRZNER (1930)

La actividad de coordinación y determinación de los precios está regida por la incertidumbre: si hay algo que los economistas no conocen es el futuro, y éste puede traer, y seguramente traerá, acontecimientos inesperados. Cada uno de los actores tomará en cuenta los factores que, según entiende, pueden influir en la situación y originar cambios. Este proceso de prever, de «especular», respecto de las condiciones futuras que se obtengan como resultado de una decisión se denomina «acción empresarial», y está presente en todas las acciones, aun en aquellas que nos

---

[1] ISRAEL KIRZNER, *Competencia y función empresarial*, Madrid, Unión Editorial, (1973) 1983, p. 100.

parezcan muy alejadas de lo que normalmente llamaríamos una decisión «empresaria». No obstante, vamos a delimitar el campo de nuestro análisis a aquella función de guiar los procesos de producción para satisfacer las necesidades y los deseos de los consumidores.

Inevitablemente, es preciso que transcurra cierta cantidad de tiempo para que uno o varios recursos sean transformados en productos capaces de satisfacer una cierta necesidad. Recordemos el ejemplo del lápiz y el camino que realiza desde el tronco de madera y la mina de grafito. El empresario capitalista es aquel que invierte en «capital», esto es, en la adquisición de recursos naturales (tierras y todo lo que la naturaleza nos provee) y bienes de capital (maquinarias, equipos) utilizados en el proceso de producción. Debe adelantar el dinero para pagar los costos de materias primas, equipos y el trabajo de los trabajadores, con la expectativa de que el producto futuro que se obtenga será vendido a un precio remunerativo. La calidad de su juicio y la exactitud de su pronóstico son, en este sentido, fundamentales.

El emprendedor, entonces, adquiere factores de producción o servicios de esos factores en el presente, pero sus productos serán vendidos en el futuro. Siempre estará alerta a las oportunidades que puedan presentarse para generar valor económico. Su ganancia es el resultado de esa capacidad superior de alerta para ver que esos factores o sus servicios pueden ser utilizados en una forma más remunerativa de lo que están siendo utilizados ahora.

Sin embargo, al obtener dicho resultado ya está enviando una señal para que otros hagan lo mismo, para que lo sigan en esa actividad innovadora. Al hacerlo, los recién llegados incrementan la demanda de esos factores necesarios y, por lo tanto, su precio aumenta, reduciendo el margen de ganancias. Este proceso continuaría hasta eventualmente eliminar esa ganancia, si no fuera porque las condiciones respecto de los factores y las preferencias de los consumidores cambian en forma constante, generando nuevas oportunidades para los que continúan estando alertas.

Este «espíritu emprendedor», ese estado de alerta ante las oportunidades y esa vocación de asumir un riesgo invirtiendo un capital para obtener un mayor resultado futuro no están relacionados con ninguna suma en particular de capital. Es ésta una función que tanto la cumple el pobre que recibe unos pocos billetes de préstamo del Grameen Bank[2] para comprar los implementos necesarios para lustrar zapatos, el que genera ciertos ahorros o los recibe de sus familiares para abrir un pequeño comercio, como la más grande empresa internacional.

La función empresarial a la que nos referimos aquí alude a esta importante tarea para determinar la asignación de recursos en la economía. Lamentablemente, la palabra «empresario», que en esencia describe a quien realiza tal función, ha sido desacreditada por quienes invierten

---

[2] El Grameen Bank es el banco fundado por Mohammad Yunus en Bangla Desh, el que otorga préstamos por su-mas muy pequeñas a personas organizadas en grupos, quienes de otra forma tendrían pocas oportunidades de acceder a capital. Para más información, visitar www. grameen-info.org.

parte de su «capital» en obtener privilegios del gobierno, desviando su atención de la satisfacción de las necesidades de los consumidores a la satisfacción de las necesidades del gobernante de turno. En este caso, las «ganancias» no son el fruto de la eficaz competencia en el mercado, sino de lograr por los medios mencionados algún privilegio, generalmente una restricción a la competencia que termina por perjudicar a todos los consumidores.

La perspicacia empresarial en el sentido que aquí es considerada demanda un estado de «alerta» que no todos poseemos. Consiste en la especial habilidad de ver una oportunidad allí donde otros no la ven. Un buen ejemplo de esto podría ser la actitud asumida por Brian Epstein en relación con los Beatles: quiso ser su representante porque vio en ellos lo que luego demostrarían ser. Al llevarlos a Londres para probar suerte en esa gran ciudad, obtuvo la posibilidad de presentarse ante los directivos de la empresa discográfica Decca. No obstante, éstos rechazaron al grupo diciendo que los grupos con guitarras eran cosa del pasado...

Ese «estado de alerta» nos lo mostrará Edgar Allan Poe en su cuento «El escarabajo de oro».[3] El narrador y protagonista del relato había trabado amistad hacía años con un tal William Legrand, un personaje que había sido rico, pero que, por ese entonces, estaba en la miseria. Para evitar la humillación, había ido a vivir a la isla de

---

[3] EDGAR ALLAN POE, *El escarabajo de oro*, en Jorge Luis Borges, Cuentos memorables según Jorge Luis Borges, Buenos Aires, Alfaguara, 1999, pp. 29-74.

Sullivan, cerca de Charleston, en Carolina del Sur, una pequeña isla a poca distancia del continente. Allí vivía acompañado de un sirviente negro llamado Júpiter, quien, no pudiendo convencerse de que ya no era un esclavo, continuaba sirviendo a su *masa* Will.

Legrand estaba muy entusiasmado por haber encontrado un escarabajo de oro. No podía mostrarlo en ese momento —lo había prestado a un teniente del fuerte cercano—, pero para dar una idea de cómo era sacó del bolsillo de su chaleco un trozo de pergamino muy sucio y viejo, hizo un dibujo en él y se lo extendió al narrador. En ese instante, ingresó Júpiter, quien al saludarlo efusivamente por poco hace que el papel se queme sobre el fuego de la chimenea. Legrand recogió el papel irritado, pero su irritación se volvió sorpresa cuando analizó el dibujo detenidamente. Pasó un mes y el visitante no había tenido nuevas noticias de Legrand y su escarabajo, hasta que recibió en su casa la visita de Júpiter, quien se manifestó preocupado por ver a Legrand con actitudes muy raras que él atribuía al escarabajo. Cuando el narrador lo visitó, Legrand reconoció haber estado ensimismado por el asunto del escarabajo, y en medio de la noche los llevó a un apartado lugar de la isla donde después de muchas mediciones y excavaciones, encontraron un fabuloso tesoro. Veamos el relato:

Estábamos completamente destrozados, pero la intensa excitación de aquel momento nos impidió todo reposo. Después de un agitado sueño de tres o cuatro horas, nos levantamos, como si estuviéramos de acuerdo, para efectuar el examen de nuestro tesoro.

El cofre había sido llenado hasta los bordesyempleamos el día entero y gran parte de la noche siguiente en escudriñar su contenido, que no mostraba ningún orden o arreglo; todo había sido amontonado allí en confusión. Una vez clasificado cuidadosamente, nos encontramos en posesión de una fortuna que superaba todo cuanto habíamos supuesto. En monedas había más de cuatrocientos cincuenta mil dólares; calculamos el valor de las piezas con tanta exactitud como pudimos guiándonos por la cotización de la época. No había allí una sola partícula de plata. Todo era oro de una fecha muy antigua yde una gran variedad; monedas francesas, españolas y alemanas, con algunas guineas inglesas y varios discos de los que no habíamos visto antes ejemplar alguno. Había varias monedas muy grandes y pesadas, pero tan desgastadas que nos fue imposible descifrar sus inscripciones. No se encontraba allí ninguna americana, ha valoración de las joyas presentó muchas dificultades. Había diamantes, algunos muy finos y voluminosos, en total ciento diez, y ninguno pequeño; dieciocho rubíes de un notable brillo, trescientas esmeraldas hermosísimas, veintiún zafiros y un ópalo. Todas aquellas piedras habían sido arrancadas de sus monturas y arrojadas en revoltijo al interior del cofre. En cuanto a las monturas mismas, que clasificamos aparte del otro oro, parecían haber sido machacadas a martillazos para evitar que pudieran ser identificadas. Además de todo aquello, había una gran cantidad de adornos de oro macizo: cerca de doscientas sortijas y pendientes de extraordinario grosor; ricas cadenas en número de treinta, si no recuerdo mal; noventa y tres grandes y pesados crucifijos; cinco incensarios de oro de gran valía; una prodigiosa ponchera de oro, adornada con hojas de parra muy bien engastadas y configuras de bacantes; dos empuñaduras de espada, exquisitamente repujadas, y otros muchos objetos más pequeños que no puedo recordar. El peso de todo ello excedía las trescientas cincuenta libras, y en esta valoración no he incluido ciento noventa y siete relojes: sus maquinarias habían sufrido la corrosión de la tierra, pero todos estaban ricamente adornados con pedrerías y las cajas eran de gran precio. Estimamos aquella noche el contenido total del cofre en un millón y medio de dólares y, cuando más tarde vendimos los dijes y joyas (quedándonos con algunos para nuestro uso personal), nos encontramos con que habíamos hecho una tasación del tesoro muy por debajo de su poder real.

Cuando terminamos nuestro examen, y al mismo tiempo se calmó un tanto aquella intensa excitación, Legrand, que me veía consumido de impaciencia por conocer la solución de aquel extraordinario enigma, empezó a contar con todo detalle las circunstancias relacionadas con él.

—Recordará usted—dijo— la noche en que le mostré el tosco bosquejo que había hecho del escarabajo. Recordará también que me molestó mucho que usted insistiera en que mi dibujo se parecía a una calavera. Cuando hizo usted por primera vez tal afirmación, creí que bromeaba; pero después pensé en las manchas que tenía el insecto sobre el dorso y reconocí en mi interior que su observación tenía, en realidad, cierta ligera base. A pesar de todo, me irritó su burla respecto de mis facultades gráficas, pues estoy considerado como un buen dibujante y, por eso, cuando me tendió usted el trozo de pergamino, estuve a punto de estrujarlo y de arrojarlo, enojado, al fuego.

—Se refiere usted al trozo de papel —dije.

—No; aquello tenía el aspecto de papel y al principio yo mismo supuse que lo era; pero, cuando quise dibujar sobre él, descubrí enseguida que era un trozo de pergamino muy viejo. Estaba todo sucio, como recordará. Bueno; cuando me disponía a estrujarlo, me fijé en el esbozo que usted había examinado y ya puede imaginarse mi asombro al percibir realmente la figura de una calavera en el sitio mismo donde yo había creído dibujar el insecto. Durante un momento me sentí demasiado atónito para pensar con sensatez. Sabía que mi esbozo era muy diferente en detalle, aunque existiese cierta semejanza en el contorno general. Tomé en seguida una vela y, sentándome al otro extremo de la habitación, hice un examen minucioso del pergamino. Dándolo vuelta, vi mi propio bosquejo sobre el reverso, ni más ni menos que como lo había hecho. Mi primera impresión fue entonces de simple sorpresa ante la notable semejanza del contorno, ante la coincidencia singular de que, sin yo saberlo, existiera aquella imagen al otro lado del pergamino, debajo de mi dibujo del escarabajo, y de que la calavera aquella se le pareciera con tanta exactitud, no sólo en el contorno sino también en el tamaño. Digo que la singularidad de aquella coincidencia me dejó pasmado durante un momento. Es éste el efecto habitual de tales coincidencias. La mente se esfuerza por establecer una relación—una ilación de causa y efecto— y, siendo incapaz de conseguirlo, sufre una especie de parálisis pasajera. Pero cuando me recobré de aquel estupor, sentí surgir en mí poco a poco la convicción que me sobrecogió más aún que aquella coincidencia. Comencé a recordar de una manera clara y positiva que no había ningún dibujo sobre el pergamino cuando hice mi esbozo del escarabajo. Tuve la absoluta certeza de ello, pues me acordé de haberle dado vueltas a un lado y a otro buscando el sitio más limpio... Si la calavera hubiera estado allí, la habría yo visto, por supuesto. Existía entonces un misterio que me sentía incapaz de explicar; pero desde aquel mismo momento me pareció ver brillar débilmente, en las más remotas y secretas cavidades de mi entendimiento, una especie de luciérnaga de la verdad de la cual nos ha aportado la aventura de la última noche una prueba tan magnífica.

La «función empresarial» está asociada, en este caso, a la recuperación de un producto que estaba perdido, el tesoro, no a la producción de uno nuevo. No obstante, se trata de un «proceso de producción», de hacer disponible un producto que es valorado por los consumidores. Se ha agregado valor porque el tesoro debajo de la tierra no le da servicio a nadie y su valor sería nulo, por ejemplo, si nuestros personajes hubieran decidido dejarlo allí.

El cuento de Poe muestra el «mágico» momento en que el estado de «alerta» de Legrand le permite captar la oportunidad que se presenta. No es ajena la suerte, pero esa capacidad de ver lo que otros no ven aunque lo tengan frente a sus ojos es lo que destaca a un «emprendedor».

El emprendedor es aquel que ha visto ciertos factores subvaluados con relación a su potencial, y reconociendo esta discrepancia y actuando sobre ella ha redirigido esos factores de producción hacia el objetivo que ahora se plantea. En el caso de nuestro cuento, los factores subvaluados en relación con su potencial eran las monedas y joyas enterradas bajo la tierra; el reconocimiento de la discrepancia en su valor se manifiesta cuando Legrand comprende que esos recursos hallados y excavados tendrían un valor muy superior (algo obvio para todos nosotros en este caso, pero no tanto en muchos otros), y la actuación necesaria es la dedicación al desciframiento del pergamino y la expedición que realiza solo primero y luego con sus amigos para encontrarlo.

Como resultado de dicha acción los consumidores han sido servidos —aquellos que ansiaban tener joyas o diamantes— y el emprendedor ha sido premiado con la ganancia por haberlo hecho. Una pérdida, por el contrario, sería el resultado de una mala estimación por parte del emprendedor; por ejemplo, si todos los esfuerzos materiales destinados a la búsqueda hubieran dado como resultado el hallazgo de un cajón con papeles que tuvieran un valor insignificante. Todo emprendedor, entonces, invierte tiempo, esfuerzo y/o capital porque estima que obtendrá un valor superior; si lo logra, tendrá ganancias; si no, pérdidas.

Es una verdadera lástima que la palabra «especulación» haya adquirido últimamente una connotación negativa, ya que es eso lo que todos hacemos al actuar y lo que hacen los empresarios en particular. Esas ganancias o pérdidas como resultado de nuestras acciones son psíquicas, teniendo en cuenta que quien actúa lo hace decidiendo sobre la base de sus objetivos y valoraciones personales y, por lo tanto, subjetivas, en comparación con las alternativas disponibles.

La ganancia psíquica puede resultar tanto de la disminución o eliminación de una incomodidad o insatisfacción, como del logro de un resultado positivo. Los emprendedores también reciben ganancias o pérdidas psíquicas, pero para mantenerse en la actividad deben al menos cubrir todos sus costos. Un elemento determinante de ello es la aceptación que los consumidores den al producto ofrecido. Por ello, los emprendedores están permanentemente atentos a los cambios en los gustos y las demandas de los consumidores. De esto se desprende aquella máxima que dice que el consumidor es el soberano.

En tal sentido, y aunque parezca paradójico a primera vista, los emprendedores están a merced del consumidor, y no a la inversa.

Aquí es donde vemos el verdadero papel que cumplen las ganancias. Si un emprendedor las obtiene quiere decir que los consumidores, soberanos, han valorado más dichos productos o servicios que los factores separados que llevaron a su existencia. Se ha generado *valor,* ciertos recursos han pasado de unas determinadas manos a otras que los valoran en más. En el medio de ese proceso, el empresario ha sido premiado por lograrlo y la señal que se envía a la sociedad es que ese resultado positivo es bueno y merece ser continuado. Si la situación es la inversa, si los consumidores valoran poco el producto o servicio final, entonces el mensaje es que esos factores de producción deberían haber sido utilizados en otra cosa, que esa reasignación no ha sido valorada y, por lo tanto, no debería continuarse.

Lejos de ser magnánimo, el empresario piensa en el consumidor para cumplir sus propios objetivos —obtener su ganancia—; pero lo notable de este sistema es que para hacerlo está obligado a satisfacer las necesidades de los demás y actúa en tal sentido, como si estuviera guiado por una «mano invisible». He aquí un famoso párrafo de Adam Smith al respecto:

Ahora bien, como cualquier individuo pone todo su empeño en emplear su capital en sostener la industria doméstica, y dirigirla a la consecución del producto que rinde más valor, resulta que cada uno de ellos colabora de una manera necesaria en la obtención del ingreso anual máximo para la sociedad. Ninguno se propone, por lo general, promover el interés público, ni sabe hasta qué punto lo promueve. Cuando prefiere la actividad económica de su país a la extranjera, únicamente considera su seguridad, y cuando dirige la primera de tal forma que su producto represente el mayor valor posible, sólo piensa en su ganancia propia; pero en éste, como en otros muchos casos, es conducido por una mano invisible a promover un fin que no entraba en sus intenciones. Mas no implica mal alguno para la sociedad que tal fin no entre a formar parte de sus propósitos, pues al perseguir su propio interés, promueve el de la sociedad de una manera más efectiva que si esto entrara en sus designios. No son muchas las cosas buenas que vemos ejecutadas por aquellos que presumen de servir sólo el interés público. Pero ésta es una afectación que no es muy común entre comerciantes, y bastan muy pocas palabras para disuadirlos de esa actitud.[4]

¿No son las ganancias una muestra de que algo anda mal en la economía, de que se está expoliando a los consumidores? La respuesta es afirmativa. Las ganancias indican que hay algo que anda mal en la economía, pero el sentido de la respuesta es totalmente opuesto al antes mencionado. Algo anda mal y algo se está ajustando, por eso aparecen las ganancias; hay recursos que están siendo mejor utilizados que antes. Las ganancias son un

---

[4] ADAM SMITH, *Investigación sobre la naturaleza y causas de la riqueza de las naciones*, México, FCE, (1776) 1958, p. 402.

indicador de que se está haciendo algo respecto de esos desajustes. Si hubiera que condenar a alguien, tal vez deberíamos condenar al que obtiene pérdidas, aunque en verdad con ello ya tiene más que suficiente, y en el caso de continuar haciéndolo hasta perderá el carácter mismo de emprendedor y volverá a ser un trabajador asalariado.

Pero aun el gran triunfador puede estar expuesto a pérdidas, y todo el que pierde tendrá siempre una nueva oportunidad. Nadie tiene el puesto asegurado: entre las 500 más grandes empresas que registra la revista *Fortune* sólo un puñado de ellas sobreviven después de algunas décadas. Poseer capital no significa obtener ganancias; solamente una buena capacidad empresarial lo permite.

Las ganancias no son un porcentaje que se agrega a los costos de producción de un determinado producto o servicio. Los emprendedores no determinan los precios de sus productos a menos que tengan algún privilegio monopólico para hacerlo. Los precios son determinados en el mercado como resultado de la oferta y la demanda.

Las ganancias

El trabajo es un medio que utilizamos para satisfacer nuestras necesidades. Está siempre presente, en muchos casos junto con otros medios necesarios para alcanzar el objetivo buscado. Porque es un medio, nunca buscamos el trabajo como tal, sino por lo que podemos obtener por su intermedio. Normalmente, aceptamos el trabajo como una actividad necesaria, aunque prefiramos el ocio.

Pero, como dijimos, solamente en Jauja se satisfacen las necesidades sin realizar esfuerzos. Por tratarse de un medio, el trabajo es, entonces, un factor de producción.

Ninguno de nosotros pasa todo el día trabajando, aunque hay quienes le dedican gran cantidad de horas, ya sea por necesidad o por voluntad. Alternamos el tiempo dedicado al trabajo con otro dedicado al esparcimiento, la alimentación, la vida social, el descanso. Dedicaremos tiempo al trabajo en tanto y en cuanto valoremos más lo que podemos obtener por su intermedio.

Volvamos al caso de Robinson Crusoe en la isla: durante los primeros días dedica una gran cantidad de tiempo a trabajar para satisfacer sus más elementales necesidades de alimento, abrigo y vivienda.

En una economía de mercado, gracias a la división del trabajo, en verdad trabajamos más para satisfacer las necesidades de otros que para satisfacer directamente las propias. Por cierto que al hacerlo, tenemos como objetivo satisfacer estas últimas, pero sólo algunos satisfacen sus propias necesidades con el producto de su trabajo: el tambero tomará su propia leche, el heladero comerá sus propios helados, la costurera se hará su propia ropa; casi todos los demás dependemos del trabajo de otros para todas las cosas que necesitamos.

Satisfacemos las necesidades de otros y gracias a eso recibimos una remuneración que nos permite satisfacer las propias. Esa relación puede ser directa y visible o, por el contrario, indirecta y poco evidente: Por ejemplo, si planto tomates y los vendo, la relación es directa entre la necesidad de quien me los compra y la remuneración que recibo al venderlos; pero si trabajo en una fábrica de acero, el vínculo entre mi remuneración y la satisfacción que algún consumidor obtiene de ciertos productos que contienen acero es mucho más indirecto y poco visible. No obstante, la relación es la misma, nuestra remuneración está relacionada con la valoración que el consumidor haga del producto final que adquiere. En tal sentido, los emprendedores que contratan trabajo son meros intermediarios entre los consumidores y los trabajadores.

Ellos adelantan el dinero a los trabajadores para que produzcan los bienes o servicios que solamente después de cierto tiempo podrán vender para así recuperar sus costos. Aquí es donde podemos realmente comprender el fundamento de las ganancias empresarias, ya que entre el momento cuando el empresario asume los costos de la «inversión» hasta que los recupera con la venta de los productos y servicios, existe un cierto plazo de tiempo que, inevitablemente, trae consigo incertidumbre sobre el resultado, es decir, riesgo.

Ese riesgo es más grande cuanto menos se conoce con respecto a las situaciones que determinan el futuro de una actividad, cuando menos segura es esa actividad y cuanto más largo es el tiempo de espera hasta que la inversión madura. Cuanto más inciertas son esas condiciones, mayor tendrá que ser el retorno de la inversión que justifique asumir tal riesgo. Veamos esto con un ejemplo de una actividad claramente riesgosa. En *Las mil noches y una noche*,[5] Scheherazade cuenta al rey la historia del mercader y el genio. Allí se relata, a la vez, la historia de tres jeques hermanos. El segundo de ellos cuenta lo siguiente:

Al morir nuestro padre nos dejó en herencia tres mil dinares. Yo, con mi parte, abrí una tienda y me puse a vender y a comprar. Uno de mis hermanos, comerciante también, se dedicó a viajar con las caravanas, y estuvo ausente un año. Cuando regresó no le quedaba nada de su herencia. Entonces le dije: «¡Oh, hermano mío!, ¿no te había aconsejado que no viajaras?». Y echándose a llorar, me contestó: «Hermano, Alá, que es grande y poderoso, lo dispuso así. No pueden serme de provecho tus palabras pues que nada tengo ahora». Le llevé conmigo a la tienda, lo acompañé luego al hammam y le regalé un magnífico traje de la mejor clase. Después nos sentamos a comer y le dije: «Hermano, voy a hacer la cuenta de lo que produce mi tienda en un año, sin tocar el capital, y nos partiremos las ganancias». Y, efectivamente, hice la cuenta, y hallé un beneficio anual de mil dinares. Entonces di gracias a Alá, que es poderoso y grande, y dividí la ganancia entre mi hermano y yo. Y así vivimos juntos días y días.

Pero de nuevo mis hermanos desearon marcharse y pretendían que yo les acompañase. No acepté, y les dije: «¿Qué habéis ganado con viajar, para que así pueda yo tentarme de imitaros?». Entonces empezaron a dirigirme reconvenciones, pero sin ningún fruto, pues no les hice caso, y seguimos comerciando en nuestras tiendas otro año. Otra vez volvieron a proponerme el viaje, oponiéndome yo también, y así pasaron seis años más. Al fin acabaron por convencerme, y les dije: «Hermanos, contemos el dinero que tenemos». Contamos, y dimos con un total de

---

[5] *Las mil noches y una noche, versión* de Vicente Blasco Ibáñez sobre la traducción de J. C. Mardrus, Barcelona, Círculo de Lectores, 1980, p. 39.

seis mil dinares. Entonces les dije: «Enterremos la mitad para poder utilizarla si nos ocurriese una desgracia, y tomemos mil dinares cada uno para comerciar al por menor». Y contestaron: «¡Alá favorezca la idea!». Cogí el dinero y lo dividí en dos partes iguales; enterré tres mil dinares y los otros tres mil los repartí juiciosamente entre nosotros tres. Después compramos varias mercaderías, fletamos un barco, llevamos a él todos nuestros efectos y partimos.

Duró un mes entero el viaje, y llegamos a una ciudad, donde vendimos las mercancías con una ganancia de diez dinares por dinar. Luego abandonamos la plaza.

Si tomamos en cuenta nada más que el final de este relato, tal vez nos parezca exagerada una ganancia de diez dinares por dinar, o del mil por ciento del capital invertido. Pero si tomamos en cuenta que los hermanos habían perdido toda una herencia en intentos similares y que le llevó al jeque unos seis años tomar la decisión de hacerlo, advertimos la incertidumbre que rodea a tal emprendimiento. Tasas de retorno menores seguramente hubieran desalentado la aventura; ésta sólo se realiza ante la perspectiva de tan alta remuneración.

El relato no menciona que los hermanos jeques hayan contratado empleados, pero es claro que necesitarían personal para ayudarlos con las cargas, con el barco, incluso tal vez traductores o notarios. En tal caso, los hermanos estaban adelantando la paga salarial de éstos (a menos que fueran totalmente a resultados, con lo cual eran tan empresarios como los otros) y asumiendo el riesgo de obtener alguna diferencia positiva al final de la misión.

Este resultado podría haber sido muy bueno, como lo fue, pero también podría haber sido neutro o incluso haber perdido todo (imaginemos que el barco se hundía, cosa no poco común en ese entonces, o que eran abordados por piratas).

Para llevar adelante su cometido, entonces, los hermanos adelantan la inversión para contratar distintos factores de producción, entre los que se encuentra siempre el trabajo. Cada uno de esos factores recibe una determinada remuneración y el empresario capitalista asume el riesgo de recibir lo que quede, que puede ser mucho, poco o nada.

¿Y los salarios?

En relación específica con la remuneración del trabajo, nos queda ahora responder dos preguntas: ¿qué explica el nivel general de las remuneraciones al trabajo?; ¿qué explica el nivel de remuneración de un trabajo en particular? También podríamos plantear estas preguntas de la siguiente forma: ¿por qué un peluquero de Manhattan, usando una tecnología y herramientas muy similares, cobra mucho más que uno de Calcuta? ¿Por qué el presidente de una gran empresa gana tanto más que un maestro de grado?

Tratemos de responder al primero de los interrogantes. Debido al riesgo y la incertidumbre sobre el resultado final que ya hemos mencionado, el emprendedor capitalista va a tratar de contratar cada factor de producción al menor precio posible. Pero para lograr hacerlo, deberá atraer trabajadores ofreciendo una remuneración superior a la que tengan en ese momento, ya que de otra forma no se verían tentados de cambiar de trabajo. Es decir que la competencia por los servicios de trabajo impulsa el crecimiento de las remuneraciones.

El límite superior que ese empresario capitalista puede ofrecer está determinado por el conjunto de factores de producción, cuyo costo hoy, en el momento que son contratados, será menor que el precio de los productos que se vendan en el futuro. El límite inferior está determinado por la remuneración que otros emprendedores están dispuestos a pagar.

Supongamos, por ejemplo, que una unidad del factor «trabajo» (un día, una hora) da como resultado un producto que dentro de un año podrá venderse en 20 dólares, pero cuyo valor «presente» es de 19 dólares (respecto de la diferencia entre un valor presente y un valor futuro, en el Capítulo Nueve se explica la preferencia temporal y la tasa de interés). El capitalista, entonces, contratará trabajadores por cualquier salario inferior a los 19 dólares. Si pagara 15 dólares recibiría una ganancia de 4 por unidad de trabajo. Sin embargo, esa ganancia atraería otros competidores ávidos por conseguirla, quienes, compitiendo entre sí, llevarían a un alza de las remuneraciones hasta que alcancen su valor marginal de 19 dólares.

Una vez alcanzada esta situación el salario de los trabajadores sería de 19 dólares por día, produciendo una unidad de producto en ese tiempo, y no habría ganancia empresarial. Por esa razón, el empresario estará incentivado a incrementar la «productividad» del trabajador.

Supongamos, por ejemplo, que invierte (adelanta recursos) y aumenta la producción diaria de un trabajador de uno a dos productos por día. Ahora obtiene dos unidades de producto que se venderán a 40 dólares en un año, cuyo valor presente es de 38 dólares. Como continúa pagando 19 dólares por día, su ganancia ha aumentado notoriamente. Esto no significa que el trabajador «se esfuerce» más; puede ocurrir incluso —y en la mayoría de los casos ocurre— que su esfuerzo sea menor gracias a la nueva maquinaria, pero ahora produce el doble.

No obstante, este nuevo margen de ganancia será observado por sus competidores, quienes atraídos por ese margen realizarán sus propias inversiones, aumentando la demanda de trabajo y, por ende, empujando al alza de las remuneraciones. Este proceso continuará hasta que lleguen a los 38 dólares, y así sucesivamente.

Esto nos permite contestar la primera de las preguntas: ¿por qué los salarios son más elevados en Suiza que en la India, y por qué, inclusive, son más elevados en la Suiza del siglo XXI que en la Suiza del siglo XIX? La razón es que la inversión de capital (incluyendo la capacitación de los propios trabajadores) ha incrementado notablemente la productividad del trabajo y elevado los salarios en un caso (Suiza del siglo XXI) respecto de los otros (la India y Suiza del siglo XIX). El trabajador suizo actual no es muy diferente del de antes ni tampoco lo es respecto del de la India actual —sólo hay una diferencia de capacitación—, pero uno produce con modernas maquinarias una cantidad de bienes muy superior a la del otro.

¿Pero acaso la incorporación de nuevas tecnologías, maquinarias y equipos no generan la pérdida de puestos de trabajo? Si se desplazan trabajadores, ¿cómo es que los salarios terminan aumentando?

Supongamos que tengo diez empleadas contratadas para producir vestidos y que cada una de ellas produce un vestido a mano por día por un salario diario de un dólar. Como resultado, mi costo laboral por vestido es también de un dólar. Los otros costos son menores, tan sólo de 0,50 dólares por vestido, por lo que el costo total es de 1,50 dólares. Si el precio al que se pueden vender los vestidos en el mercado es de 2 dólares, es rentable producirlos, ya que se obtiene una ganancia de 0,50 por vestido.

Ahora decido comprar una maquinaria que permite producir 100 vestidos por día, para la que se necesita solamente una empleada. Como resultado de esto, 9 son despedidas e, inicialmente, obtengo una producción de cien vestidos con un costo laboral de 0,01 dólar y un costo total de 0,51 dólares. Como el precio de venta se mantiene en 2 dólares, mi ganancia salta a 1,49 dólares por vestido. Tenemos, entonces, por un lado trabajadores sin empleo y enormes ganancias. Curiosamente son esos dos los elementos necesarios para el proceso de nuevas inversiones.

Mis elevadas ganancias atraen la atención de mis competidores, quienes realizan sus propias inversiones y reducen su cantidad de mano de obra. Ahora, con tanta producción de vestidos, el precio va a tener que caer y lo hará hasta acercarse a los 0,51 dólares de su costo. Esto significa que los consumidores ven aumentar sus ingresos reales, pues tienen ahora dinero disponible para otras cosas, ya que los vestidos resultan más baratos. Ese nuevo poder de compra atrae a las ganancias disponibles a realizar una nueva inversión, para satisfacer ahora otra necesidad que los consumidores buscan satisfacer, y para ello se necesitan trabajadores.

En el ejemplo inicial la nueva inversión desplazaba puestos de trabajo, pero ahora, como resultado de ella, se genera una nueva inversión que crea nuevos puestos de trabajo y absorbe a los trabajadores desplazados.

En los países con economías que no restringen ese movimiento laboral, el paso de un empleo a otro no demanda mayor tiempo y el desempleo es bajo. Se genera un circuito por el cual se invierte, aumenta la productividad de los trabajadores, crecen las ganancias, bajan los precios de los productos, aumenta el poder adquisitivo y la creación de mentes de empleo.

Vamos ahora a la segunda pregunta, ¿qué explica el nivel de remuneración de un trabajo en particular?

El nivel de los salarios es determinado de la misma forma en que se determinan los precios de todos los demás servicios y de todos los productos en el mercado: como resultado de la interacción entre ofertantes y demandantes. Expresado en otros términos: debemos tomar en cuenta no solamente la oferta de servicios de trabajo, sino también la de los demás factores de producción, por un lado, y el precio futuro anticipado de los productos de consumo que serán producidos, por el otro.

Algunos objetan inútilmente que se considere el trabajo como una «mercancía», pero suponer que no se rige por las leyes económicas de la oferta y la demanda es negar la realidad, algo que no es aconsejable hacer cuando se está intentando, precisamente, comprenderla. Es evidente que no se compran y venden las personas como tales —eso sería esclavitud—, sino los servicios que están voluntariamente dispuestas a brindar.

Sin embargo, hay ciertas particularidades que es necesario tener en cuenta. No existe un «servicio de trabajo» uniforme y homogéneo, sino que cada clase de trabajo brinda un servicio específico: no es lo mismo lo que hace un trabajador de la construcción que lo que hace un barrendero. No obstante, el mercado laboral conecta indirectamente los distintos tipos de trabajo de la siguiente forma: si aumenta la demanda en la construcción y, como resultado de ello, la remuneración en este rubro, habrá una tendencia general a que los jóvenes que se integran a la oferta laboral prefieran buscar oportunidades en él. En este sentido existe una interconexión entre todas las categorías laborales, no importa cuáles sean las habilidades y los conocimientos que demanden.

Esa conexión existe también entre el trabajo y otros factores de producción, en particular el capital, ya que la mano de obra, dentro de ciertos límites, puede ser reemplazada por maquinarias y equipos. Esto dependerá del nivel de los salarios y de los precios de esos otros factores de producción.

La demanda de una determinada habilidad laboral está relacionada con su «productividad marginal». Esto es el aumento en la producción final que se obtendrá incorporando un trabajador más junto a los recursos necesarios para ese producto. Valdrá la pena contratar trabajadores adicionales hasta el punto en que agregar a uno más ya no genere un producto suficiente como para pagar sus costos.

Una última aclaración acerca de las remuneraciones. Estas se dividen en remuneraciones «brutas» y «netas». Las brutas consisten en el pago del empleador sin el descuento de las denominadas «cargas sociales» y otros impuestos al trabajo; la remuneración neta es la que efectivamente se lleva el trabajador a su bolsillo, una vez efectuados los descuentos correspondientes. Cabe aclarar que todas las decisiones que toma el empleador al respecto, particularmente las de contratar o no contratar, se realizan tomando en cuenta la remuneración «bruta», ya que ése es el costo que finalmente desembolsará. Desde este punto de vista, al empleador no le importa cuánto efectivamente se lleva el trabajador como remuneración «neta» (aunque si existen diferencias en esas cargas entre actividades, esto influirá en la competencia existente por obtener los servicios del trabajo), lo cual muestra que dichas cargas salen directamente de la remuneración de los trabajadores, incluso aquellas que paga directamente el empleador sobre la base de los salarios.

ONCE

EL PAPEL
DE LA INFORMACIÓN
O'Henry y los regalos perfectos

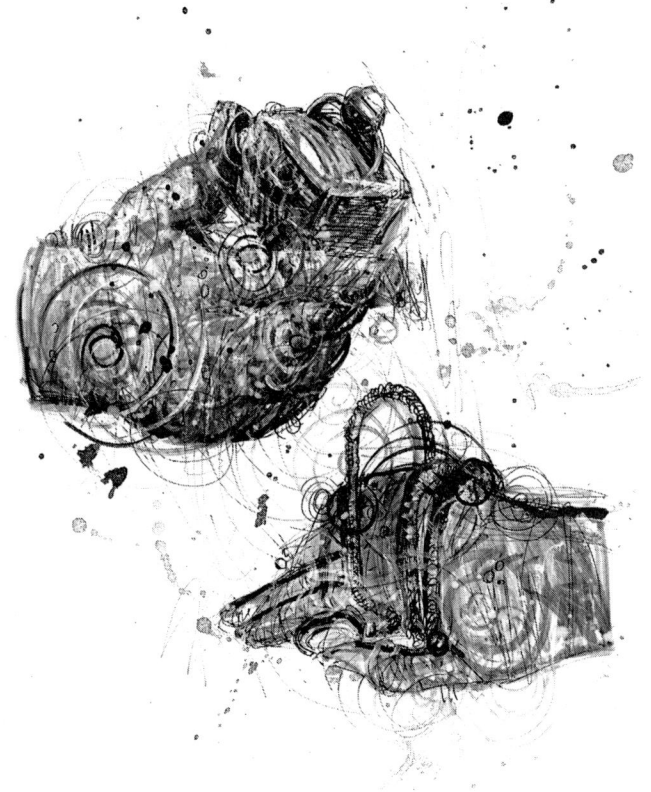

*El carácter peculiar del problema de un orden
económico racional lo determina precisamente el
hecho de que el conocimiento de las circunstancias
que debemos utilizar nunca existe en una forma
concentrada o integrada, sino solamente en la forma
de elementos de conocimiento dispersos, incompletos
y frecuentemente contradictorios, que diferentes
individuos poseen. El problema económico de la
sociedad no es, por consiguiente, simplemente un
problema relativo a cómo asignar recursos «dados»,
si «dados» significa dados a una sola mente que
deliberadamente resuelve el problema que plantean
estos «datos». Es más bien el problema de cómo lograr
el mejor uso de los recursos conocidos por cualquier
miembro de la sociedad para fines cuya importancia
relativa solamente esos individuos conocen. O, para
expresarlo brevemente, es el problema de la utilización
del conocimiento que no le es dado
a ninguno en su totalidad.*[1]

FRIEDRICH A. VON HAYEK (1899-1992)

Hemos puesto tantas condiciones para que los intercambios se realicen (derechos de propiedad, contratos) que el mero hecho de que se hagan parece casi un milagro. Debo, sin embargo, agregar uno más.

Ya que, además, debemos «conocer» cuáles son las necesidades de los demás, y en qué medida podemos satisfacerlas para, de esa forma, lograr los medios de satis-

---

[1] FRIEDRICH A. VON HAYEK, «The use of Knowledge in Society», *The American Economic Review*, vol. XXXV, 9/1945, pp. 519-530.

facer las propias, de la misma manera, debemos «conocer» cuáles son estos medios y cómo obtenerlos.

Si la información fuera «perfecta», todas las acciones resultarían coordinadas sin dificultades: uno estaría produciendo exactamente lo que el otro necesita, y viceversa. No existiría el error y tampoco existiría ningún tipo de mala utilización de los recursos: Los productores sabrían muy bien qué es lo que los consumidores van a demandar, en qué cantidades y calidades; también un productor en particular sabría cuánta de esa demanda va a ser abastecida por otros y cuánta por él mismo. Con esa información, produciría exactamente lo que le es demandado y, por lo tanto, nunca sufriría una escasez ni se quedaría con productos sin vender.

Sin embargo, el mundo no es así. La información es «imperfecta», limitada y, por ello, las posibilidades de errores existen. Si no, consideremos el cuento de O'Henry llamado «El regalo de los Reyes Magos» o, como Jorge Luis Borges lo tradujo, «Los regalos perfectos».[2] El joven matrimonio formado por Jim Dillingham Young y Delia poseía dos tesoros de los que se sentía muy orgulloso: el reloj de oro de Jim, que había pertenecido a su padre, y el largo cabello de Delia. Ella había logrado ahorrar un dólar y ochenta y siete centavos a fuerza de regatear centavo a centavo al almacenero, al verdulero, al carnicero. Era la víspera de Navidad y ésa era la única suma de la

---

[2] O'Henry, *The Gift of the Magi*, traducido por Jorge Luis Borges como «Los regalos perfectos», en *Cuentos memorables* según Jorge Luis Borges, Buenos Aires, Alfaguara, 1999, p. 357.

cual disponía para hacerle un regalo a su amado Jim; para aumentarla, decidió vender su cabello por la suma de veinte dólares.

Con el dinero en la mano y una gran alegría por poder hacerle un regalo a Jim, Delia recorrió los negocios hasta que encontró el regalo perfecto: una cadena de platino para el reloj. Le costó veintiún dólares y volvió a su casa con los ochenta y siete centavos restantes, donde preparó el café y la comida mientras esperaba a su marido:

La puerta se abrió y entró Jim. Era delgado y muy serio. ¡Pobre muchacho! Tenía sólo treinta y dos años y ya tenía un hogar sobre sus espaldas. Necesitaba un sobretodo nuevo y estaba sin guantes.

Se detuvo al entrar, quedando completamente inmóvil. Sus ojos estaban fijos sobre Delia, que no pudo descifrar la expresión que se retrataba en ellos. No era ira, ni sorpresa, ni desaprobación, ni horror, ni ninguno de los sentimientos para los que estaba preparada.

Delia se levantó y corrió hacia él:

—Jim querido —gimió—. ¡No me mires así! Corté mi cabello y lo vendí porque no hubiera podido pasar Navidad sin hacerte un regalo. Ya crecerá otra vez. A ti no te importa. ¿No es cierto?

—¿Te has cortado el cabello? —preguntó trabajosamente Jim, como llegando a esa conclusión después de una paciente labor mental.

—Lo corté y lo vendí —repitió ella.

Jim dirigió una mirada curiosa a todos los rincones del cuarto.

—¿Dices que tu cabello se ha ido? —preguntó con un aire casi idiota.

—No necesitas buscarlo —observó Delia—. Lo vendí y ya no está aquí. Mañana es Navidad, querido. No te enojes. ¿Pondré a cocinar las chuletas?

Jim consiguió despejar su aturdimiento y abrazó a Delia. Seamos discretos y, por diez segundos, fijemos nuestra atención en cualquier otro objeto. Ocho dólares por semana o un millón anual: ¿en qué se diferencian? Un matemático podría dar la errónea respuesta.

Los Reyes Magos traían valiosos regalos pero esto no les concernía a ellos. Dilucidaremos más tarde esta afirmación tenebrosa.

Jim sacó un paquete del bolsillo de su sobretodo y lo arrojó sobre la mesa.

—No pienses mal de mí, Delia —dijo—. No creas que tu cabello cortado o cualquier otra transformación te haría menos bella a mis ojos. Pero si desenvuelves este paquete comprenderás el porqué de mi expresión al verte así.

Dedos blancos y febriles desataron el piolín y quitaron la envoltura; un grito de alegría, e inmediatamente un femenino cambio e histéricas lágrimas y lamentos necesitaron el pronto empleo de todas las virtudes persuasivas de Mr. Dilligham Young.

Porque allí estaban las peinetas, el juego de peinetas que Delia admiró mucho tiempo en una vidriera de Broadway. Eran hermosas, de carey legítimo, recamadas de pedrería. Sabían que eran muy caras. Las había deseado con ahínco y sin la menor esperanza. Y ahora eran suyas; pero las trenzas que hubieran podido lucirlas no estaban ya. Sin embargo, oprimió las peinetas contra su pecho y dirigió una profunda mirada a Jim. De pronto dio un gritito al recordar que él no había visto aún su regalo. Abrió la palma de la mano, extendiéndola ansiosamente hacia él. El precioso metal parecía brillar animado por el ardiente espíritu de Delia.

—¿No es una preciosura, Jim? —preguntó—. Anduve toda la ciudad para conseguirla. Me imagino que desde este momento consultarás la hora cien veces por día. Dame tu reloj. Quiero ver cómo queda con la cadena.

En lugar de obedecer, Jim se tumbó en la cama, con las manos detrás de la cabeza, sonriendo.

—Delia —dijo—, dejemos nuestros regalos de Navidad y guardémoslos para más adelante. Son demasiado hermosos para usarlos ahora. Yo vendí el reloj para poder comprar tus peinetas... Y ahora, supongamos que pones a cocinar las chuletas.

Seguramente, desde el punto de vista de las «intenciones», los regalos terminaron siendo «perfectos», ya que para estos enamorados valía más la intención, el mensaje de afecto que expresa ese acto, que el regalo en sí. Desde el punto de vista de la economía, que analiza las consecuencias de las acciones y no las intenciones, hubo un claro problema de información que impidió a los actores coordinar sus acciones para satisfacer las necesidades del otro. Si hubieran tenido la información correcta, habrían actuado de otro modo, es decir, habrían comprado otros regalos.

Esto nos dice que la información es muy importante para coordinar las acciones, y si esto resultó difícil entre dos personas que se conocen muy bien, pensemos cuán difícil lo será cuando se trata de coordinar las acciones de cientos de miles de personas esparcidas en todo el mundo. Leonard E. Read, un gran divulgador de ideas económicas esenciales, lo mostraba claramente en un artículo de gran fama, «Yo, lápiz».[3]

Un lápiz,[3] un simple lápiz en nuestras manos, cuenta su árbol genealógico, y lo que parecería algo simple se muestra, en verdad, tremendamente complicado. La conclusión de Read es que ni una sola persona en la faz de la Tierra sabe cómo hacerlo. Para ello, hace falta madera, habrá que cortar árboles y se necesitan sierras, sogas, camiones y todas las personas que trabajaron para hacerlas. Para las sierras hace falta acero, lo cual demanda el trabajo de miles de personas. Los troncos son llevados por ferrocarril hasta el astillero; la cantidad de gente necesaria para hacer esos vagones, sus ruedas, las locomotoras, sus motores, es enorme. Ya en el astillero, son necesarias distintas máquinas para cortar la madera desde un gran tronco hasta la pequeña forma del lápiz. Esta madera debe ser pintada, ¿y quién hace la pintura? Detrás de ella se asoma toda la industria del petróleo y la petroquímica. El grafito de la mina viene de Sri Lanka y ni qué hablar de las cosas necesarias para su producción y transporte hasta la fábrica de lápices. Lo mismo puede decirse de la goma de borrar. En resumen, miles de personas en países de todo el mundo han contribuido a la existencia de este lápiz que hoy me permite escribir.

¿Y cómo ha sido posible coordinar todo eso? ¿Cómo pudo saber el productor de grafito en Sri Lanka que eran necesarios tantos lápices en todo el mundo? ¿Y cómo pudo saber el transportista que tanta madera sería transportada? ¿Y el productor de acero, que tantos lápices serían nece-

---

[3] LEONARD E. READ, *I, Pencil*, The Freeman, Irvington on Hudson, Foundation for Economic Education, diciembre de 1958.

sarios y ello requeriría cierta cantidad de máquinas que a su vez deben hacerse con acero? Increíble cantidad de información, que nadie en este planeta es capaz de tener en su totalidad.

El papel de los precios

En 1945, Friedrich A. von Hayek escribió un muy importante artículo que brinda una clara respuesta acerca del uso del conocimiento en la sociedad. En el mercado son los precios los que transmiten información: condensan una enorme cantidad de datos en tan sólo un número. De hecho, simplifican tanto la toma de decisiones que la hacen posible incluso para un analfabeto.

Recuerdo visitar en Guatemala la ciudad de Chichicastenango. Los domingos se despliega allí un mercado de artesanías mayas. Los vendedores seguramente no saben leer ni escribir; sin embargo, son grandes negociadores: conocen muy bien hasta dónde pueden llegar bajando su precio de forma tal de no perder dinero, e incluso son capaces de convertir el precio de quetzales a dólares, y viceversa, en segundos.

Imaginemos una situación en la cual no existieran precios. Supongamos que tenemos una superficie de tierra en el campo. En ella se puede técnicamente producir trigo, soja, girasol o criar ganado. ¿Cómo saber qué hacer? Pues deberíamos tener información; en primer lugar, conocer cuánto trigo, soja, girasol o carne se van a consumir en el próximo año; pero para saber eso, deberíamos también saber cuánto se va a consumir de cada producto que demanda trigo, etcétera, es decir, cuánto pan, cuántos kilos de fideos... Y aun si tuviéramos esta información no sería suficiente, ya que deberíamos saber también qué van a hacer nuestros vecinos y cuánto trigo, girasol y soja se van a sembrar, tanto aquí como en otros pueblos, provincias y países...

Por suerte, no tenemos que saberlo; simplemente tomaremos nuestra decisión analizando unos pocos números, que son los precios del trigo, la soja, el girasol y la carne. Cada uno de esos precios condensa una enorme cantidad de información y reflejará todos los sucesos que puedan afectar tanto su oferta como su demanda.

Tomemos el caso del trigo. Si tuviera que establecer cuánto trigo se va a producir en el mundo tendría, también, que tener una hipótesis de cómo será el clima en cada una de las zonas productoras, ya que éste es un elemento fundamental a tener en cuenta. Quiere decir esto que debería estar siguiendo los vaivenes climáticos de muchas zonas del planeta. Si hubiera ahora una enorme sequía en Ucrania podría enterarme por medio de Internet, pero por cierto que lo sabré antes por intermedio del precio del trigo. Y es que en forma inmediata quienes detecten esta situación de escasez sabrán que habrá poco trigo proveniente de Ucrania, por lo que buscarán rápidamente comprar el trigo disponible, o a otros proveedores, lo cual elevará al precio.

El productor local podrá incluso no estar enterado de la sequía en Ucrania, pero percibirá el aumento del precio del trigo, y esto le indicará lo que tiene que hacer:

con un precio más alto le conviene sembrar más. Por lo que el mercado ha transmitido esa información en forma automática y ha enviado una señal para comenzar a reemplazar ese faltante producido por la sequía. El mayor precio, además, envía una señal a los consumidores para que restrinjan su consumo de productos con trigo o lo reemplacen por otros, lo cual también contribuye a disminuir la escasez.

Hayek lo explicaba de esta manera:

> El hecho más significativo acerca de este sistema es la economía de conocimiento con la que opera o, lo que viene a ser lo mismo, cuán poco necesitan saber los participantes individuales para realizar las acciones apropiadas. En forma sucinta, por intermedio de una especie de símbolo, sólo se transmite la información esencial, y sólo a aquellos que les concierne. Es más que una metáfora, la descripción del sistema de precios como un tipo de mecanismo para consignar cambios o como un sistema de telecomunicaciones que permite al productor individual sólo observar el movimiento de unos pocos indicadores: como un maquinista puede observar las agujas de unos cuantos relojes, para adaptar sus actividades a cambios de los cuales puede ser que nunca conozca más que su reflejo en el movimiento de precios.[4]

El cálculo económico

Los precios permiten el «cálculo económico», que utilizamos para determinar si nos conviene realizar alguna

---

[4] FRIEDRICH A. VON HAYEK, *op. cit.*, p. 526.

acción en el mercado o no. Gracias a que existen precios, podemos determinar si vale la pena cultivar trigo, ya que vamos a contar con la información del precio del trigo y también con la de los costos necesarios para producirlo. Si en esa simple cuenta entre «ventas» y «costos» obtenemos un resultado positivo, entonces diremos que vale la pena producir trigo. Es más, haremos cuentas similares en relación con la producción de soja, girasol y carne, y al compararlas sabremos qué es lo que nos conviene hacer.

El cálculo así aplicado es el principal vehículo de la planificación de la producción en la economía.

Durante mucho tiempo, se pensó que el debate entre la economía de mercado y la economía socialista se centraba en si debía haber planificación en la economía o no. Pues no es ésa la cuestión. Siempre hay planificación, siempre alguien está decidiendo cómo se van a utilizar los recursos: el debate se relacionaba con *quiénes* harían esa planificación. En una economía socialista el que planifica es el gobierno; en una economía de mercado, esa planificación es realizada por cada uno y coordinada por medio del mecanismo de los precios.

El cálculo económico alcanza un mayor grado de perfección con el avance de la contabilidad, una disciplina que tiene larga data. No sin razón, Goethe llamó a la contabilidad uno de los inventos más extraordinarios de la mente humana.[5]

---

[5] Citado por L. VON MISES, *La acción humana*. Tratado de Economía, 11.ª edición, Madrid, Unión Editorial (1949) 2015, p. 279; Goethe, Años de aprendizaje de Willhelm Meister, libro 1, cap.X

En la actualidad, se utilizan principalmente tres documentos como forma de realizar el mencionado cálculo económico: el balance, el estado de resultados y el flujo de fondos.

El balance provee una fotografía de una empresa o un negocio en un determinado momento (el cierre de balance), mostrando cuáles son los activos (lo que se posee), los pasivos (lo que se debe) y el patrimonio neto (capital), que resulta de la diferencia entre los activos y los pasivos.

El balance se basa en una simple ecuación: los activos, financiados ya sea a través de pasivos (deuda) o capital (patrimonio neto), incluyen entre otras cosas el inventario y los equipos que permiten a la empresa desarrollar su actividad. Obviamente, este tipo de cálculo solamente puede realizarse si existen precios, pues de otra manera no habría forma de comparar una cosa con otra, sería como sumar peras y manzanas.

El Cuadro de Resultados es también conocido como Cuadro de Ganancias y Pérdidas y nos da información sobre la rentabilidad de la actividad: la ganancia neta que obtiene en un período determinado de tiempo. Al mostrar cuánto dinero se obtuvo de las ventas realizadas y cuánto dinero costó llevar adelante el negocio, determina la ganancia si el monto de las ventas supera al de los gastos totales, o la pérdida neta si los gastos totales son superiores a las ventas.

Por último, los números que nos brinda el balance y el cuadro de resultados pueden mostrarnos que la empresa gana dinero, pero esto no asegura que sea solvente. El tercer documento analiza esto al considerar el flujo de fondos: muestra cómo se obtiene el dinero durante un determinado período y en qué se lo ha utilizado. Permite ver la cantidad de capital de trabajo o «liquidez» disponible para la empresa o negocio que le permitirá pagar sus cuentas y mantenerse en la actividad.

Por supuesto que hay muchos otros indicadores utilizados en los negocios actuales, algunos de ellos muy sofisticados, pero estos tres siguen siendo utilizados en toda actividad y muestran la esencia del cálculo económico necesario para la toma de decisiones.

Los economistas, además, han llamado siempre la atención acerca de la necesidad de considerar un cuarto componente, el que suele presentarse con el nombre de Valor Económico Agregado o su sigla en inglés: *EVA (Economic Added Value)*.

Se refiere a una información que no suele encontrarse en los tres documentos antes mencionados: el costo del propio capital invertido. Supongamos que tengo cierta cantidad de dinero ahorrada y la invierto en la instalación de un comercio, y para comprar las mercaderías iniciales tomo un crédito, ya sea de un proveedor o de un banco. Los documentos tradicionales contabilizarían el costo en intereses de ese crédito; pero si hubiera comprado las mercaderías con dinero propio, ahorrado, no figuraría ningún costo del crédito, ya que no me «pago» interés alguno a mí mismo. Sin embargo, es necesario considerar el «costo de oportunidad» de esos fondos, ya que podrían haber sido invertidos en otra parte.

El EVA considera, entonces, ese costo de oportunidad que me ocasiona no utilizar mi dinero en otra cosa y presenta la ganancia económica, que es siempre menor que la ganancia contable y se determina con la siguiente ecuación:

$$EVA = \text{ganancias netas} - (\% \text{ costo de capital x capital total})$$

Esto nos da ahora una clara idea sobre la decisión de inversión tomada. Nos indica que fue una buena decisión si el EVA es positivo o en caso de ser negativo nos indica que esos recursos hubieran estado mejor aplicados en otro lado, por ejemplo, invertidos en el sistema financiero o en otro negocio.

Ruido en las comunicaciones

Jim y Delia no pudieron coordinar sus acciones debido a la falta de información respecto de lo que el otro estaba haciendo. Existe, además, otro problema que se debe analizar: se presenta cuando las personas actúan no ya sin información, sino con información distorsionada, cuando se han alterado las señales.

Un caso típico de tal circunstancia es cuando un gobierno interfiere en los precios. Puede hacerlo de dos formas: fijando precios máximos o, por el contrario, precios mínimos. Precio máximo es cuando se establece que un determinado producto, o muchos de ellos, no puede ser ofrecido a un precio superior al fijado por la norma. Por otra parte, precio mínimo es cuando se determina que un cierto producto, o muchos, no puede ser demandado a un precio inferior al fijado por la norma.

En ambos casos, ésa es la única instancia en la cual la norma tiene un efecto económico, pues si se fijara un precio máximo por arriba del precio que ya se determina en el mercado, el efecto de la norma sería nulo y ésta sería inútil; igual que si se fijara un precio mínimo por debajo del precio de mercado. Lo mismo sucedería en ambos casos si la norma fijara un precio máximo o mínimo igual al precio de mercado.

Será más fácil comprender esto con un ejemplo. Tomemos el caso de la leche y supongamos que su precio actual al consumidor es de un peso el litro. Generalmente se establece un precio máximo con la supuesta intención de favorecer a los consumidores, pero sería obviamente inútil una norma que fijara un precio máximo a 1,50, ya que los consumidores pueden comprarla ahora a un peso. De la misma forma, sería también inútil que estableciera el mismo precio del mercado, ya que a ese precio la obtienen a su gusto. En cuanto a los precios mínimos, generalmente son establecidos para favorecer a los productores, con el fin de que obtengan un mejor precio por sus productos. Si el precio de mercado de la leche es de un peso, de nada le serviría a un productor que se fijara un precio mínimo de 0,75, ya que el mercado le está dando un precio superior. Incluso si se fijara en un peso, no habría diferencia con lo que está obteniendo en ese momento.

Entonces, un precio máximo sólo tiene el efecto buscado por el gobierno cuando es inferior al precio que se obtiene en el mercado, y un precio mínimo, sólo cuando es superior al precio de mercado. Y aquí es cuando empiezan los problemas.

Porque los precios máximos y los precios mínimos cambian las señales que los consumidores y productores reciben, y al hacerlo, cambian también las decisiones que éstos toman.

Sigamos con nuestro ejemplo de la leche y su precio de mercado de un peso el litro. Para favorecer a los consumidores, el gobierno fija un precio máximo de 0,75. Es decir, la leche ahora está más barata para ellos. Con un precio más bajo, la demanda de los consumidores aumenta, ya sea porque la gente tiene ahora más dinero para aumentar su cantidad demandada porque decide reemplazar el consumo de otros productos por el de la leche, que ahora está más barata. Asimismo, otros consumidores que no estaban comprando leche se ven ahora tentados de hacerlo por el menor precio del producto. En principio, los consumidores están contentos.

Pero por el lado de la oferta, de los vendedores, comienzan a surgir problemas. Y no solamente para los productores de leche. Como vimos, los consumidores desplazan su consumo de otros productos a la leche, que ahora está más barata, por lo que los productores de esos productos desplazados sufren una caída en sus ventas. Y los productores de leche ven caer su rentabilidad porque el precio de venta es ahora inferior; es más, algunos productores marginales (aquellos que apenas ganaban algo al precio de un peso) ahora encuentran que producir ya no les resulta rentable y prefieren dedicarse a otra cosa. Como resultado de esto, la oferta de leche se contrae.

En síntesis, vemos que la demanda de leche de los consumidores aumenta, pero que al mismo tiempo la oferta de los productores se contrae. El resultado es la escasez del producto, lo que suele llamarse «desabasteci- miento». Por lo que la felicidad de los consumidores por el menor precio establecido dura poco: al tiempo les costará encontrar leche en los supermercados o las despensas.

Si se persiste con este tipo de decisiones, se desen- cadenan dos fenómenos adicionales: uno de ellos es el mercado negro; la leche que no se encuentra ahora en los supermercados puede obtenerse por canales no controlados a precios generalmente superiores a los que se ofrecían en el mercado antes de imponerse la norma; el otro es la distorsión en las inversiones, ya que con el precio controlado y la rentabilidad castigada no se reali- zarán inversiones en tambos y la producción decaerá en el largo plazo multiplicando el problema.

Ahora consideremos los efectos de un precio mínimo. En este caso, es introducido para favorecer a los produc- tores de leche. Supongamos que se fija ahora en 1,50. Ante ese precio más alto, la demanda de los consumidores cae, ya sea porque tienen menos dinero para gastar en ese producto o porque ante el precio elevado deciden ahora trasladar su consumo a productos alternativos. Ese mayor consumo de otros productos, al aumentar su demanda, hará también aumentar sus precios, lo cual perjudicará a los consumidores de esos productos.

Por el lado de la oferta, el mayor precio pone contentos a los productores, y no solamente los pone contentos, sino que reaccionan ante este mayor precio y ante la mayor rentabilidad que les genera aumentando su producción. Productores cuyos costos no les permitían ofrecer la leche al precio de un peso ahora se ven alentados a ofrecer leche en el mercado.

Entonces, la demanda de leche se contrae al mismo tiempo que la oferta se expande. El resultado de esto es la sobreproducción y una creciente cantidad del producto que no encuentra cómo venderse. De persistir en este tipo de política, se alientan inversiones en el sector que los consumidores no desean solventar y se desplazan inversiones desde otros sectores hacia éste, generando una capacidad de producción que no es la deseada. Los incrementos de la oferta hacen que sea necesario en algún punto retirar la producción excedente del mercado para que no presione los precios a la baja, a una baja mayor de la que originalmente impulsó la decisión de establecer un precio mínimo. Esto lo observamos cuando vemos a productores tirar el producto o a un gobierno comprarlo y almacenarlo (como hacía la Comunidad Europea) y luego exportarlo a precios subsidiados. En este caso, los consumidores pagan esta política no solamente con un precio mayor de la leche, sino también por medio de impuestos, haciéndose cargo de los costos de disposición de los excedentes.

En definitiva, la interferencia en ese «sistema de comunicaciones» que es el sistema de precios distorsionó las señales y los mensajes que los precios envían, haciendo que la gente actúe en forma distinta de lo que debería normalmente hacer. Es como recibir un pronóstico meteorológico errado cuando uno se decide a salir de su casa. La distorsión de las señales pone trabas para la coordinación de las acciones de la gente, que termina despilfarrando escasos recursos y es llevada a una situación peor de la que inicialmente se quiso ajustar.

*El énfasis en la «mano invisible» de la competencia
no es simplemente un tema de economistas en sus
torres de marfil que saben poco del mundo real.
La competencia es en realidad la sangre vital de
cualquier sistema económico dinámico. Más aún, la
competencia es el fundamento de la calidad de vida y
está vinculado a los aspectos más trascendentes
de la existencia humana desde el punto de vista
educacional, civil, religioso y cultural, además
del económico. Esta es la herencia intelectual
de los debates que han ocurrido en los últimos
siglos al efecto de explicar las consecuencias
benéficas de la competencia, lo cual ha sido
el mayor descubrimiento de este milenio.*[1]

GARY S. BECKER (1930)

Cuando vamos a un supermercado y nos encontramos con las cosas que necesitamos expuestas en las góndolas no podemos evitar preguntarnos: ¿quién le dijo a los dueños del supermercado que presenten esos productos y no otros? Es más, ¿quién les dijo a quienes los fabricaron que hicieran esos productos precisamente?

Si nos ponemos a pensar, por ejemplo, que las bananas llegaron desde Ecuador hasta allí, sin que nadie diera órdenes a nadie, la cosa parece increíble. ¿Cómo supo el productor ecuatoriano que a mí me gustan las bananas si ni siquiera lo conozco? Toda esa información acerca de las preferencias y tendencias de los consumidores se

---

[1] GARY S. BECKER, «La naturaleza de la competencia», *Libertas* n.º 33, año XVII, Buenos Aires, ESEADE, octubre de 2000, p. 387.

canaliza, como vimos en el capítulo anterior, a través de los precios que observamos en la economía.

Ahora bien, nadie es capaz de manejar «toda» la información existente y no hay dos personas que tengan exactamente el mismo conocimiento; si así fuera, la evaluación de los datos sería distinta.

Hay algunos, con mayor capacidad y astucia, que saben ver las oportunidades que la información de los precios brindan y buscan toda posible fuente de beneficios. Son los que mueven el mercado, compitiendo entre sí para obtener los factores necesarios —tierra, capital o trabajo— y elevando su precio. También compiten entre sí por los consumidores, reduciendo los precios de los bienes de consumo. En fin, en forma permanente movilizan el mercado con su demanda de empleados, de préstamos, de materias primas, elevando salarios, tasas de interés pagadas a los ahorristas y rentas; por otro lado, hacen lo mismo con su oferta de productos para ganarse el voto de los consumidores.

Este fenómeno impulsa la producción, la innovación, la tecnología y mejora la calidad de vida. Es lo que se denomina *competencia*.

La competencia es algo sano. Y aflora naturalmente debido a los mensajes que los demandantes transmiten en el mercado con su voto diario. Evidentemente, el surgimiento de la competencia se debe a que el bien económico en cuestión es atractivo para los consumidores; si alguien se dedica a fabricar bicicletas con ruedas cuadradas, no es difícil predecir que nadie competirá con él.

Esta competencia es muy distinta de lo que sucede en la naturaleza, donde, al resultar escasos los medios de subsistencia, impera la fuerza. Lo mismo sucedía entre los hombres hasta que la división del trabajo hizo surgir la cooperación entre ellos para obtener más, en vez de repartirse lo poco existente.

La competencia que se desarrolla en una sociedad es diferente también en otros aspectos. Todos valoramos algunas cosas más que otras, y no sólo en el mercado la gente compite entre sí: también en el arte, la cultura, la religión, la educación. No existe la no competencia.

Salvo, por supuesto, en el País de las Maravillas. Lewis Carroll nos muestra que Alicia encuentra una muy peculiar carrera:

> —¿Qué es eso de una carrera en comité? —preguntó Alicia, y no porque tuviera muchas ganas de saberlo, sino porque el Dodo había hecho una pausa, como dando a entender que esperaba que alguien dijera algo y no parecía que nadie fuera a hacerlo.
>
> — ¡Vaya! —dijo el Dodo—, la mejor manera de explicarlo será haciéndolo—. (Y como probablemente habrá entre vosotros quien también quiera hacerlo algún día de invierno, os voy a contar cómo se las arregló el Dodo.)
>
> Lo primero que hizo fue trazar una pista para la carrera, más o menos en círculo («la forma exacta no importa demasiado», dijo), y luego todo el grupo se fue situando por aquí y por allá. Nadie dio la salida con el consabido «¡A la una, a las dos y a las tres! ¡Ya!», sino que cada uno empezó a correr cuando quiso, de forma que resultaba algo difícil saber cuándo iba a terminar la carrera. Sin embargo, después de haber estado corriendo como una media hora y estando todos ya bien secos, el Dodo exclamó

súbitamente: «¡Se acabó la carrera!», y todos se agruparon ansiosamente a su derredor, jadeando y preguntando a porfía: «¿Pero, quién, quién ha ganado?».

No parecía que el Dodo pudiera contestar a esta pregunta sin entretenerse en muchas cavilaciones; y estuvo así durante mucho tiempo, con un dedo presto sobre la frente (algo así como el Shakespeare que vemos en los retratos), mientras el resto aguardaba en silencio. Al fin, el Dodo sentenció: «¡Todos hemos ganado y todos recibiremos sendos premios!»?[2]

La realidad, sabemos por experiencia propia, no es así. No existen «premios» para todos, sino escasez. Pero no es esto algo que deba desanimarnos. Por el contrario, demos gracias a que es así, si no, terminaríamos como los gordos de Jauja. Si todos al final recibiéramos premios, ¿quién se molestaría por correr más rápido?

Esto no es algo que sea trivial y alejado de la realidad económica. No son pocos los que creen que cada uno debería recibir igual sueldo, que todos deberíamos tener los mismos ingresos. Es decir, si Juan maneja un torno y Pedro también, deben ganar lo mismo. Ahora, sucede que Juan es más voluntarioso, más hábil, más prolijo, ¿por qué tenemos que castigarlo de esa forma? Después de varios meses, Juan se dará cuenta de que todos sus esfuerzos son vanos y de que es mejor reducirlos al nivel de Pedro, ya que va a recibir lo mismo. Y de esa forma no se beneficia a Pedro, pero se perjudica a Juan, a quien emplea a Juan y a todos nosotros, porque la producción va a ser menor.

---

[2] Lewis Carroll, *Alicia en el País de las Maravillas*, Madrid, Alianza, 1984.

Si todos supieran que al final de una carrera, sin importar el resultado, todos van a recibir el mismo premio, habría que ver quién querría correr. Por algo es el «País de las Maravillas».

Veamos un ejemplo personal. Supongamos que cualquiera de nosotros piensa en participar en la carrera de los 100 metros llanos en los próximos Juegos Olímpicos. Como se sabe, en esta carrera participan los corredores más veloces del planeta. Pensemos en un mundo tan fantasioso como el de Alicia, donde uno se inscribiría para luego enterarse de que es el único anotado en esa carrera y de que ya se ha cerrado la inscripción. Inevitablemente estará solo en la pista. ¿Qué actitud predominará? A menos que uno quiera competir consigo mismo o batir algún récord, lo más probable es que decida no someterse al esfuerzo de los entrenamientos y pasear durante la carrera para luego llevarse la medalla dorada. ¿Cuál sería la actitud si uno supiera que ya se encuentran unos cien atletas inscriptos? Por supuesto que sería distinta. Si es que se pretende obtener algún resultado meritorio, habrá que entrenarse duro, dedicando gran cantidad de tiempo y esfuerzo. Incluso sería ésta la actitud si uno fuera el único inscripto pero todavía no se hubiera cerrado la lista de los corredores: tan sólo la amenaza de la competencia promueve una actitud diferente, que se denomina «competitiva».

El monopolio de los buñuelos

La competencia en el mercado tiene, entonces, por objetivo satisfacer las necesidades de los consumidores.

Hemos vistos también que éstos, y nunca debemos olvidar que bajo este término estamos incluidos todos, son caprichosos y prestan exclusiva atención a sus intereses: a menos que nos obliguen, nunca vamos a comprar algo que no queremos.

Aun en el caso de que compremos algo inútil sólo para hacer un favor, por ejemplo, a un discapacitado que lo vende, lo hacemos porque pensamos que nos sentiremos mejor de este modo que si no lo hiciéramos.

Así somos los consumidores: a menudo difíciles de entender, volubles y hasta caprichosos en nuestras preferencias. Por eso es que muchos tratan ingenuamente de rehuir el veredicto de los consumidores imponiéndoles el propio. Las justificaciones pueden estar adornadas con las mejores intenciones. Si no, veamos lo que le sucede a Nicholas Nickleby cuando acompaña a su tío Ralph a una asamblea donde los accionistas de una empresa de distribución de buñuelos se reúnen para pedirle al gobierno que les otorgue el monopolio de esa actividad:

Al rato y al fin, la asamblea dejó de gritar, pero siendo Sir Matthew Pupker elegido para la presidencia, reanudaron su gritería por otros cinco minutos. Luego Sir Matthew Pupker continuó diciendo cuáles eran sus sentimientos en dicha gran ocasión, y cuál sería la inteligencia de sus compatriotas allí presentes, y cuál sería la riqueza y la respetabilidad de sus honorables amigos ubicados tras él, y finalmente, cuál sería la importancia de la riqueza, la felicidad, el confort, la libertad, la existencia misma de un pueblo libre y grande, de una institución tal como la Compañía Unida Metropolitana de Buñuelos Calientes y Pastelitos Crocantes y Entrega Puntual.

Entonces, Mr. Bonney se presentó a sí mismo y a una primera resolución, y habiendo pasado su mano derecha por su pelo, y colocado su izquierda en forma cómoda en sus costillas, entregó su sombrero al cuidado de un caballero con barbilla (que generalmente actuaba como una especie de asistente a los oradores), y dijo que la leería a los presentes:

«Que esta reunión ve con alarma y aprehensión el estado actual del comercio de Buñuelos en la metrópolis y sus alrededores; que considera a los Niños Distribuidores, como se organizan actualmente, totalmente inmerecedores de la confianza pública; y que considera a todo el sistema de los Buñuelos perjudicial a la salud y a la moral del pueblo, y subvirtiendo los mejores intereses de la gran comunidad comercial y mercantil».

El honorable caballero pronunció un discurso que arrancó lágrimas de los ojos de las damas y despertó las más vivas emociones en cada uno de los individuos presentes. El había visitado las casas de los pobres en los distintos distritos de Londres y las había encontrado desprovistas de los menores vestigios de un buñuelo, por lo que aparentaba haber mucha razón para creer que estas personas indigentes no los habían probado durante todo el año. Había encontrado entre los vendedores de buñuelos ebriedad, libertinaje, y promiscuidad, que él atribuía a la envilecida naturaleza de la actividad tal como era ejercida; había encontrado los mismos vicios entre las clases pobres del pueblo que deberían ser consumidores de buñuelos; y esto lo atribuía a la desesperación de encontrarse fuera del alcance de este nutritivo artículo, lo cual los llevaba a buscar un falso estímulo en los licores intoxicantes. El probaría ante un comité de la Cámara de los Comunes que existía una combinación para elevar el precio de los buñuelos, y para dar al compañero el monopolio; él lo probaría por intermedio de los compañeros en el bar de esa casa; y también probaría que estos hombres se llamaban unos a otros por intermedio de palabras secretas como «Snooks», «Walker», «Ferguson», «¿Está bien Murphy?» y muchas otras. Era éste el estado melancólico de cosas que la Compañía se proponía corregir; primero, prohibiendo, bajo fuertes penalidades, todo comercio de buñuelos de cualquier tipo; segundo, proveyendo ellos mismos al público en general y a los pobres en sus propias casas, con buñuelos de primera calidad y a bajos precios.

Era con este objetivo que se había introducido una ley en el Parlamento por su patriótico presidente, Sir Mathew Pupker; era esta ley la que ellos se habían reunido para apoyar; y eran los partidarios de esta ley quienes derramarían inmortal brillo yesplendor sobre Inglaterra, bajo el nombre de la Compañía Unida Metropolitana de Buñuelos Calientes y Pastelitos Crocantes y Entrega Puntual, agregando, con un capital de cinco millones, en quinientas mil acciones de diez libras cada una.

El señor Ralph Nickleby apoyó la resolución. Otro caballero sugirió que fuera modificada levemente, insertando las palabras «y Pastelitos Crocantes» detrás de cada palabra «Buñuelo», cuando ésta apareciera, y así fue aprobada triunfalmente. Sólo un hombre entre la multitud gritó «¡No!» y fue rápidamente puesto bajo custodia y apartado.

La segunda resolución, que reconocía la necesidad de abolir inmediatamente a «todos los vendedores de buñuelos (o pastelitos crocantes), todos los comerciantes de buñuelos (o pastelitos crocantes) de cualquier tipo, sean hombre o mujeres, niños o adultos, toquen campanas u otros», fue presentada por un caballero de severo aspecto y apariencia semiclerical, que entró en un tal profundo patetismo que descolocó al orador.

¡Se podría haber escuchado la caída de un alfiler! —¡una pluma!— mientras describía las crueldades infligidas a los chicos distribuidores por sus maestros, lo cual él consideraba razón suficiente para el establecimiento de tan honorable compañía. Parecía que los infelices jóvenes eran todas las noches enviados a las húmedas calles en los períodos más inclementes del año, a deambular en la oscuridad y bajo la lluvia o niebla o nieve durante horas, sin refugio, alimento o calor; y que el público no se olvidara nunca de este último punto, que mientras los buñuelos eran provistos de coberturas calientes, los niños estaban totalmente desprovistos y abandonados a sus propios recursos miserables. (¡Vergüenza!) El honorable caballero relató el caso de un niño buñuelero que, habiendo estado expuesto a este sistema inhumano y bárbaro por no menos de cinco años, cayó víctima de un resfrío, durante el cual se fue hundiendo poco a poco hasta llegar a transpirar y recuperarse; esto lo podía aseverar con su propia autoridad, pero había escuchado (y no tenía motivo para dudar del hecho) una circunstancia aún más desgarradora y aterradora. Había escuchado el caso de un niño buñuelero huérfano que, habiendo sido atropellado por un carro de alquiler, había sido llevado a un hospital, había sufrido la amputación de su pierna por debajo de la rodilla y ahora desarrollaba su trabajo en muletas. ¡Fuente de la justicia, y estas cosas perduran!

Este fue el inicio de los temas que ocuparon la reunión, y éste fue el estilo de los discursos para ganar las simpatías. Los hombres gritaban; las mujeres lloraban sobre sus pañuelos hasta que éstos se mojaban, y luego los sacudían para secarlos; la excitación era tremenda; y el señor Nickleby susurraba a su amigo que las acciones a partir de allí tenían una prima del veinticinco por ciento.

La resolución fue, por supuesto, aprobada por aclamación. Todos los hombres levantaron sus manos en favor de ella y, si hubieran podido, sus piernas también. Esto hecho, fue leído el texto completo de la propuesta resolución, y una petición diciendo, como todas las peticiones dicen, que los peticionantes eran muy humildes, y los peticionados muy honorables, y el objeto virtuoso; por lo tanto (decía la petición) ¡la ley debía aprobarse inmediatamente, para honor eterno y gloria de esos honorables y gloriosos Comunes de Inglaterra reunidos en Parlamento!

Entonces, el caballero que había estado en Crock-ford toda la noche y que tenía un aspecto de lo peor en sus ojos se adelantó para decir a sus compatriotas qué discurso esperaba decir en favor de dicha petición cuando fuera presentada, y cuán desesperadamente iba a vituperar al Parlamento si rechazaban la ley, y para informarles también que lamentaba que sus honorables amigos no hubieran insertado una cláusula haciendo obligatoria la compra de buñuelos y pastelitos crocantes a todas las clases de la comunidad, lo cual él —oponiéndose a todo tipo de medias medidas, y prefiriendo llegar a los extremos— se comprometía a proponer y apoyar, en comité. Después de anunciar su determinación, el honorable caballero se puso jocoso, y como botas de charol, guantes amarillos y cuello de piel ayudan materialmente a las bromas, hubo mucha risa y alegría y más aún tal brillante despliegue de pañuelos por parte de las damas que ensombreció al caballero.

Y cuando la petición fuera leída y estaba por ser adoptada, entonces se adelantó el parlamentario irlandés (que era un joven caballero de temperamento ardiente) con un discurso como sólo un parlamentario irlandés puede dar, derramando el verdadero espíritu y alma de la poesía, y continuó con tal fervor que lo entusiasmaba a uno el sólo verlo, y les dijo cómo demandaría la extensión de tamaño beneficio a su propio país; cómo clamaría por la igualdad de derechos en las leyes de los buñuelos como en todas las otras leyes, y cómo esperaba todavía ver el día en que los pastelitos fueran tostados en sus casas y las campanas de los buñuelos sonaran en sus prósperos verdes valles. Y, después de él, se acercó el parlamentario escocés, con varias placenteras alusiones a la cantidad probable de ganancias, lo cual incrementó el buen humor que la poesía había despertado; y todos los discursos juntos tuvieron precisamente el efecto buscado, y dejaron establecido en las mentes de los presentes que no había especulación tan prometedora, y al mismo tiempo tan valiosa y destacada, como la Compañía Unida Metropolitana de Buñuelos Calientes y Pastelitos Crocantes y Entrega Puntual.[3]

---

[3] CHARLES DICKENS, *Nicholas Nickleby*, Londres, J.M. Dent & Sons, 1957.

He aquí una clara —y demoledora— descripción de ciertas actitudes humanas, y de la importancia de la competencia. Charles Dickens parece haber realizado varios cursos de economía...

No obstante, es necesario aclarar algunos aspectos. Generalmente, se entiende por monopolio a una persona o grupo de personas actuando de común acuerdo, que controlan en forma exclusiva la oferta de un determinado producto. Como en el ejemplo recién visto.

Pero el asunto no es tan sencillo, porque aun los productos que pertenecen a una misma clase difieren entre sí. Es decir, puede haber un monopolio de los buñuelos calientes. Por más que el señor Pupker y sus socios obtuvieran la aprobación de la exclusividad solicitada, ¿no existen, además, otras alternativas para el desayuno como facturas, palmentas, tortas, tostadas, galletitas, cereales y demás?

Veamos otro caso: la Coca Cola tiene el «monopolio» de su fórmula, pero, ¿tiene el monopolio de las bebidas gaseosas? En un sentido tan general, el «monopolio» aparecería por todas partes, tan sólo porque no hay una fábrica que haga un producto igual a otra.

El monopolio, tal como lo solicita el señor Pupker, no tiene ninguna importancia para el funcionamiento del mercado, ya que no otorga ninguna ventaja en la colocación del producto. Veamos otro ejemplo: gracias a la propiedad intelectual, tengo el monopolio sobre la venta de este libro. Ahora bien, ¿quiere decir esto que la gente lo va a leer? En absoluto, este monopolio no me garantiza nada. Tal vez termine vendiéndose como papel viejo. En el caso del relato de Dickens, los monopolistas esperan lucrar con la producción y distribución exclusiva de los buñuelos, porque sin competencia tratarán de lograr un precio más alto que el que podrían obtener. Pero nada les garantiza que la gente vaya a comprar los buñuelos a ese precio superior, ya que pueden directamente comprar medialunas, pan, o simplemente ayunar por las mañanas. La posible reacción de los consumidores va a impedir que puedan obtener algún beneficio de este «monopolio».

Quien ve esta situación claramente es el diputado, que lamenta que sus honorables amigos no hayan incluido una cláusula por la cual se hace obligatoria la compra de buñuelos a todas las clases de la comunidad. Entonces sí el monopolio tendría efecto. Porque lo que realmente interesa respecto del funcionamiento del mercado es que el monopolista pueda obtener el precio de monopolio, es decir, una situación en la cual incluso vendiendo menos a mayor precio pudiera obtener más que vendiendo más a menor precio. Esto puede darse solamente cuando la demanda tiene ciertas características: mi monopolio del libro no sirve de nada, ni servirá el de los buñuelos, a menos que haya una demanda «obligada».

Otra verdad económica ineludible que nos cuenta Nickleby es que sólo con la sanción y la regulación del Estado pueden crearse las condiciones para que surjan los precios de monopolio. La presencia y la intervención de los diputados es la clara demostración en este caso.

¿Cómo lo hace? Sencillamente impidiendo la entrada de nuevos oferentes, en este caso, los productores y distribuidores de buñuelos. Aunque para buscar ejemplos tenemos miles en nuestra propia economía: ¿por qué existe un monopolio de los servicios telefónicos? Pues porque el Estado prohíbe a cualquier ciudadano ofrecer tales servicios. Si no existiera la prohibición, ¿existiría el monopolio? La respuesta es: depende del mercado. El mercado determinará que existan dos o setenta empresas telefónicas. Si mañana se inventa una forma más eficiente de comunicación que la de los teléfonos, probablemente no existirá ninguna empresa telefónica.

Es importante diferenciar entre el monopolio artificial del natural. El natural es aquel que surge a raíz de una idea, de un servicio o de una cosa que el ofertante es el único capaz de proporcionar al mercado, con la calidad y el precio que éste requiere. Por ejemplo, si una persona cruza dos animales y obtiene una nueva especie que posee la cualidad de tener la fuerza de diez caballos y la velocidad de una chita, esa persona posee el monopolio natural con respecto a la creación y comercialización del animal. Si esta nueva cruza es muy demandada, los mensajes recibidos en el mercado atraerán competidores potenciales. De ocurrir esto, el monopolio dejará de existir.

El monopolio artificial es aquel que es creado por protecciones del gobierno en beneficio de un solo comerciante. Esto significa darle más poder a un comerciante del que previamente el mercado le había dado en relación con lo que aquél ofrecía. Esto se traduce en una disminución en el nivel de vida de la gente.

Hasta puede ser que un mercado sea abastecido por un solo ofertante y no pueda éste aplicar el precio de monopolio tan sólo porque si lo hace llamará la atención de otros que ahora encontrarán beneficioso ser ofertantes. La posibilidad de entrar en el mercado controla al único ofertante, el cual se convierte en monopolista sólo cuando el Estado cierra esa puerta de entrada.

En última instancia, lo que interesa al potencial monopolista no es la obtención de tal monopolio, sino la posibilidad de aplicar «precios de monopolio». Éstos son precios superiores a los que normalmente regirían en el mercado, y se alcanzan cuando se restringe la oferta. Conviene obtenerlos, por supuesto, cuando el aumento de los ingresos obtenidos con el nuevo precio es mayor que el anterior, pese a que se ha reducido la cantidad demandada por los consumidores. Es decir, que no existe prácticamente ningún bien o servicio cuyo precio pueda aumentarse sin que esto impacte en las cantidades que demandan los consumidores. La ley de la demanda hace que ante un precio mayor, la cantidad demandada sea más baja.

El productor monopolista debe saber entonces que un aumento del precio traerá como consecuencia una caída de la cantidad demandada. Por ello, debe calcular muy bien cuál va a ser esa caída y si el aumento del precio por los productos vendidos terminará generando mayores ingresos que antes. Un precio monopolístico, por consiguiente, atenta contra la «soberanía del consumidor».

La competencia es la emulación entre distintas personas para sobrepasarse unas a otras. No es una pelea ni un combate, y por tal razón el uso de terminología militar para describir lo que sucede en el mercado es claramente inapropiado. Palabras como «ataque», «defensa», «batalla», «guerra comercial» y otras podrán ser una metáfora de lo que verdaderamente sucede, pero nada tienen que ver con la actividad bélica real, donde impera la violencia y la muerte.

Por otra parte, aunque suele hablarse de «competencia salvaje», lo cierto es que existe una diferencia esencial con respecto a lo que observamos en el mundo de la naturaleza. Allí el pez grande se come al pez chico, el que, obviamente, ya no tiene otra oportunidad. En la competencia que se establece en el mercado, por el contrario, habrá un productor que tenga una posición más importante, porque es el que mejor atiende las necesidades de los consumidores. Sin embargo, esto no implica la desaparición de todos los demás, quienes no solamente subsisten, sino que cuentan con nuevas oportunidades para competir. En este sentido, la competencia en el mercado se asemeja más a la competencia en el deporte, donde todos tienen una «hinchada», ganen o pierdan, y siempre tienen una oportunidad más para salir campeones. El mercado es un campeonato continuo.

Desde otra perspectiva, la competencia en economía es incluso superior a la competencia en el deporte, ya que en un partido en particular uno pierde y otro gana, pero en un intercambio económico ganan ambas partes.

TRECE

EL COMERCIO INTERNACIONAL
Simbad el Marino

Producir vino en Portugal puede requerir
solamente el trabajo de 80 hombres cada año,
y producir el tejido en ese mismo país puede
requerir 90 hombres en el mismo período.
Seria, entonces, ventajoso
exportar vino a cambio de tejidos.
Este intercambio tendría lugar pese
a que el producto importado por Portugal
pudiera ser producido con menos trabajo
que en Inglaterra. Aunque podría fabricar
el tejido con el trabajo de 90 hombres,
podría importarlo desde un país donde se requiere
el trabajo de cien hombres para
producirlo, debido a que le resultaría ventajoso
emplear su capital en la producción de vino, por el
cual obtendría más cantidad de tejidos de Inglaterra
que si los hubiera producido desviando una porción
de su capital desde los cultivos
de vino a la manufactura de tejidos.[1]

DAVID RICARDO 1772-1823)

Los beneficios de la división del trabajo y los efectos de
la competencia en el mercado no tienen por qué frenarse
en las fronteras. Éstas han sido creadas por el hombre, en
tanto que las desigualdades en capacidad y en distribución
de los recursos en el mundo es algo dado por la naturaleza.

---

[1] DAVID RICARDO, *Principios de economía política y tributación*, México,
Fondo de Cultura Económica, (1817) 1959, p. 103.

Fue David Ricardo quien analizó este aspecto de la economía y determinó las razones por las cuales los hombres pueden sacar provecho de la cooperación y la división del trabajo.

Lo que dijo Ricardo es que dadas dos regiones distintas, le convendrá a cada una concentrarse en la producción para la cual tiene condiciones más favorables.

A Arabia Saudita, por ejemplo, le conviene dedicarse a producir petróleo y no flores.

Pero no sólo dijo eso, sino también que aunque una de esas dos regiones tenga mejores condiciones que otra para producir muchos o todos los productos, de todas formas le convendrá dedicarse a la producción de aquello en lo que esa ventaja sea mayor. Lo que Ricardo explicó en relación con los países es tan sólo una aplicación, y no la mejor de ellas, de una ley más general, denominada «Ley de Asociación», que vimos ya en el Capítulo Cuatro, con el ejemplo de Michael Jordan y su jardinero. Y afirmó que la aplicación a países de esa ley no es del todo correcta, porque los países no comercian; son los individuos o las empresas quienes lo hacen.

Supongamos que en el país de Kamtchatka se produce más eficientemente que en el país de Ruritania: en un día de trabajo en Kamtchatka se pueden producir tres unidades de comida o nueve de ropa, mientras que en Ruritania solamente se llega a producir en ese lapso dos unidades de comida y una de ropa, como lo muestra el cuadro:

Producción diaria	Comida	Ropa
Ruritania	2	1
Kamtchatka	3	9
	5	10

En diez días de trabajo la producción total en cada país sería la siguiente:

Producción en diez días de trabajo	Comida	Ropa
Ruritania	20	10
Kamtchatka	30	90
	50	100

Al dedicarse cada país a la producción de los dos artículos incurren en lo que llamamos «costo de oportunidad». Por ejemplo, en el caso de Kamtchatka cada vez que se dedica a producir una unidad de comida, está dejando de producir tres unidades de ropa, esto es, el costo de oportunidad de una unidad de comida corresponde a tres unidades de ropa. Por otra parte, el costo de oportunidad de una unidad de ropa equivale a una tercera parte de una unidad de comida.

Para Ruritania, en cambio, el costo de oportunidad de una unidad de comida corresponde a media unidad de ropa, mientras que el costo de oportunidad de una unidad de ropa equivale a dos unidades de comida.

Como vemos, Ruritania tiene un menor costo de oportunidad en la producción de comida que Kamtchatka, mientras que este país tiene un costo de oportunidad menor que Ruritania en la producción de ropa.

Esta diferencia *relativa*, no total —ya que Kamtchatka es más eficiente en ambas producciones—, es la que explica por qué a Kamtchatka le conviene dedicarse a la producción de ropa, en la que es más eficiente relativamente, y dejar a Ruritania la producción de comida.

En el caso de Kamtchatka y Ruritania, si Ruritania, que tiene un menor costo de oportunidad en la producción de comida, dedicará tres días más de los diez a la producción de ésta y no a la de ropa, y si Kamtchatka, que tiene un menor costo de oportunidad en la producción de ropa dedicara un día más de los diez a la producción de ésta y no de comida el resultado final sería el siguiente:

Producción en diez días de trabajo	*Comida*	*Ropa*
Ruritania	26	7
Kamtchatka	27	99
	53	106

Como vemos, ahora la producción total es mayor en ambos productos. La reasignación de días de trabajo ha sido eficiente. No obstante, la producción total es mayor, pero Ruritania tiene ahora menos ropa que antes y Kamtchatka tiene menos comida.

Es verdad, aquí es donde se presentan los beneficios del intercambio. A cualquier relación entre una unidad de comida y media de ropa (límite inferior) y una unidad de comida y tres de ropa (límite superior), que son los costos de oportunidad de la comida en términos de ropa para ambos, el intercambio será mutuamente ventajoso.

Tomemos en forma arbitraria un precio de 1 unidad de comida = 2 unidades de ropa, el cual se encuentra entre los límites inferior y superior antes mencionados. En tal caso, si se intercambian 3 unidades de comida por 6 de ropa el resultado final es el siguiente:

Resultado después de los intercambios	Comida	Ropa
Ruritania	23	13
Kamtchatka	30	93
	53	106

Ahora ambos tienen más de las dos cosas. ¿Magia? Pues no. Esta fundamental ley económica descripta por Ricardo hace siglo y medio muestra las causas de un fenómeno que venía desarrollándose desde hacía miles de años: la especialización de distintas regiones en las producciones cuyas condiciones son más favorables y luego el intercambio de los productos por otros, aumentando el bienestar general.

Simbad el Marino no tenía la menor idea de que cumplía semejante función, la cual no estaba exenta de peligros, pero era eso precisamente lo que hacía. Como se relata en *Las mil noches y una noche*,[2] en una de sus

---

[2] *Las mil noches y una noche*, versión de Vicente Blasco Ibáñez sobre la traducción de J. C. Mardrus, Barcelona: Círculo de Lectores, 1980, p. 664.

travesías comerciales, Simbad es atacado por un pájaro espantoso que hace naufragar su barco. Logra llegar a una isla y, después de un par de aventuras en ella, encuentra a unos marineros que lo llevan a su navio, donde el capitán lo recibe cordialmente y le da unos vestidos:

Tras varios días y varias noches de navegación, entramos en el puerto de una ciudad que tenía casas muy bien construidas junto al mar. Esta ciudad llamábase la Ciudad de los Monos, a causa de la cantidad prodigiosa de monos que habitaban en los árboles de las inmediaciones.

Bajé a tierra acompañado por uno de los mercaderes del navio, con el objeto de visitar la ciudad y procurar hacer algún negocio. El mercader con quien entablé amistad me dio un saco de algodón, y me dijo: «Toma este saco, llénale de guijarros y agrégate a los habitantes de la ciudad que salen ahora de sus muros. Imita exactamente lo que les veas hacer. Y así te ganarás muy bien la vida».

Entonces hice lo que me aconsejaba; llené de guijarros mi saco, y cuando terminé aquel trabajo, vi salir de la ciudad a un tropel de personas, igualmente cargadas cada una con un saco parecido al mío. Mi amigo el mercader me recomendó a ellas cariñosamente, diciéndoles: «Es un hombre pobre y extranjero. ¡Llevadle con vosotros para enseñarle a ganarse aquí la vida! ¡Si le hacéis tal servicio, seréis recompensados pródigamente por el Retribuidor». Ellos contestaron que escuchaban y obedecían, y me llevaron consigo.

Después de andar durante algún tiempo, llegamos a un valle cubierto de árboles tan altos, que resultaba imposible subir a ellos; y estos árboles estaban poblados por los monos, y sus ramas aparecían cargadas de frutos de corteza dura llamados cocos de Indias.

Nos detuvimos al pie de aquellos árboles, y mis compañeros dejaron en tierra los sacos y pusiéronse a apedrear a los monos, tirándoles piedras. Y yo hice lo que ellos. Entonces, furiosos, los monos nos respondieron tirándonos desde lo alto de los árboles una cantidad enorme de cocos. Y nosotros, procurando resguardarnos, recogíamos aquellos frutos y llenábamos nuestros sacos con ellos.

Una vez llenos los sacos, nos los cargamos de nuevos a los hombros, y volvimos a emprender el camino a la ciudad, en la cual un mercader me compró el saco, pagándome en dinero. Y de este modo continué acompañando todos los días a los recolectores de cocos, y vendiendo en la ciudad aquellos frutos, y así estuve hasta que poco a poco, a fuerza de acumular lo que ganaba, adquirí una fortuna que engrosó por sí sola después de diversos cambios y compras, y me permitió embarcarme en un navío que salía para el Mar de las Perlas.

Como tuve cuidado de llevar conmigo una cantidad prodigiosa de cocos, no dejé de cambiarlos por mostaza y canela a mi llegada a diversas islas; y después vendí la mostaza y la canela, y con el dinero que gané me fui al Mar de las Ferias, donde contraté buzos por mi cuenta. Fue muy grande mi suerte en la pesca de perlas, pues me permitió realizar en poco tiempo una gran fortuna. Así es que no quise retrasar más el regreso y después de comprar, para mi uso personal, madera de áloe de la mejor calidad a los indígenas de aquel país descreído, me embarqué en un buque que se hacía a la vela para Bassra, adonde arribé felizmente, después de una excelente navegación. Desde allí salí en seguida para Bagdad, y corrí a mi calle y a mi casa, donde me recibieron con grandes manifestaciones de alegría mis parientes y mis amigos.

Como volvía más rico que jamás lo había estado, no dejé de repartir en torno mío el bienestar, haciendo muchas dádivas a los necesitados. Y viví en un reposo perfecto desde el seno de la alegría y los placeres.

Simbad, gracias a su habilidad y esfuerzo, se había hecho de muchos cocos (beneficiando, además, a quien lo había ayudado). La cosecha de cocos era, obviamente, la ventaja comparativa de Simbad. Posteriormente, fue aprovechando esas ventajas comparativas dando cocos donde no los había a cambio de mostaza y canela, madera de áloe o de China y perlas.

Los beneficios de las actividades de Simbad no se restringen a haber vestido a las viudas y huérfanos a su regreso o a los regalos hechos a familiares y amigos, sino que llevó cocos allí donde se necesitaban y aplicó sin saberlo la famosa «ley de costos comparados» de David Ricardo.

El origen de las compañías

El relato de Simbad nos muestra un fenómeno que adquirió luego fundamental importancia en nuestras economías: la existencia de las empresas modernas. Surgen en Italia, Inglaterra a fines del siglo XI con el nombre de *commenda*, y el motivo es el mismo que se presenta en esta historia: juntar capital para financiar expediciones comerciales marítimas. Comenzaron como un contrato de préstamo, un adelanto de fondos para que alguien comprara mercaderías tal como lo hizo Simbad y partiera luego en su aventura, para finalmente devolver el dinero prestado. Sin embargo, evolucionaron rápidamente hacia una asociación donde ambas partes compartían el riesgo, que no era poco. Uno de los socios era llamado *stans*, aportaba el capital y no participaba del viaje; el otro era llamado *tractator* y era el que encarnaba nuestro personaje. Solía suceder que el que era tractator en una determinada relación era a su vez stans en otra y también que los inversores eran viudas o huérfanos, funcionarios oficiales, artesanos u otras personas sin experiencia en materia de negocios.

Estas asociaciones dieron origen a un fenómeno jurídico de gran impacto económico en el futuro desarrollo del capitalismo: la responsabilidad de los socios limitada al monto de la inversión realizada, lo que implica también el nacimiento de una «persona jurídica» como la asociación con obligaciones y derechos propios. Este mecanismo permitía a los inversores diversificar el riesgo, ya que podían invertir distintas sumas en varias *commenda* y así seguir un principio fundamental de la administración financiera, que puede exponerse con esta reconocida frase: «no poner todos los huevos en la misma canasta».

A diferencia de las posteriores sociedades comerciales que hoy conocemos, las *commenda* no tenían una vida limitada por la voluntad de las partes de continuarla o por el éxito continuo de la empresa, sino que se formaban para una expedición particular y luego desaparecían ante el cumplimiento exitoso de esa expedición.

También se organizaban expediciones similares por tierra, las que llevaron el nombre de *compagnia*. Éstas solían ser asociaciones de miembros de una misma familia que trabajaban juntos para incrementar la riqueza familiar. Luego comenzaron a aceptar miembros que no eran parte de la familia. De este modo, se originaron las compañías modernas. A diferencia de las *commenda*, sin embargo, las *compagnias* no limitaban la responsabilidad al capital invertido.

Barreras al comercio

Claro que los Simbad de nuestros días no se encuentran con aves como el rokh en sus rutas. No obstante, los obstáculos e inconvenientes que suelen enfrentar pueden tener efectos aún peores en el comercio internacional. Los Simbad de hoy se enfrentan con todo tipo de gobiernos que tratan de justificar por cualquier medio el proteccionismo, quebrando de hecho los beneficios de la división del trabajo.

A medida que la civilización fue avanzando, crecieron los contactos de regiones cada vez más alejadas entre sí. Antes, cada pequeña isla debía cultivar su mostaza y su canela, obtener su madera, pescar sus perlas y cosechar sus cocos. En la mayoría de los casos, se las debían arreglar sin esas cosas, sencillamente porque no existían allí. Así es, entonces, que el transporte y el comercio internacional traen a esas islas novedades que van a satisfacer necesidades antes insatisfechas. Y no pensemos que se refieren solamente a necesidades de lujo, como las perlas, ya que los remedios contra enfermedades, por ejemplo, pueden significar la diferencia entre la vida y la muerte.

Como en el caso de Kamtchatka y Ruritania, se presenta, además, otro efecto del comercio internacional. Antes las islas hacían de todo un poco y ahora han descubierto las ventajas de cooperar con otras islas y dedicarse a aquello que puedan hacer mejor: cocos unas, mostaza otras, madera otras más. Todas las islas mejoran su situación y Simbad les brinda el servicio de llevar productos de una a otra. Esto genera, no obstante, numerosas resistencias y barreras que a veces son mucho más efectivas que el rokhmismo. Éstas se relacionan con las dos características del comercio internacional antes mencionadas.

La primera de ellas es la aparición de nuevos productos o servicios gracias al comercio internacional. Las poblaciones suelen ver esos nuevos productos como una buena noticia. Pero algunos suelen convencer a los gobiernos para que los vean como amenazas.

Ciertos países o gobernantes, en vez de dejar a sus ciudadanos dedicarse a aquello en que son más eficientes, pretenden autoabastecerse (sobre todo cuando predominan criterios militaristas o agresores). En el mundo de hoy, tratan de copiar los productos de avanzada en vez de dejar esos recursos libres para crear otros productos. De esta forma, siempre logran marchar a la cola del progreso, y las amenazas provenientes del exterior se vuelven cada vez más numerosas.

La otra característica del comercio exterior es la que se relaciona con las ventajas de la división del trabajo. A medida que el progreso social va acortando las distancias que separan a los pueblos, cada vez más producciones entran en contacto entre sí. Gracias a Simbad, de pronto, individuos que estaban tranquilos cosechando cocos para su isla, ven que él trae cocos de otra. Mayor competencia, hemos visto antes, no es lo que muchos quieren.

Obviamente, estas novedades trastornan la situación existente. Tomemos el caso de la isla menos eficiente: los cosechadores de coco deberán ahora aprender a pescar perlas. Hemos visto que cuando lo hagan, estarán mejor que antes, pero lo cierto es que deberán realizar ese aprendizaje.

Aprender una nueva ocupación, con mejores perspectivas que la anterior y a la que se le abren mercados externos, no es una carga sino un beneficio, pero requiere un esfuerzo que no todos están dispuestos a hacer. Estarían más cómodos sin progreso, pero no es ésa una situación que se corresponda con la realidad por mucho tiempo: los hombres quieren progresar; tarde o temprano habrá que hacer los cambios y cuanto más tarde, peor.

Los gobiernos aparecen, entonces, como los más resistentes al progreso. Basándose en las circunstancias recién descriptas, buscan «proteger» al cosechador de cocos, prohibiendo o dificultando la entrada en la isla de cocos provenientes de otra. Dicen proteger las fuentes de trabajo pero, de hecho, destruyen más que las que crean.

Esto es así porque el deseo de la población es siempre comprar lo que necesita a quien más barato lo ofrece. Los nuevos cocos, al ser más baratos, permiten a los consumidores utilizar el dinero excedente en otra cosa. Esta suerte de norma de sentido común que indica que siempre es preferible comprar a quien nos ofrece la misma calidad a más bajo precio no se cumple a escala de un país. ¿Por qué?

Los gobiernos, como los individuos, buscan promover sus intereses; en el caso de los políticos, esos intereses pueden ser muchos, pero seguramente uno de ellos es no perder el apoyo logrado. Y con el comercio exterior sucede que los beneficios se encuentran muy concentrados, mientras que los perjuicios están muy repartidos. En nuestro caso, ningún isleño va a hacer un escándalo por una diferencia de poco monto en los cocos, pero para los cosechadores la diferencia es muy grande y se dedicarán con todas sus fuerzas a influenciar al gobernante. Así, éste los «protege», y se gana a esos aliados sin crearse enemigos. Pero en realidad no protege a nadie, sino que perjudica a toda la población y, a largo plazo, ni siquiera beneficia a los cosechadores, pues cuanto más se demore, más traumático será el cambio que el progreso impone. Asimismo, al cerrar su isla a los productores externos, frena las posibilidades de que sus productos lleguen a otros lados: si no protegiera a los cosechadores de cocos, éstos poco a poco se dedicarían a pescar perlas, para las cuales Simbad tiene mercados en el exterior. Cerrándonos somos más pobres. Nuevamente el ejemplo familiar es claro: a nadie se le ocurre hacer sus propios zapatos y ropa, muebles, televisores y demás; todos nos dedicamos a aquello que mejor aprendimos a hacer y compramos esas cosas a quienes se han dedicado a ello.

Esto ocurre tanto dentro como fuera del país: a los santacruceños no se les ocurre ser autónomos en azúcar y la compran en Tucumán, y los salteños hacen lo mismo respecto de los pescados. Los salteños, a la vez, tienen tabaco para ofrecer que a los porteños no se les ocurrirá plantar en sus balcones. Si esto es conveniente entre cordobeses y mendocinos, correntinos y riojanos, ¿por qué no lo sería también con los vietnamitas o los pakistaníes?

A medida que el mundo va avanzando, se va integrando cada vez más; ya a los agricultores argentinos les interesa si llueve en Ucrania o si cambian sus políticas los gobiernos europeos. Poco a poco, las técnicas avanzadas de transporte van quebrando las barreras físicas que frenaban ese proceso de unificación. Ahora Holanda cultiva flores que en menos de un día se venden en Nueva York, y nuestras peras se comen en Alemania. Y todo ello se realiza sin que nadie coordine nada. Los mercados mundiales van dando las señales, mediante las diferencias de precios, sobre lo que se demanda en un sitio y conviene llevar a otro. Es lo que hace Simbad: cambia los cocos por las perlas, si allí se quedara no obtendría ventaja alguna. Pero traslada las perlas allí donde sus precios son muy superiores, por su gran demanda o por su natural escasez. Esa diferencia entre uno y otro lugar le indica la posibilidad y la conveniencia de hacer comercio, el cual se realizará convenientemente, a menos que los gobiernos se interpongan contra la voluntad de sus gobernados.

En el contexto de Simbad el Marino un economista francés, Frederic Bastiat, en su obra *Sofismas económicos*[3] utiliza como protagonistas a Robinson Crusoe y a Viernes para, en un relato corto pero de gran contenido, mostrar conceptos falaces pero comunes en muchos economistas:

---

[3] FREDERIC BASTIAT, *Oeuvres Completes*, 3.ª ed., tomo IV, París Gillaumin, 1873, p. 245.

Después de que Robinson y Viernes se encontraron, se unieron para cooperar en tareas comunes. A la mañana cazaban durante seis horas y obtenían cuatro canastos con el fruto de su trabajo. A la tarde trabajaban en el huerto por otras seis horas y conseguían llenar cuatro canastas de vegetales.

Un día una canoa llegó a las orillas de la isla, de la cual desembarcó un forastero que fue invitado a compartir la mesa con los dos reclusos. El forastero probó el fruto de la huerta y al despedirse de sus anfitriones les dijo:

—Generosos isleños, en mis tierras la caza es más productiva que aquí pero la horticultura no se conoce. No me sería complicado traerles cuatro canastos de caza todas las mañanas si ustedes me dan a cambio dos canastos de vegetales.

Ante esta propuesta, Robinson y Viernes se apartaron para discutir el tema, el debate que tuvo lugar resulta demasiado interesante como para que no sea documentado en su totalidad:

¡Viernes: Amigo, ¿qué piensas de todo esto?

Robinson: Si aceptamos, estamos arruinados.

V: ¿Está usted seguro de eso? Discutámoslo.

R: No hay nada que discutir, no hay duda que la competencia significará el fin de nuestra industria de la caza.

V: ¿Qué diferencia hay en eso si al fin y al cabo obtendremos el producto?

R: ¡Puras teorías! No sería más el fruto de nuestro trabajo.

V: Tendremos que entregar a cambio parte de nuestra producción de vegetales.

R: ¿Qué ganaremos entonces?

V: Las cuatro canastas de la caza nos cuestan seis horas de trabajo. El extranjero nos da lo mismo a cambio de dos canastas de vegetales, las cuales nos demandan sólo tres horas en obtener. En otros términos, la transacción nos dejaría como saldo tres horas libres.

R: Debes decir en vez que esas horas están sacadas de nuestra actividad productiva. En este punto se centra nuestra pérdida. Trabajo es sinónimo de riqueza, de manera que si perdemos un cuarto de tiempo de trabajo seremos una cuarta parte menos ricos.

V: Amigo, creo que está incurriendo en un gran error. Podemos tener la misma cantidad de productos de la caza, la misma cantidad de vegetales y disponer de tres horas libres. A todo esto le llamo progreso.

R: ¡Tú caes en generalidades! ¿Qué haremos en esas tres horas?

V: Podemos dedicarnos a otras cosas.

R: ¡Ah! Ahora entiendo. No eres capaz de mencionar algo en particular. Otras cosas, otras cosas. Eso es muy fácil de decir.

V: Podemos pescar, podemos decorar nuestra choza, podemos leer la Biblia.

R: ¡Eso es utópico! ¡Quién sabe cuál de esas cosas debemos hacer o si no debemos hacer ninguna de ellas!

V: Bueno, si no tiene deseos de satisfacerse con esas cosas, podemos descansar, ¿o acaso el descanso no sirve para algo?

R: Pero cuando la gente se dedica a descansar se muere de hambre.

V: Amigo mío, usted está encerrado en un círculo vicioso. Yo hablo de un descanso que no sustraiga nada de nuestro abastecimiento de carne y verdura. Usted sigue sin entender que, de realizar la transacción con el extranjero, con nueve horas de trabajo diario obtendremos lo mismo que trabajando doce en nuestra situación actual.

R: Está muy claro que tú no has estado en Europa. Nunca has leído el Moniteur Industriel, de otra manera hubieras aprendido que todo tiempo ahorrado es pérdida. Lo que cuenta es la producción y no el consumo. Todo aquel consumo que no se origine en el fruto directo de nuestro trabajo, no cuenta para nada. ¿Quieres saber si eres rico? No midas tus satisfacciones sino el trabajo que debes hacer. Esto es lo que el *Moniteur Industriel* te enseñaría. Desde mi punto de vista, sin pretender ser teórico, lo único que veo es nuestra pérdida de la caza.

V: ¡Qué extraordinaria forma de invertir las ideas! Pero...

R: Nada de peros. Además existen razones políticas para rechazar las ofertas del extranjero.

V: ¿Razones políticas?

R: Sí. Primero, nos hace esta oferta sólo porque resulta ventajoso para él.

V: Mejor, ya que también lo es para nosotros.

R: Además, con el cambio nos pondríamos en una situación de dependencia con respecto a él.

V: Y él se haría dependiente de nosotros. Nosotros necesitamos su carne y él necesita nuestros vegetales, y podríamos tener una gran relación amistosa.

R: ¡Tú estás sosteniendo un sistema abstracto! ¿Quieres que te haga cerrar la boca?

V: Adelante, inténtalo. Todavía estoy esperando un buen argumento.

R: Supongamos que el forastero aprende a cultivar una huerta, y su isla resulta más fértil que la nuestra. ¿Ves las consecuencias?

V: Sí Nuestras relaciones con el forastero terminarían. No necesitaría de nuestros vegetales ya que los tendría en su casa por menos trabajo. No nos traería su carne, desde el momento en que no tuviéramos nada para darle a cambio. Estaríamos en la misma situación en la que usted nos quiere meter ahora.

R: ¡Salvaje imprevisor! No ves que después de destrozar nuestra caza inundándonos de carne, él destrozará nuestra huerta inundándonos de vegetales.

V: Pero esto sólo ocurrirá si nosotros estamos en la posición de poder ofrecerle otras cosas, es decir, sólo cuando sea posible encontrar otras cosas que producir para nosotros mismos.

R: ¡Otras cosas, otras cosas! Siempre vuelves a eso. Estás en las nubes, amigo mío, no hay nada práctico en tus ideas.

La disputa se extendió por largo tiempo, y cada uno insistió en la validez de su propia teoría, como generalmente ocurre. Robinson finalmente hizo prevalecer su pensamiento, ya que contaba con gran influencia sobre Viernes. Cuando el extranjero se acercó para ver si su propuesta había sido bien recibida, Robinson le dijo:

—Extranjero, para poder aceptar su propuesta debemos estar seguros de dos cosas: primero, que su caza no tenga más plenitud en su isla que en la nuestra, porque queremos competir en iguales términos. Segundo, que usted pierda en la operación, porque entendemos que en toda operación hay uno que pierde y otro que gana, y como podrá imaginarse nosotros no queremos perder. ¿Qué dice?

—Nada —dijo el extranjero, y explotando en una carcajada se volvió para embarcar en su canoa.

CATORCE

PROBLEMASDE LA ACCIÓN COLECTIVA

Tolkien y el granjero de Ham

Resulta ser una apropiada función del gobierno
construir y mantener faros, colocar boyas, etc.,
para la seguridad de la navegación: porque como es
imposible cobrar un peaje a los barcos en el mar que se
benefician del faro, nadie los construiría motivado por
su interés personal, a menos que fuera indemnizado y
recompensado por medio de una tasa compulsiva
que impusiera el estado.[1]

JOHN STUART MILL (1806-1873)

Podemos concluir que los economistas no deberían
usar al faro como un ejemplo de servicio que podría
ser provisto solamente por el gobierno [...] Los
economistas que deseen destacar un servicio que sea
mejor provisto por el estado deberían usar un ejemplo
que tenga un fundamento más sólido.[2]

RONALD COASE (1910)

Todas las acciones son individuales, como vimos en el
Capítulo Uno. El término «acción colectiva» no es sino
una metáfora, que utilizaremos por comodidad del lenguaje, no porque describa estrictamente lo que sucede.
Como hemos visto, la frase «River venció a Boca» es una
manera simplificada de decir que once jugadores de River

---

[1] JOHN STUART MILL, *Principies of Political Economy*, libro V, Cap.
XI, parte V. 11.57, Oxford University Press, (1848) 1999.

[2] RONALD H. COASE, *The Lighthouse in Economics*, en Tyler Cowen
(editor), The Theory of Market Failure, Fair-fax, Virginia, George Mason
University Press, 1988, pp. 255-77; reimprimido con permiso de Journal
of Law and Economics 17 (octubre de 1974), pp. 357-76.

vencieron a otros tantos de Boca. Y que los primeros lo hicieron debido a que las acciones individuales de cada uno de sus miembros superaron a las de los segundos.

Pero si bien todas las acciones son individuales, el mismo ejemplo anterior muestra que en muchas ocasiones esas acciones tienen que ser coordinadas y, de hecho, muchas veces el resultado positivo se obtiene con una correcta, o superior, coordinación. La famosa frase de Adam Smith sobre la «mano invisible» alude a un notable fenómeno según el cual las acciones que los individuos realizan persiguiendo sus propios objetivos terminan siendo coordinadas con las acciones de los demás, para beneficio de todos. Es lo que hemos señalado al analizar el funcionamiento de los mercados.

No obstante, algunos economistas comenzaron a presentar circunstancias en las que parecía ser que ese proceso se derrumbaba, no lograba obtener el resultado buscado. Por el contrario, las motivaciones personales llevaban a que, si cada uno perseguía su propio interés, la cooperación entre ellos no se obtenía, por lo que era necesario, e incluso beneficioso, imponerla por la fuerza.

Una de esas circunstancias me presentada por primera vez por Paul Samuelson. Su argumento es el siguiente: existen casos en los que el mercado «fracasa» en obtener como resultado la cooperación voluntaria entre los hombres para su propio beneficio. Esta situación se presenta, en particular, con un determinado tipo de bienes. Existen, según Samuelson, dos tipos de bienes: privados y públicos; y la forma de distinguirlos es a través de dos condiciones particulares: a) la posibilidad de excluir a quienes no pagan por su uso, y b) la rivalidad que existe en su consumo.

Veamos un ejemplo para la primera condición: si no se paga una entrada de cine, no se puede ver la película; si no se paga por una porción de pizza, no se la puede consumir. En este caso, el proveedor puede «excluir» a quienes no le pagan.

La segunda condición se refiere a bienes y servicios que, si son consumidos por un consumidor, no pueden ser consumidos por otro: la porción de pizza que uno se comió no puede ser consumida por otro.

Los bienes y servicios que presentan ambas condiciones son, según Samuelson, bienes «privados».

Pero existen otros en los que estas condiciones no se cumplen: no se puede excluir a quienes no pagan y su consumo no rivalizaría con el consumo de otros, es decir, varios podrían consumirlo al mismo tiempo. Se trata de los «bienes públicos».

Los primeros serían provistos por el mercado sin ningún tipo de inconveniente, esto es, «la mano invisible» aseguraría que se proveyeran para quienes los necesitaran; pero en el caso de los segundos, el mercado «fracasaría» en proveerlos, pese a que serían bienes apreciados y queridos por los consumidores. Solamente podrían ser provistos si se proveyeran a todos los consumidores al mismo tiempo.

Tal vez un ejemplo sirva para aclarar esto, el que presentó Samuelson con respecto a un faro:

Consideremos el caso de un faro costero que señala la presencia de unas rocas. Su luz sirve a todos los que pasen por sus cercanías. Sin embargo, el faro no se podría explotar como negocio, ya que no se puede cobrar un precio a los beneficiarios, y en consecuencia es un servicio indicado para ser prestado por el Estado. Este caso cumple la condición exigida por Abraham Lincoln: «El objeto legítimo del Estado es hacer para el pueblo lo que es preciso hacer pero nadie puede hacer por sí mismo o no puede hacerlo tan bien como el Estado».[3]

Lo que quiere decir Samuelson es que, en el caso de un faro, no se puede «excluir» a quienes no pagan por el servicio que brinda su luz. Imaginemos que quisiéramos poner un faro como un negocio rentable. Iríamos a ver a los propietarios de barcos para venderles «suscripciones» a nuestro servicio. Pero una vez que el faro comenzara a enviar su señal, no podríamos discriminar entre quién nos pagó y quién no. De este modo, todos recibirían la misma luz, no podríamos impedirlo. No tardarían mucho tiempo en darse cuenta de que pueden contar con el servicio sin pagar, por lo que pocos estarían dispuestos a hacerlo y nuestro faro no lograría recaudar «voluntariamente» suficientes suscripciones como para cubrir los costos de su mantenimiento. Deberíamos cerrarlo porque no sería una actividad «rentable», aunque se trate de un servicio claramente útil, que cada uno de los propietarios de barcos estima.

La figura de aquel que, comprendiendo que no puede ser excluido, se niega a pagar por el servicio es denominada por Samuelson, y luego por toda la literatura económica,

---

[3] PAUL A. SAMUELSON, *Curso de Economía moderna*, 6.ª ed., Madrid, Aguilar, 1968, p. 184.

como *free-rider* o, como diríamos nosotros: un «colado», un polizón.

Es el incentivo al *free-rider* lo que hace fracasar la provisión de este bien. Por otra parte, no hay rivalidad en el consumo: que un barco vea la luz del faro no reduce la posibilidad de que otro barco lo haga. Samuelson diría que no solamente no se puede excluir a quien no paga, sino que, dada la segunda condición, sería bueno que todos recibieran este servicio. Ambos factores, entonces, lo llevan a proponer que tales servicios sean provistos por el Estado.

Parecería haber aquí un criterio «objetivo» para definir los servicios que un Estado debe brindar. Si ese criterio existiera, prácticamente se acabaría el debate político, pues ya no habría discusión respecto de lo que el Estado debe hacer o no. Simplemente, el Estado proveería los bienes y servicios que cumplieran con estas condiciones.

¿Y qué otros bienes y servicios cumplen con ellas? Muchos han sido mencionados y, de hecho, Samuelson ha llegado a decir que son la mayoría, pero no falta en toda exposición sobre el tema la mención de los servicios de seguridad y defensa. John Ronald Reuel Tolkien, el autor del famoso libro *El señor de los anillos*, escribió un breve cuento llamado «Egidio, el granjero de Ham»,[4] donde cuenta la historia de este granjero que vivía en la región central de la isla de Bretaña.

---

[4] J. R. R. TOLKIEN, *Egidio, el granjero de Ham, Hoja de Niggle y El herrero de Wootton Mayor*, Barcelona, Minotauro, (1949) 2000.

Un día, el perro de Egidio le advierte que un gigante se está acercando a sus tierras, aplastando ovejas, echando abajo las cercas y destrozando las cosechas. Si bien Egidio no se distinguía por su valentía, tomó su trabuco y, acompañado de su perro Garm, salió a recorrer sus campos hasta que, de repente, se le apareció la cara del gigante. El susto de nuestro personaje es tal que, sin querer, aprieta el gatillo y el trabuco se dispara con una detonación ensordecedora. No sólo eso, sino que acierta a pegarle al gigante en la cara, lo que no ocasiona en éste otra molestia que la de una picadura, pero resulta suficiente para que regrese a sus pagos.

Por cierto que los aldeanos escucharon el horrible estruendo y el perro se encargó de contarles a todos acerca de la hazaña de Egidio, lo que no dejó de poner a éste orgulloso y contento. Finalmente, la historia llegó a oídos del rey, quien le envió una nota y una espada antigua de regalo.

Pero al poco tiempo se presenta un dragón llamado Crisófilax Dives, que había oído hablar al gigante acerca de la bondad de la región. Hacía tiempo que no llegaban dragones por allí, a tal punto que uno de los principales manjares del rey, cola de dragón, había sido reemplazado por una imitación que sus cocineros hacían con hojaldre. La presencia del dragón fue interpretada inicialmente como una buena noticia, ya que permitiría al rey saborear su manjar nuevamente.

Pero al día siguiente llegaron más noticias. Parecía que el dragón era excepcionalmente grande y feroz. Estaba haciendo grandes estragos.

«¿Y los caballeros del rey?», comenzó a preguntarse la gente.

Otros se habían hecho ya la misma pregunta. Mensajeros de las villas más afectadas por la presencia de Crisófilax llegaban cada día ante el rey y preguntaban repetidamente y en el tono más elevado que su atrevimiento les permitía: «¿Qué es de vuestros caballeros, señor?».

Pero los caballeros no hacían nada. Oficialmente, no sabían nada del dragón. Asíque el rey tuvo que hacerles llegar de forma oficial la noticia y pedirles que pasasen a la acción tan pronto como lo juzgasen pertinente. Se vio desagradablemente sorprendido cuando comprendió que nunca les venía bienyque cada día posponían su intervención.

Sin embargo, las excusas de los caballeros eran bien convincentes. En primer lugar, el cocinero real ya tenía preparada la cola de dragón para aquellas Navidades, pues era el tipo de persona que cree que las cosas han de hacerse con tiempo.

No sería elegante ofenderlo presentándose en el último minuto con una cola auténtica. Era un servidor muy valioso.

«¡Dejad en paz la cola! ¡Cortadle la cabeza y terminad de una vez con él!», gritaban los mensajeros de los pueblos más afectados.

Pero aquí estaba ya la Navidad, y por desgracia había un gran torneo programado para el día de San Juan: se había invitado a caballeros de numerosos reinos, que acudían para competir por un valioso trofeo. De ninguna forma podía pensarse en desperdiciar las oportunidades de los caballeros del Reino Medio al enviar a los mejores hombres a cazar un dragón antes de que el torneo hubiese terminado.

Luego estaba la fiesta de Año Nuevo.

Pero cada noche el dragón se desplazaba, y cada desplazamiento lo acercaba más y más a Ham. La noche de Año Nuevo la gente pudo ver llamaradas a lo lejos. El dragón se había instalado como a unas diez millas en un bosque que ahora ardía de placer. Era un dragón fogoso cuando le venía en gana.

Después de aquello la gente comenzó a volver su mirada al granjero Egidio y a cuchichear a sus espaldas, cosa que le hacía sentirse muy molesto; con todo, simulaba no enterarse. Al día siguiente el dragón se aproximó varias millas más. Y Egidio comenzó a criticar en voz alta el escándalo de los caballeros del rey.

«Me gustaría saber qué hacen para ganarse el pan», dijo.[5]

Nos encontramos aquí con una de las circunstancias descriptas por Samuelson: un servicio con las características de «no exclusión» y «no rivalidad», la defensa del condado de Ham. «No exclusión» porque si se dejara ese servicio al «mercado», quienes quisieran proveerlo no podrían excluir a quienes no pagan: eliminar al dragón beneficia a todos, paguen o no paguen. «No rivalidad» porque el consumo del servicio de «defensa» contra el dragón que hagan unos no reduce el que hagan otros. Ante estas circunstancias, la teoría de Samuelson diría que la provisión «espontánea», vía «mano invisible», de este servicio no sería posible porque todos estarían motivados a actuar como free-riders. Y, como vemos en el cuento, así sucede, ya que los caballeros se hacen los distraídos y encuentran una y mil excusas, e incluso Egidio mismo «simulaba no enterarse» y se preguntaba qué hacían los caballeros para ganarse el pan.

¿El fracaso del mercado?

Pero, repasemos de nuevo el caso. Samuelson diría que si existe la posibilidad de que aparezcan *free-riders*, se trata de un servicio que debería ser provisto por el

Estado. No obstante, ¿los caballeros del rey no eran exactamente eso, un servicio provisto por el Estado?

Pues, donde el mercado «fracasa», el Estado no parece tener mayor éxito. Incluso, la provisión espontánea de este servicio sí sucede en el caso de Ham. Veamos cómo continúa la historia:

Al día siguiente el dragón se dirigió hacia el vecino pueblo de Quercetum (Oakley en lengua vulgar). No sólo devoró ovejas, vacas y uno o dos niños de tierna edad, sino que se comió también al párroco. De forma harto imprudente el cura había intentado disuadirlo de seguir por los senderos del mal. Aquel

---

[5] *Op. cit.*, p. 38.

suceso produjo una tremenda conmoción. Todos los habitantes de Ham, con su propio párroco a la cabeza, subieron a la colina y se presentaron ante el granjero Egidio.

«Dependemos de ti», dijeron; y se quedaron a su alrededor mirándolo hasta que la cara del granjero se puso más roja que su barba.

«¿Cuándo vas a entrar en acción?»

«Bueno, hoy no puedo hacer nada. Y no se hable más», dijo. «Tengo un trabajo enorme, porque está enfermo mi vaquerizo y... Ya veré.»

Se marcharon. Pero al atardecer corrió el rumor de que el dragón se encontraba incluso más cerca, así que todos volvieron.

«Dependemos de ti, maese Egidio », dijeron.

«Ya, ya», les contestó. «En estos momentos me es prácticamente imposible. La yegua se ha mancado y las ovejas están ya en época de parir. Me ocuparé de ello en cuanto pueda.»

Así se fueron de nuevo, no sin ciertos murmullos y cuchicheos. El molinero hacía bromas a su costa.[6]

Egidio, como los otros, prefería ser free-rider del esfuerzo de algún otro. No obstante, finalmente enfrentó y derrotó al dragón. Según el cuento, entonces, parece posible evitar la conducta de *free-rider* y que el servicio de defensa sea provisto voluntaria y espontáneamente, algo que según la teoría de Samuelson sería imposible. Y lo que logra evitar ese problema es lo que en economía suele llamarse «presión de los pares», algo que en el cuento era más que evidente. Quiere esto decir que habría ciertos «arreglos» institucionales que solucionarían problemas

---

[6] *Op. cit.*, p. 41.

de free-riding, permitiendo la provisión voluntaria de servicios con características de «no exclusión» y «no rivalidad».

Pero, claro, un cuento no podría destronar una teoría si no fuera porque él mismo describe la realidad mejor que la teoría misma. No obstante, no fue este cuento el que hizo eso. Recordemos ahora que Samuelson puso como ejemplo de bien público un faro.

Pues otro premio Nobel de Economía, Ronald Coase, realizó una investigación en su Inglaterra natal y determinó que allí los faros habían sido privados por varios centenares de años. ¿Cómo había sido eso posible?

La historia muestra que, en contra de la creencia de muchos economistas, un servicio de faros puede ser provisto por empresas privadas. En aquellos días, los armadores y propietarios de barcos podían pedir a la Corona un permiso para permitir que un individuo construyera un faro y cobrara un peaje (especificado) a los barcos que se beneficiaban del mismo.[7] Se construyeron los faros, fueron operados, financiados y eran propiedad de individuos particulares, quienes podían venderlos o legarlos. Los peajes eran cobrados en los puertos por agentes de los faros. El problema de controlar esto no era diferente para ellos que para otros proveedores de bienes y servicios que abastecían al dueño del barco.

De alguna forma, no contemplada en la teoría, el problema había sido solucionado, y se trataba del mismo ejemplo que Samuelson había propuesto. La respuesta

---

[7] *Op. cit.*, p. 276.

que Coase encuentra es la de un «arreglo institucional». Por supuesto que los faros tienen las características de «no exclusión» y «no rivalidad», pero sus servicios se cobraban en los puertos, donde se ataba el pago de este servicio al de otro donde sí se puede excluir a quienes no pagan: la amarra en el puerto.

Y no es éste el único ejemplo; al pensar un poco nos encontramos con muchos otros que han sido resueltos. Tomemos por caso la televisión abierta. Se trata de un servicio prácticamente idéntico al de un faro, ya que una vez que ésta ha emitido su señal no puede discriminar entre los que pagan y los que no pagan; no se les puede decir a unos que vean el Canal 11 y a otros que no pueden hacerlo. Al mismo tiempo, que exista en la ciudad un receptor de televisión o que existan miles no reduce en absoluto la señal que cada uno de ellos recibe. Quiere esto decir que la televisión abierta presenta las dos características de los bienes públicos: «no exclusión» y «no rivalidad».

Pero resulta que la televisión es provista por el mercado en casi todo el mundo, ¿cómo es que lo hacen? ¿Cómo solucionan el problema del *free-rider* si no pueden cobrarles a los consumidores por el servicio que brindan? La respuesta es bien conocida por todos; la televisión abierta no se financia con las cuotas que pagan los consumidores, sino que ha desarrollado un «arreglo» distinto: se financia por medio de la publicidad. Quiere decir que el costo que pagamos por la televisión «gratuita» es el consumo de cierta cantidad de publicidad. Quienes producen este servicio se financian con la publicidad, que tiene claras características de «bien privado» ya que muy fácilmente se puede excluir al que no paga. De hecho, el que no paga no puede hacer publicidad en la televisión. Lo mismo sucede con la radio, que se financia de la misma forma.

Existen, entonces, en el mercado, dos incentivos que promueven la resolución de los problemas que presentan los bienes y servicios con características de bienes públicos. El primero es el incentivo a generar arreglos contractuales creativos que permitan atar el pago de un bien público (faro o televisión abierta) al pago de un bien privado (puerto o publicidad). El segundo es el incentivo a desarrollar tecnología que permita la provisión de un servicio como bien privado. Un buen ejemplo de esto es la tecnología de televisión por cable, que permite excluir a quienes no pagan y cuyo consumo es rival. Como sabemos, esta nueva tecnología de «bien privado» hace que la televisión por cable se financie directamente con las cuotas de los afiliados y, por lo tanto, no hay publicidad o la hay en menor medida.

En definitiva, los problemas de la «acción colectiva» son bien reales, pero las soluciones son mucho más complejas de lo que originalmente pensaron economistas como Samuelson. No es que dichos bienes no puedan ser provistos por medio de distintos arreglos contractuales y deban ser provistos por el Estado. Como hemos visto en muchos casos lo son.

Las soluciones a los problemas de acción colectiva, entonces, pueden llegar tanto desde el Estado como de los arreglos contractuales que el mercado desarrolla. No es indispensable, entonces, recurrir a la provisión estatal frente a la existencia de estos problemas, teniendo en cuenta, además, que el Estado se enfrenta con sus propios problemas para proveer bienes y servicios. Es decir, no es que el mercado «fracasa» y el Estado tiene «éxito». Ambas son soluciones con distinto grado de imperfección. Luego veremos que el «fracaso del Estado» es también extendido y omnipresente.

El criterio «objetivo» para determinar qué es lo que el Estado debe hacer, entonces, no ha podido ser provisto por la economía. Habrá que regresar a la tradicional «filosofía política» para dar respuesta a tal pregunta.

QUINCE

LA RAZÓN DE LAS NORMAS
Rabelais, Pangloss y Gargantúa

> *El objetivo de la ley no es abolir o restringir, sino*
> *preservar y aumentar la libertad. Porque en todos*
> *los estados de seres capaces de legislar, donde no hay*
> *ley no hay libertad. Porque libertad es estar libre*
> *de restricciones y violencia por parte de otros; lo*
> *que no puede suceder si no hay ley: y no es, como se*
> *nos dice, libertad para que cada uno haga lo que*
> *quiera. (¿Porque quién sería libre cuando el humor*
> *de cualquier otro pudiera abatirse sobre uno?) Es*
> *la libertad para disponer y ordenar de su persona,*
> *acciones, posesiones, y toda su propiedad, bajo la*
> *órbita de aquellas leyes a las que está sujeto, y por las*
> *que no se encuentra sujeto a la voluntad arbitraria de*
> *otros, y libre para perseguir la propia.*[1]
>
> JOHN LOCKE (1632-1704)

La vida en sociedad es posible porque todos seguimos ciertas normas. Estas normas pueden ser de dos tipos: morales o legales. Las primeras son aquellas pautas de conducta que nos indican la forma correcta de manejarnos con respecto a otras personas; las segundas no difieren de las primeras sino en el hecho de que se encuentran «codificadas» y que su incumplimiento acarrea algún tipo de sanción, que en el caso de las primeras es solamente una sanción «social».

Esas normas son de carácter abstracto y general y, a diferencia de un mandato o una orden, no presuponen una persona que las haya emitido, sino que son el resultado de un largo proceso de evolución de las costumbres.

---

[1] JOHN LOCKE, *Segundo tratado sobre el gobierno civil*, Barcelona, Altaya, 1969 (1690), p. 79.

Ambos tipos de normas nos permiten prever la forma en la que los demás se van a conducir; esto facilita mucho la convivencia y resulta de fundamental importancia para el funcionamiento de los mercados. En una sociedad sin normas, su economía sería anémica, ya que la producción alcanzaría los niveles mínimos e indispensables para la supervivencia inmediata. Nadie se animaría a ahorrar para producir bienes de capital si fuera posible que cualquiera se apropiara del resultado del trabajo propio cuando le viniera en gana. La gente trabajaría para el día de hoy y no acumularía nada.

Pero no todas las normas producen los mismos resultados. Cuando Gargantúa quiere retribuir al abad que lo ayudó en su gesta, éste le pide fundar una abadía que sea de su gusto. A diferencia de las abadías existentes según las normas de aquel entonces, en ella ingresarían tanto hombres como mujeres, con la condición de que fueran jóvenes y lindos; tendrían libertad para entrar y salir y no deberían hacer votos de castidad, obediencia y pobreza. Esta peculiar abadía estaría ubicada en el país de Téleme, hasta el río Loire. Veamos lo que nos cuenta Rabelais en el Capítulo LVII, «Cuál era la regla de los Telemitas, y la forma de vida que llevaban»:

Su vida entera se empleaba no según leyes, reglas o estatutos, sino según su voluntad y libre arbitrio. Dejaban el lecho cuando les parecía, bebían, comían, trabajaban y dormían cuando les venía en gana; nadie les despertaba ni les forzaba a beber, ni a comer, ni a hacer cosa alguna. Asílo estableció Gargantúa, de modo que toda su regla no consistía sino en esta cláusula:

HAZ LO QUE TÚ QUIERAS

pues las gentes libres, bien nacidas e instruidas, que en honesta compañía conviven, tienen por naturaleza un instinto y aguijón que siempre les impulsa a prescindir del vicio y a acometer los hechos virtuosos, y a esto le llaman honor. En cambio, cuando por vil fuerza y sujeción son constreñidos y obligados, desviando la noble cualidad por la que tenderían en derechura a la virtud, la emplean en deponer y destruir el yugo de tamaña servidumbre: que siempre intentamos las cosas prohibidas, deseando más precisamente aquello que se nos niega.

Al contrario, con aquella libertad, entraron en loable emulación de hacer todos a una lo que a uno complacía. Así, decía uno: «Bebamos», todos bebían; si decía «Juguemos» todos jugaban; si decía «Vamos a pasear al campo», todos se iban. Si era cosa de cazar o practicar la cetrería, las damas, montadas en sus bellas hacaneas con rico palafrén, llevaban en el puño lindamente enguantado un gavilán cada una, o un alcotán, o algún esmerejón. Y los hombres, llevaban otras aves mayores.

Tan noblemente estaban instruidos, que entre ellos no había quien no supiese leer, escribir, cantar, tocar armoniosos instrumentos, hablar cinco o seis lenguas, y componer en ellas, tanto en verso como en prosa llana. Nunca se vieron caballeros tan pundorosos, tan galantes, ni tan diestros, a pie como a caballo, ni tan versados, hábiles y expertos en el manejo de todo tipo de armas, como lo eran aquellos. Y jamás se habían visto damas tan aseadas, tan lindas, tan doctas, con la mano y la aguja, en todo libre y honesto mujeril ejercicio, y menos enfadosas, que las que allí había.

Por esas razones, llegada la ocasión en la que alguno quisiera salir fuera de aquella abadía, por ir en busca de sus padres o por alguna otra causa, siempre llevaba consigo, de entre las damas a aquella que lo hubiera tomado por galán; y, casando con ella, si bien habían vivido, con amistad y concordia, en el Téleme, aún mejor continuaban haciéndolo durante el matrimonio; y tan recíprocamente se amaban hasta el fin de sus días, como lo habían hecho en el que fue el de sus bodas.[2]

En el mundo que Rabelais describe si bien no se empleaban «leyes, reglas o estatutos», los participantes debían seguir una regla moral que permitiera la convivencia pacífica y que limitara aquella norma de «haz lo que tú quieras», pues esa norma podía sostenerse solamente si ese «haz lo que tú quieras» no incluía ejercer la fuerza contra alguno de los otros miembros de la abadía. Probablemente en el «paraíso», o en Téleme, no hacen falta normas y todo funciona virtuosa y armónicamente.

La realidad nos muestra que esto sólo es posible en comunidades de ángeles y, además, en comunidades pequeñas. Cuando las sociedades crecen en tamaño, las relaciones personales se mantienen con números relativamente pequeños de personas. Esto restringe, sin embargo, las posibilidades que brinda la división del trabajo, ya que éstas se amplían a medida que aumenta el número de personas con las que se pueden realizar intercambios y aprovechar así sus talentos. Esas relaciones, entonces, tienden a ser «impersonales», en el sentido de que no hace falta conocer personalmente a la otra parte para realizar la transacción. No conozco personalmente al propietario del quiosco donde realizo alguna compra eventual, mucho menos conozco al dueño del supermercado, pero esto no es un requisito indispensable para acudir a esos comercios.

---

[2] RABELAIS, *Gargantúa*, Madrid, Akal, (1535) 1986, p. 279.

Las relaciones «impersonales» demandan la existencia de reglas que posibiliten esa coordinación, pues permiten predecir el comportamiento de los demás. Tomemos por caso las reglas de tránsito: imaginemos un mundo donde no existiera ninguna norma para la conducción de vehículos. En tal circunstancia, viajar por una ruta sería algo realmente complicado porque ante cada vehículo que se nos acerca deberíamos intentar dilucidar cuál va a ser su comportamiento: ¿querrá pasarme por la derecha o por la izquierda? El tránsito sería así muy lento. La existencia de una norma que todos cumplen, tal como la de transitar por el lado derecho de un camino, nos permite esperar que el vehículo que se aproxima se adelantará por mi izquierda, y ésa es la razón por la cual no reduzco la velocidad ni me detengo ante cada automóvil que se acerca. Precisamente los accidentes suceden cuando esa norma, por alguna circunstancia, no se cumple.

Observemos que, en el caso de las disposiciones de tránsito, por ejemplo, lo que se necesita es «una» norma. Lo fundamental es coordinar el tránsito, y da igual que vayan todos por la izquierda o todos por la derecha. En Alemania la norma de conducir por la derecha permite un tránsito eficiente; en Inglaterra, la de conducir por la izquierda.

Como este particular ejemplo nos muestra, la elección de una norma u otra no es producto de una decisión específica tomada por alguien, sino el fruto de largos procesos evolutivos por medio de los cuales surgen primero las costumbres y luego éstas devienen en normas de conducta social o legal.

Pero, ¿las normas así obtenidas pueden ser consideradas las «mejores»? Éste es el interrogante que plantea el profesor Pangloss en *Cándido*[3] de Voltaire. Pangloss enseñaba la «metafísico-teólogo-cosmólogo-nigología», una ciencia fantástica, a la vez que una investigación sobre los orígenes del universo y los principios fundacionales del conocimiento; un estudio de las cuestiones teológicas y del cosmos.

Se ha demostrado, decía, que las cosas no pueden ser de otra manera: porque siendo todo para un fin, todo es necesariamente para el mejor fin. Fíjese bien que las narices han sido hechas para llevar los anteojos; y por ello es que tenemos anteojos. Las calzas han sido notoriamente instituidas para ser calzadas. Las piedras han sido creadas para ser talladas y para hacer castillos: así el señor tiene un castillo tan bello: el más grande barón de la provincia debe tener la mejor vivienda; y los puercos habiendo sido creados para ser comidos, comemos cerdo todo el año. Por consiguiente, aquellos que han dicho que todo está bien han dicho una tontera: debería decirse que todo está óptimo.

En el ámbito del análisis de las normas, la posición de Pangloss nos llevaría a afirmar que siendo las normas actuales las que son, han de ser sin duda las mejores. Esto haría que no nos planteáramos la necesidad de cambiarlas, con lo cual todo tipo de discusión sobre normas sería inútil. Los críticos de esta posición dicen que nada asegura que la evolución dé como resultado las normas

---

[3] *Voltaire, Cándido y otros cuentos*, Bs. As., Hispamérica, 1982, p. 47.

más eficientes, que el mero hecho de su supervivencia no indica que sean las mejores normas y que, por lo tanto, no puedan ser mejoradas después de un análisis serio y profundo.

Pero quienes destacan el carácter evolutivo de las normas difícilmente adoptan la posición de Pangloss para justificar el statu quo. Señalan primero las limitaciones de la «razón» para diseñar lo que supuestamente son las mejores normas y destacan que las normas van evolucionando en una competencia donde terminan siendo adoptadas las mejores, es decir, aquellas que permiten obtener mejores resultados. No es que nada pueda hacerse porque todo es resultado de la evolución espontánea, sino que en la sociedad hay al mismo tiempo distintas normas que son diseñadas y aplicadas, las que van desde nuevos tipos de contratos hasta nueva legislación. Estas normas compiten entre sí en un proceso de selección que se realiza por aprendizaje: los grupos que, incluso por casualidad, dan con las normas correctas, progresan; mientras que los que siguen las peores normas declinan. Con el tiempo unos van aprendiendo de otros o, si se niegan a ello, los grupos exitosos tienden a crecer y los otros quedan estancados o fracasan.

Por otra parte, existe un fenómeno que refuerza la «eficiencia» de las normas adoptadas y es, precisamente, el hecho de que son aceptadas generalmente. En economía se llama a esto «dependencia del camino»: cuando una norma es adoptada y aceptada por un creciente número de personas, cambiarla luego resulta costoso y difícil, aunque una nueva norma prometa ser mejor que la anterior. De la misma forma, cuando en un terreno comienza a abrirse un camino, quienes luego llegan a él prefieren seguir por el camino abierto, y con eso lo refuerzan.

Varios casos pueden citarse como ejemplo. Entre los más conocidos se encuentra el del formato de los videocasetes: cuando este nuevo producto apareció en el mercado podía encontrárselo en dos formatos diferentes, VHS y Beta. Muchos expertos sostienen que el formato Beta era de calidad superior e incluso era promovido por una poderosa empresa (Sony), pero ¿qué significa calidad en este contexto? No es solamente la calidad «técnica» del producto, sino también la disponibilidad de películas, por ejemplo. Y, en este sentido, el formato VHS fue mostrándose superior, a tal punto que ahora todos lo utilizan.

Existen muchos fabricantes de videocaseteras y de videocasetes pero todos usan ese estándar, no porque alguna autoridad lo haya impuesto, sino porque «evolucionó» hasta convertirse en el predominante. Lo mismo suele ser señalado, por ejemplo, con el formato llamado QWERTY de los teclados de máquinas de escribir y, ahora, de las computadoras. Algunos afirman que no es el mejor, pero es el que ha sido adoptado por todos, y eso «lo hace el mejor».

La «dependencia del camino» se muestra en estos casos en lo difícil y costoso que resultaría cambiar luego de formato: sería necesario cambiar todas las videocaseteras y las películas ya no podrían verse en nuevos equipos. Lo mismo sucedería con los teclados.

Pero este ejemplo nos muestra, también, que esto no es tan difícil cuando el nuevo estándar presenta una tecnología muy superior. De hecho, de a poco vamos cambiando al formato de DVD para ver las películas, pese a que muchas personas tienen videocasetera con formato en VHS. En el campo de la reproducción de música esto ha ocurrido varias veces: desde los viejos discos de vinilo, los magazines, los audiocasetes, hasta los actuales discos compactos.

Estas nuevas «normas» solamente pueden imponerse si ofrecen a los usuarios algún atractivo especial que justifique el cambio. En este sentido, un ejemplo claro de normas y estándares evolutivos en la actualidad es Internet y las comunicaciones vía correo electrónico.

Quienes destacan el carácter evolutivo de las normas lo hacen también para alertar acerca del peligro que proviene de creer que alguna mente brillante puede diseñar el mejor conjunto de normas que luego todos deberían aceptar. Esto abre la puerta a toda suerte de experimentos de ingeniería social que terminan, la mayoría de las veces, destruyendo las más básicas libertades.

Los emprendedores de las «normas» —entre los que se encuentran los políticos, por supuesto, pero no solamente ellos— se mueven en un «mercado» acotado por las preferencias e ideas predominantes en un momento determinado. En un sistema democrático, inevitablemente han de dirigir sus propuestas a las mayorías y han de tratar, al menos, de encuadrar sus propuestas dentro de esas preferencias.

Por lo general, las preferencias de una población se reparten predominantemente en el centro. El político que quiera tener éxito presentará las propuestas que puedan atraer a las mayorías que se encuentran en el centro. Pero este centro puede cambiar, puede acercarse tanto a un extremo como a otro, aunque pocas veces eso sucede de forma brusca y en poco tiempo.

Tal cambio se debe a «emprendedores» de ideas, quienes desarrollan nuevos conceptos que gradualmente van filtrándose entre la población hasta convertirse en posesión de la mayoría. En las sociedades modernas, esto se presenta generalmente como una división de tareas entre quienes buscan presentar ideas relacionadas con temas puntuales y aquellos que discuten ideas en términos más generales, más abstractos, que, como tales, no suelen ser así absorbidos por las mayorías. Estas pequeñas elites discuten, «filosofan», y al hacerlo van difundiendo algunas ideas que luego llegarán a ser aceptadas por las mayorías, en un proceso comparable a las ondas concéntricas que se forman en la superficie del agua cuando se deja caer una gota.

En cada anillo del proceso, hay distintos tipos de emprendedores, por medio de los cuales una nueva idea generada en el centro se extiende hacia los anillos exteriores, que incluyen cada vez grupos más grandes de individuos. Filósofos, escritores, historiadores, publicistas, periodistas, profesores, dirigentes de todo tipo: todos ellos ocupan distintos lugares en esos anillos, reciben influencias de otros y las transmiten hacia grupos cada vez más grandes.

La economía es un claro ejemplo de este fenómeno. En el centro, seguramente podríamos incluir nombres tales como Adam Smith, Karl Marx, John Maynard Keynes, Milton Friedman, F. A. Von Hayek, entre otros. Ellos han provisto de nuevas ideas a los Cobden, Lenin y otros que luego han influido en la gente y permitido que los

Peel, Mao, Roosevelt o Thatcher llevaran adelante sus políticas, para bien o para mal.

El mismo Keynes lo dijo claramente:

> Las ideas de los economistas y los filósofos políticos, tanto cuando son correctas como cuando están equivocadas, son más poderosas de lo que comúnmente se cree. En realidad el mundo está gobernado por poco más que esto. Los hombres prácticos, que se creen exentos por completo de cualquier influencia intelectual, son generalmente esclavos de algún economista difunto. Los maniáticos de la autoridad, que oyen voces en el aire, destilan su frenesí inspirados en algún mal escritor académico de algunos años atrás. Estoy seguro de que el poder de los intereses creados se exagera mucho comparado con la intrusión gradual de las ideas. No, por cierto, en forma inmediata, sino después de un intervalo; porque en el campo de la filosofía económica y política no hay muchos que estén influidos por las nuevas teorías cuando pasan de los veinticinco o treinta años de edad, de manera que las ideas que los funcionarios públicos y políticos, y aun los agitadores, aplican a los acontecimientos actuales, no serán probablemente las más novedosas. Pero, tarde o temprano, son las ideas y no los intereses creados las que presentan peligros, tanto para mal como para bien.[4]

---

[4] JOHN MAYNARD KEYNES, *Teoría general de la ocupación, el interés y el dinero*, México, Fondo de Cultura Económica, (1936) 1943, p. 337.

DIECISÉIS

EL ANÁLISIS ECONÓMICO DE LA POLÍTICA

Cervantes y Sancho Panza

*[...] asumiremos que el individuo promedio, o
representativo, actúa sobre la base de la misma escala
de valores cuando participa de actividades de mercado
o en actividades políticas.*[1]

JAMES M. BUCHANAN (1919)
y GORDON TULLOCK (1922)

Este capítulo ha sido escrito con el espíritu de aquella famosa frase de Winston Churchill: «Muchas formas de gobierno han sido ensayadas, y lo serán en este mundo de vicios e infortunios. Nadie pretende que la democracia sea perfecta u omnisciente. En verdad, se ha dicho que es la peor forma de gobierno excepto por todas las otras que han sido ensayadas de tiempo en tiempo».

Churchill nos dice que no hemos ensayado un sistema mejor, por el momento, pero que éste no puede ser considerado perfecto. Por ello, cuando se ponen demasiadas expectativas en él, pueden luego frustrarse, ya que la democracia no garantiza resultado alguno en particular (mejor salud, educación o nivel de vida), sino que se trata, simplemente, de un mecanismo pacífico para ejercer y cambiar de gobierno, mediante la opinión mayoritaria de los votantes.

Por mucho tiempo, buena parte de los economistas se concentraron en comprender y analizar el funcionamiento de los mercados y olvidaron analizar el papel que cum-

---

[1] JAMES BUCHANAN y GORDON TULLOCK, *El cálculo del consenso*, Madrid, Espasa-Calpe (1962), 1980, p. 45.

plen los marcos institucionales y jurídicos, los gobiernos. Analizaban los mercados asumiendo que funcionaban bajo un «gobernante benevolente», definiendo como tal a quien persigue el «bien común» sin consideración por el beneficio propio. Coincidían en esto con buena parte de las ciencias políticas y jurídicas.

Por cierto, hubo claras excepciones a este olvido, sobre todo por parte de los economistas «clásicos» y después de los «austríacos» (Menger, Mises, Hayek y otros) y afines (Frank Knight, Joseph Schumpeter). Inspirados en ellos, autores como Anthony Downs[2] o los antes citados James Buchanan y Gordon Tullock iniciaron lo que se ha dado en llamar «el análisis económico de la política» en el contexto de gobiernos democráticos, lo que ha dado origen a una abundante literatura.

Al hacerlo, su intención era aplicar las herramientas del análisis económico a la política y el funcionamiento del Estado, pues entendían que la teoría política predominante no lograba explicar la realidad en grado satisfactorio. Uno de los primeros pasos fue cuestionar el supuesto del «gobernante benevolente» que persigue el bien común; porque, ¿cómo explicaba esto los numerosos casos en que los gobiernos implementan medidas que favorecen a unos pocos? O más aún, ¿cómo explicar entonces cuando los gobernantes aplican políticas que los favorecen a ellos mismos en detrimento de los votantes/contribuyentes?

---

[2] ANTHONY DOWNS, *An Economic Theory of Democracy*, Nueva York, Harper Collins Publishers, 1957.

Decidieron, entonces, considerar que, si en el mercado el individuo persigue su propio interés, no el de otros, en la política sucede lo mismo. En el mercado, esa famosa «mano invisible» de Adam Smith lleva a que la conducta de los individuos termine beneficiando a todos. En el Estado —en particular en el Estado democrático, porque se supone que gobiernos tiránicos o autoritarios desde ya que no dan prioridad a los intereses de sus gobernados—, ¿sucede lo mismo?

En el segundo tomo de El ingenioso hidalgo Don Quijote de la Mancha, Sancho Panza tiene la oportunidad de ser nombrado gobernador de una «ínsula», aunque su nombramiento no es «democrático». ¿Tiene Sancho como objetivo el «bien común»? Veamos lo que dice en una carta a Teresa Panza, su mujer:

Si buenos azotes me daban, buen caballero me iba; si buen gobierno me tengo, buenos azotes me cuesta. Esto no lo entenderás
tú, Teresa mía, por ahora; otra vez lo sabrás. Has de saber, Teresa,
que tengo determinado que andes en coche, que es lo que hace
al caso, porque todo otro andar es andar a gatas. Mujer de un
gobernador eres; ¡mira si te roerá nadie los zancajos! Ahíte envío
un vestido verde de cazador, que me dio mi señora la duquesa;
acomódale en modo que sirva de saya y cuerpos a nuestra hija.
Don Quijote, mi amo, según he oído decir en esta tierra, es un
loco cuerdo y un mentecato gracioso, y que yo no le voyen zaga,
liemos estado en la cueva de Montesinos, y el sabio Merlín ha
echado mano de mí para el desencanto de Dulcinea del Toboso,
que por allá se llama Aldonza Lorenzo; con tres mil y trescientos
azotes, menos cinco, que me he de dar, quedará desencantada,
como la madre que la parió. No dirás desto nada a nadie, porque

pon lo tuyo en concejo, y unos dirán que es blanco y otros que es negro.

De aquí a pocos días me partiré al gobierno, adonde voy con grandísimo deseo de hacer dineros, porque me han dicho que todos los gobernadores nuevos van con este mesmo deseo; tomaréle el pulso y avisaréte si has de venir a estar conmigo, o no. El rucio está bueno, y se te encomienda mucho, y no lo pienso dejar, aunque me llevaran a ser Gran Turco. La duquesa mi señora te besa mil veces las manos; vuélvele el retorno con dos mil, que no hay cosa que menos cueste ni valga más barata, según dice mi amo, que los buenos comedimientos. No ha sido Dios servido de depararme otra maleta con otros cien escudos, como la de marras; pero no te dé pena. Teresa mía, que en salvo está el que repica, y todo saldrá en la colada del gobierno; sino que me ha dado gran pena que me dicen que si una vez la pruebo, que me tengo de comer las manos tras él, y si así fuese, no me costaría muy barato, aunque los estropeados y mancos ya se tienen su canonjía en la limosna que piden; así que, por una vía o por otra, tú has de ser rica y de buena ventura. Dios te la dé, como puede; y a mí me guarde para servirte. Deste castillo, a veinte de julio 1614.

Tu marido el gobernador,

SANCHO PANZA [3]

Pues resulta que Sancho va «con grandísimo deseo de hacer dineros», algo que resulta difícil de compatibilizar con nada que se parezca al «bien común». Pero podría argumentarse que esto sucede porque el suyo no es un

---

[3] MIGUEL DE CERVANTES SAAVEDRA, *Don Quijote de la Mancha*, tomo II, Buenos Aires, Losada, [1605] 1997, p. 265.

gobierno democrático, y que si lo fuera reflejaría la voluntad, al menos, de la mayoría.

Sin embargo, estas cosas suceden incluso en las democracias, por lo que no podemos afirmar que exista un alineamiento claro entre los intereses que persigue el gobernante y el interés de los votantes.

También existen problemas para determinar cuáles son las preferencias de la gran mayoría, por las siguientes razones:

1. *Apatía racional*: el voto que emite un votante no decide, por sí solo, ninguna elección, ya que son miles y millones de votantes los que participan. En consecuencia, el individuo no tiene una motivación suficiente para estar informado y tiende racionalmente a no buscar la información necesaria para realizar un voto consciente, teniendo en cuenta que esto requiere un esfuerzo en tiempo (mirar programas de información política, leer declaraciones de candidatos) y dinero (comprar diarios y revistas, leer libros y demás) que no se condice con el pequeño grado de influencia que su voto puede tener en el resultado.

Esta tendencia a ser «racionalmente ignorante» tiene algunas implicancias para el funcionamiento de la democracia. Por un lado, explicaría por qué los políticos buscan apelar a las emociones, las frases simples y fáciles, en lugar de presentar sólidas y complejas plataformas programáticas o argumentos elaborados. Por otro, llevaría a un voto «desinformado» por el cual una mayoría podría estar votando a un candidato que, en definitiva, podría resultar perjudicial para ellos mismos o para alguna minoría específica.

Este fenómeno se potencia en aquellos países donde rige la obligación de votar, ya que se fuerza a hacerlo a personas que no están interesadas en informarse sobre las consecuencias de su voto. (Quede claro que no estamos hablando aquí de distintos niveles de cultura o educación, sino de «motivación».) Esto hace que una decisión en estas condiciones no sea una decisión de «calidad».

En el mercado, en cambio, los costos de una mala decisión recaen exclusivamente sobre quien la toma: si estoy recorriendo un supermercado y tengo distintos vinos para elegir y tomo uno al azar sin importarme mucho su calidad o prestigio y luego no estoy conforme con su calidad soy responsable de ello. Pero no he producido un perjuicio a nadie más que a mí mismo; mi voto desinformado, en cambio, puede perjudicar a otros.

2. *Frecuencia*: la frecuencia con la que se comprueban las preferencias de los votantes es baja, cada dos años o cada cuatro años generalmente. Esto permite que el representante electo tenga tiempo suficiente como para «alejarse» de los intereses de sus representados y perseguir intereses propios, hasta que se acerque la próxima fecha cuando éstos habrán de expresarse.

De allí, el sentimiento de frustración o el «voto castigo» que aparece en muchos votantes que creen haber votado ciertas «promesas» que luego no son cumplidas. La «democracia directa», aunque no exenta de sus propios problemas, busca resolver eso mediante la participación asidua de la población en las decisiones políticas.

En el mercado, por otra parte, las preferencias de los consumidores se expresan en forma continua, diariamente. El consumidor compra o se abstiene de comprar, y esta información llega en poco tiempo al productor. Se han desarrollado complejos sistemas de información para que un gerente de *marketing* sepa rápidamente si los consumidores están comprando su producto en el supermercado o están comprando otros, lo que motiva rápidamente la reacción para modificar tal circunstancia.

3. *Paquetes*: las decisiones políticas implican inevitablemente elegir entre paquetes de atributos que no pueden separarse. Tomemos el caso de una elección presidencial: uno no puede decir que le gusta la política económica del candidato A, la personalidad del candidato B y la política social del candidato C. No puede separar esas circunstancias; está forzado a elegir un paquete entero.

Es como si uno fuera al supermercado y le dijeran que puede llevar el carro A, el B o el C, todos ellos ya llenos de distintos productos. Uno argumentaría que prefiere el jamón de A, el pan de B y la mayonesa de C, pero hacer tal cosa no sería posible; tendría que elegir el carro completo.

Incluso podría suceder que uno se decidiera por el carro A y cuando llegara a la caja le dijeran que lamentablemente ahora tendrá que llevar el C, porque eso es lo que ha decidido la mayoría.

Las decisiones políticas, por el carácter inevitablemente monopólico del Estado, demandan que sólo obtengan lo deseado aquellos que «ganan» una elección, mientras que los que pierden se quedan sin nada, con la sola posibilidad de controlar. En el mercado, en cambio, subsisten las marcas A, B o C, y cada consumidor lleva la que prefiere.

4. *Intensidad*: un voto no puede medir la intensidad de la preferencia. Supongamos que tenemos dos votantes: uno de ellos es un apasionado partidario del candidato A; el otro es un votante «racionalmente apático» a quien le da lo mismo votar a cualquier candidato, pero que finalmente se decide por A.

Por cierto que el primer votante tiene una preferencia mucho más intensa que el segundo, pero cuando llega el momento del escrutinio esa información se pierde, un voto es igual a otro voto, no podemos saber si el 51 por ciento obtenido corresponde a votantes «intensos» o «apáticos». Por esa razón, los resultados de las elecciones no suelen ser tan claros como los números muestran y dan origen a un sinnúmero de interpretaciones.

En el mercado, quien tenga una preferencia más intensa por un cierto bien o servicio puede expresarla ofreciendo un precio más alto por él. No es éste un mecanismo disponible en la política, pues demandaría abandonar el principio de un votante = un voto.

5. *Preferencia por el corto plazo*: la necesaria renovación de mandatos, una de las esencias de la democracia para evitar el control absoluto del poder, trae con ella una consecuencia no deseada: fija el interés del representante electo en el corto plazo. O al menos en un plazo tan corto como lo indique el fin de su mandato, pues más allá de él las consecuencias de sus actos caerán sobre otro representante electo.

Esto lleva a que se prefiera obtener los beneficios hoy y postergar los costos para el futuro, ya que los primeros los aprovecha el representante, mientras que los otros se trasladan a quien lo suceda.

Un ejemplo claro de esto es la preferencia para financiar un determinado gasto público con endeudamiento en lugar de recaudación de impuestos. El endeudamiento permite gastar hoy y que paguen otros —personas que incluso ni siquiera votan hoy—, en cambio, recaudar impuestos requiere enfrentar a los votantes y pedirles su dinero, algo que éstos no aceptan fácilmente.

6. *Orden de elección*: por último, la forma en la que se expresen esas preferencias resulta de fundamental importancia para el resultado que se obtenga. Esto se muestra claramente en las disputas que se generan ante cambios en los mecanismos electorales, ya que los interesados parecen comprender que no da lo mismo cualquier sistema electoral. Aun siendo iguales las preferencias dadas en un determinado momento, mediante un sistema electoral se obtendría cierto resultado, mientras que otro sistema daría un resultado diferente. ¿No resulta esto paradójico o preocupante? Pretendemos que la gente al votar permita conocer las preferencias de la mayoría y de las minorías, pero en parte depende de la forma en que esas preferencias se obtengan. Veamos un ejemplo conceptual:

Supongamos una sociedad de tres votantes (A, B, C) que tienen los siguientes órdenes de preferencias para los bienes o servicios gubernamentales o candidatos (X, Y, Z).

Como puede observarse, el orden de las preferencias es completamente distinto para cada uno de ellos, de forma tal que si llamáramos a los tres a votar elegirían su primera preferencia (A elegiría X, B elegiría Z, C elegiría Y). Lo mismo sucedería si los llamáramos a expresar sus segundas preferencias; nos encontraríamos ante la imposibilidad de llegar a una decisión mayoritaria. ¿Cuáles son las preferencias de la mayoría?

Votantes	Preferencias
A	X Y Z
B	Z X Y
C	Y Z X

Supongamos, entonces, que A, B y C se ponen de acuerdo en considerar a los candidatos de a dos en vez. Pues en este caso veremos que el «orden» en que eso se decida «determina» el resultado.

Comparemos primero X y Z: A elige X y B elige Z, pero C (quien ahora no puede elegir Y) tiene como segunda preferencia a Z, por lo que gana Z.

Comparemos ahora Z e Y: B elige Z y C elige Y, pero A tiene como segunda preferencia a Y, por lo que gana Y.

Finalmente, comparemos X e Y: A elige X y C elige Y, pero B tiene como segunda preferencia a X, por lo que gana X.

Como vemos, el resultado depende del orden en que se tomen las decisiones. Si bien se trata de un ejemplo muy particular, dada la distribución de preferencias que presenta un perfecto empate, muestra la influencia de la forma de la elección en el resultado obtenido y, como ya se dijo, explica la importancia que se le da a toda discusión o propuesta de reforma de los sistemas electorales. Y, en definitiva, nos muestra que una votación no es una forma perfecta de expresar las preferencias de la gente.

El lobby

Las dificultades que acabamos de enumerar hacen posible que un gobernante pueda alejarse de la búsqueda del «bien común» y logre atender el propio; ésa es la intención de Sancho o la de grupos minoritarios que no podrían obtener la aprobación de la mayoría.

De otra forma, resultaría difícil explicar cómo en una democracia donde gobierna la mayoría pueden aprobarse políticas que benefician a un determinado grupo y cuyo costo recae en los demás. Por ejemplo: los agricultores en Europa no son más del 5 por ciento de la población total. ¿Qué explica entonces que esos gobiernos democráticos aprueben presupuestos comunitarios con muy elevadas sumas de subsidios a los productos agrícolas cuyo costo recae en el 95 por ciento restante?

Podría pensarse que ese 95 por ciento quiere, en forma altruista, subsidiarlos porque estima la tradición, por afecto al pasado u otro tipo de circunstancias. Pero parece más probable la explicación que presenta el «análisis económico de la política». Según éste, los beneficios están concentrados en unos pocos, mientras que los costos se reparten entre un gran número de gente.

Sigamos con el mismo ejemplo: supongamos un subsidio para los agricultores europeos de 2500 millones de euros anuales. Con una población cercana a 260 millones de personas, esto significa un costo para cada habitante europeo de 10 euros por año (los 247 millones que no son agricultores). Pero dijimos que los agricultores son el cinco por ciento de la población, 13 millones, y para ellos el monto del subsidio (si se repartiera igual para todos) significa 200 euros para cada uno. Para unos, el costo de un euro es pequeño; para otros comienza a resultar importante; para una familia de consumidores tipo el costo es de 40 euros al año; para una familia de agricultores el subsidio es de 800 euros al año.

El consumidor puede incluso conocer ese costo que recae sobre sí, pero considera que el monto es pequeño como para dedicarle recursos, tiempo y esfuerzo con el fin de lograr abolirlo, ya que el costo de dicha movilización ha de ser seguramente mayor; imaginemos que tuviera que dedicar tiempo a participar en marchas y protestas, peticiones a los representantes, organización de los perjudicados, búsqueda de fondos para sus actividades...

Pero el beneficio para el agricultor, en cambio, es importante, por lo que éste está dispuesto a dedicar recursos, tiempo y esfuerzo para obtenerlo y para mantenerlo. Los agricultores encuentran productivo dedicar recursos para hacer *lobby* con los representantes políticos y obtener este «privilegio»; al mismo tiempo, éstos accederán a ello en tanto y en cuanto les sirva para ganar el apoyo de este grupo minoritario sin poner en riesgo el de la mayoría.

No obstante, sucede que como los agricultores han obtenido lo suyo, otros grupos minoritarios buscan tratamientos similares. Muchas veces, se hace posible lograr la aprobación de medidas de esta naturaleza gracias a un proceso que ha recibido el nombre de *logrolling*. Este proceso posibilita construir mayorías legislativas a partir de la suma de distintos intereses minoritarios. Así, por ejemplo, proyectos que nunca serían aprobados por la mayoría si se presentaran solos pueden resultar aprobados a cambio del voto positivo para otros proyectos similares: los representantes que promueven el subsidio a los agricultores se comprometen a votar favorablemente un subsidio a los pescadores si éstos apoyan el proyecto de los primeros, y ambos están dispuestos a apoyar un subsidio a los tabacaleros si estos hacen lo mismo.

Esto lleva al crecimiento de este tipo de programas, los que resultan en legislaciones, no ya de tipo general, sino de carácter especial para grupos determinados, con lo que van avanzando distintos mecanismos de distribución de ingresos en tal magnitud que terminan obteniéndose dos efectos:

1. Uno ha sido llamado «esclerosis», pues las transferencias de unos grupos a otros vienen acompañadas de crecientes regulaciones sobre las actividades productivas, que terminan ahogando el crecimiento económico hasta el punto en que, incluso, se desata una crisis general. Por otra parte, cuando todos reciben una transferencia de algún tipo, también están pagando las transferencias a otros, con lo que no resulta claro si realmente conviene tenerlas.

2. El otro es el llamado efecto «Hood Robin», una situación en la cual las políticas mencionadas comienzan siendo aplicadas para transferir recursos de los más ricos a los más pobres, pero el resultado final es una maraña de transferencias cuyo resultado neto bien puede ser el inverso: transferencia de pobres a ricos.

El daño más grave que estas políticas traen como consecuencia es, sin embargo, cambiar el foco de atención desde el esfuerzo propio para superar situaciones de necesidad, al uso del aparato político y gubernamental para obtener por su intermedio lo que no puede obtenerse ofreciendo algo útil en el mercado. Supongamos que una gran compañía automotriz o determinado sindicato buscara un determinado subsidio. Puede resultar más fácil convencer a algunos representantes para que lo implementen por ley con recursos provenientes de los impuestos que todos pagan, que convencer directamente a los consumidores acerca de las bondades de determinado vehículo o de los servicios de salud de determinado sindicato.

A decir verdad, la enseñanza que presenta el «análisis económico de la política» no es diferente de la de los filósofos que construyeron las bases conceptuales de los sistemas republicanos actuales: a pesar de que los mecanismos para establecer cuáles son las preferencias de los individuos a través de la política son imperfectos, de que no se han encontrado mejores y de que pueden ser «capturados« por intereses parciales, resulta conveniente establecer límites al poder ya que, como decía lord Acton: «El poder corrompe y el poder absoluto, corrompe absolutamente».

Y hablando de corrupción, Sancho Panza, más por tonto que por bueno, y aunque su intención fuera enriquecerse en el gobierno, termina comprendiendo que ésa no es una ocupación para él (sobre todo después de que el médico oficial lo somete a una rigurosa dieta):

Abrid camino, señores míos, y dejadme volver a mi antigua libertad; dejadme que vaya a buscar la vida pasada, para que me resucite de esta muerte presente. Yo no nací para ser gobernador, ni para defender ínsulas ni ciudades de los enemigos que quisieren acometerlas. Mejor se me entiende a mí de arar y cavar, podar y ensarmenar las viñas, que de dar leyes ni defender provincias ni reinos. Bien se está San Pedro en Roma: quiero decir, que bien se está cada uno usando el oficio para el que fue nacido. Mejor me está a mí una hoz en la mano que un cetro de gobernador; más quiero hartarme de gazpachos que estar sujeto a la miseria de un médico impertinente que me mate de hambre, y más quiero recostarme a la sombra de una encina en el verano y arroparme con un zamarro de dos pelos en el invierno, en mi libertad, que acostarme con la sujeción del gobierno entre sábanas de holanda y vestirme de martas cebollinas. Vuestras mercedes se queden con Dios, y digan al duque mi señor que, desnudo nací, desnudo me hallo; ni pierdo ni gano; quiero decir, que sin blanca entré en este gobierno, y sin ella salgo, bien al revés de cómo suelen salir los gobernadores de otras ínsulas. Y apártense: déjenme ir, que me voy a bizmar; que creo que tengo bruma- das todas las costillas, merced a los enemigos que esta noche se han paseado sobre mí.[4]

---

[4] *Op. cit.*, p. 375.

DIECISIETE
LA INFLACIÓN
Heidi y
Hans Christian Andersen

Cuando un alcohólico empieza a beber, los efectos buenos vienen primero, sólo los malos se presentan al día siguiente cuando se levanta con resaca, y a menudo no puede evitar mitigarla más que sintiendo la imperiosa necesidad de volver a beber. El paralelismo con la inflación es exacto. Cuando un país inicia un período de aumento de los precios, los efectos iniciales parecen buenos. La cantidad más alta de dinero permite que cualquiera tenga acceso a él—en la actualidad principalmente el Estado— para gastar más sin que ninguna persona tenga que reducir sus gastos. Hay más puestos de trabajo, la actividad económica se anima y—al principio— prácticamente todo el mundo es feliz. Todo lo anterior constituye los buenos efectos. Pero entonces el mayor gasto empieza a aumentar los precios; los trabajadores se dan cuenta de que el salario que perciben, aunque monetariamente más elevado, les permite adquirir menos bienes; los empresarios ven que sus costos han aumentado, de modo que las ventas adicionales realizadas no proporcionarán un beneficio tan alto como el que habían anticipado, a menos que aumenten los precios aún más. Empiezan a emerger las malas consecuencias: precios más elevados, la demanda está más apagada, la inflación se combina con el estancamiento. Como en el caso del alcohólico, el Estado sufre la tentación de aumentar la cantidad de dinero a un ritmo aún mayor, lo que provoca las montañas rusas que ya conocemos.[1]

MILTON (1912) y ROSE FRIEDMAN (1912)

---

[1] MILTON y ROSE FRIEDMAN, *Libertad de elegir*, Grijalbo, 1980, p. 372.

Siempre necesitamos tener algún dinero en el bolsillo y, de hecho, todos lo tenemos, al margen de que algunos tengamos más o que ganemos más, y otros tengamos menos. Como somos previsores, nos interesa siempre poseer una cierta cantidad de dinero. Esa cantidad puede ser mayor o menor de acuerdo con las circunstancias —pueden ser simplemente monedas—, pero existe siempre una demanda de dinero.

Llegamos así a uno de los temas clave en el debate económico pasado y actual. Los economistas han discutido y continúan discutiendo aún cuáles son los factores que determinan la demanda de dinero: el crecimiento de la población, la estacionalidad de las actividades comerciales, el grado de producción para el mercado, las tasas de interés, la inflación; todos son factores que desde luego influyen en la cantidad de dinero que queremos mantener en el bolsillo o en el colchón.

Aclaremos algo antes: no estamos hablando de la demanda de «riqueza» que todos podamos tener porque este deseo es seguramente infinito o, al menos, muy elevado; estamos hablando de la cantidad de riqueza que poseemos, sea ésta poca o mucha, y cuánto de ella queremos mantener en forma de dinero.

Pocas cosas han sido tan apasionantes como encontrar un ejemplo de esto, nada más y nada menos que en Heidi, el famoso personaje de Juana Spyri:

> Mucho más allá del valle percibíanse ya las suaves sombras grises del anochecer.
>
> Heidi detuvo su marcha. Ni siquiera en sueños se le había revelado en todo su esplendor la notable y majestuosa belleza

de las montañas. En ese momento las contemplaba fascinada y tan conmovida que lágrimas de felicidad corrieron a lo largo de sus mejillas.

Luego, uniendo las palmas, alzó su rostro hacia el cielo tranquilo y le dio gracias a Dios por haberla devuelto a su casa.

Por fin se alzó la choza frente a ella, con los viejos pinos que la rodeaban cual centinelas fieles. Las ramas de los mismos balanceábanse suavemente al ser acariciadas por la brisa. Y allí, sentado en su banco de costumbre, tal como lo viera la primera vez, se encontraba la figura solitaria del tío de las montañas.

Antes de que éste se diera cuenta siquiera de su proximidad, Heidi se abalanzó corriendo hacia él, y tirando la canasta al suelo, rodeó el cuello del anciano con sus brazos, mientras gritaba una y otra vez con gran emoción:

—¡Abuelo! ¡Abuelo! ¡Abuelo!

El anciano no habló. Por primera vez en muchos años se humedecieron sus ojos, y se pasó la mano por sobre ellos para enjugarlos. Luego, con mucha suavidad, sentó a Heidi en su falda.

Los ojos oscuros del anciano la estudiaron largo rato. Por fin dijo:

—De modo que has regresado, Heidi. No luces muy bien. ¿Te despidieron?

—¡Oh, no, abuelo! ¡No debes pensar eso! Todos fueron muy amables conmigo..., especialmente Clara, la abuelita y el señor Sesemann. Pero, ¿sabes?, yo deseaba tanto regresar que a veces no podía soportar el dolor y a menudo pensaba en escaparme de allí. Pero eso hubiera sido una ingratitud. Al fin, una mañana, me despertó el señor Sesemann muy temprano, aunque sé muy bien que quien realmente me ayudó fue el bueno del doctor... Pero quizás expliquen todo esto en la carta.

Heidi recogió la canasta y, sacando del interior la misiva del señor Sesemann, junto con el fajo de dinero, la depositó en la falda del anciano.

—El dinero es tuyo —le dijo el tío de las montañas, colocándolo sobre el banco.

Luego, abrió el sobre y, tras leer la carta muy cuidadosamente, la guardó en su bolsillo sin pronunciar palabra.

—¿Crees que ahora podrías tomar un vaso de leche conmigo? —preguntó. Luego se puso de pie y alargando el dinero a la niña, agregó: —Es una cantidad suficiente como para comprarte una cama y un gran número de vestidos.

—No los necesito, abuelo. Ya tengo una cama y Clara me ha regalado tantos vestidos que jamás necesitaré comprar otros.

—De otras maneras, guárdalo —repitió el tío de las montañas—. Pónlo en el armario; puede que algún día lo necesites.

Heidi obedeció. Luego tomó la mano que le ofrecía su abuelo y juntos penetraron en la choza.[2]

Si bien no muy interesada en ello, y mucho menos preocupada por los efectos de su acción, Heidi pasó en pocos instantes de incrementar su «demanda» de dinero, a querer deshacerse de ella y luego, siguiendo el consejo de su abuelo, a incrementarla de nuevo. «Demanda» en este caso no quiere decir que Heidi quiera tener dinero, simplemente que, de hecho, lo tiene.

¿Cuántos de nosotros actuaríamos igual que Heidi? ¿Cuáles son los factores que determinan la demanda de dinero? El ejemplo nos muestra que son, en definitiva, los juicios de valor de cada uno lo que nos lleva a decidir cuánto dinero conservar. La demanda de dinero no es distinta de la de otros productos; depende de la conducta adoptada por cada individuo.

---

[2] Juana Spyri, *Heidi*, 3.ª ed., Buenos Aires, Acme, 1985, p. 110.

La actitud de Heidi tiene implicancias de fundamental importancia en la economía de las últimas décadas, ya que estaría representando lo que se dio en llamar «la paradoja del ahorro». En verdad, según la interpretación keynesiana, Heidi habría cometido un pecado de extrema gravedad que podría deparar graves perjuicios a la economía, en particular, severas depresiones: atesorar dinero.

¿Cómo es que la inocente Heidi podría cometer semejante daño? Difícil de creer, pero hay quien dice que es así.

Según la perspectiva desarrollada sobre todo por Keynes, el total del ingreso en una economía (Y) es igual al total del gasto de los consumidores (C), más el total de la inversión (I), más el gasto del sector público (G).

Eso se expresa mediante una fórmula: $Y = C + I + G$.

Si Heidi gasta ese dinero, por ejemplo, en vestidos, ese gasto aparece dentro de C y, por lo tanto, incrementa el ingreso total de la economía. Y si, por el contrario, decide ahorrar esa suma y la deposita en un banco, éste canalizará esos recursos en préstamos a otros individuos, quienes lo utilizarán ya sea para consumo (C) o inversión (I). En ambos, casos el dinero de Heidi termina contribuyendo al ingreso total (Y).

Pero si simplemente lo atesora en su armario, no se canaliza ni a C, ni a I, con lo cual Y resultará menor.

Se puede pensar que el dinero de Heidi tiene un impacto pequeño en la economía; sin embargo, deberá considerarse la posibilidad de que muchas personas realicen lo mismo. Y aun cuando fuera solamente Heidi la que atesorase, su efecto sería mucho mayor que esa suma particular, debido al llamado efecto «multiplicador». ¿Qué quiere decir esto? Que cada peso que Heidi gasta en comprar un vestido es un peso que el comerciante recibe y, a su vez, gasta en sueldos, compras a proveedores y en el pago al fabricante. A su tiempo, éstos reciben ese dinero y también lo gastan pagando sus insumos o su consumo. Como resultado, el peso que Heidi inicialmente gastó generó un volumen mayor de actividad económica.

Por lo tanto, si Heidi no consume y atesora, estará desatando una cadena recesiva. Pero parece difícil asignarle semejante culpa a Heidi. Debemos preguntarnos, entonces, ¿dónde está el error en esta teoría? Recordemos que antes definimos el precio del dinero como su poder para comprar otras mercancías y también dijimos que el dinero era una mercancía como las demás. Apliquemos ahora el análisis básico de la oferta y la demanda a la situación que Heidi nos plantea.

Si ella retiene o quita de circulación una determinada cantidad de dinero, es decir, si aumenta su demanda para atesorarlo, habrá menos dinero en el mercado; su oferta se habrá reducido. Como con cualquier otro producto, cuando la oferta se reduce y la demanda permanece igual, su precio sube, es decir, de acuerdo con la definición antes dada, aumenta su poder para comprar otras mercancías.

Desde otra perspectiva, esto equivale a afirmar que el precio de esas otras mercancías en términos de dinero va a caer.

Esto significa que la acción de Heidi no va a tener el efecto perverso que se le asigna. El consumo será el mismo, sólo que ahora se utilizará menos moneda para realizarlo. De la misma forma, si en el futuro Heidi decidiera sacar el dinero del armario y hacerlo circular, el fenómeno sería inverso: una mayor cantidad de dinero reduciría su precio, es decir, elevaría el precio de las otras mercaderías.

Esta pequeña e inocente acción interpretada erróneamente ha sido el origen de teorías que han tenido un impacto nefasto en las economías, ya que ante acciones como ésas la alternativa propuesta siempre fue que la autoridad pública emitiera moneda para salvar el «faltante» ocasionado por las Heidi de este mundo. El resultado de su aplicación ha sido la inflación y sus costosas consecuencias. Veamos cuáles son esas consecuencias.

La teoría cuantitativa del dinero

Al aplicar los conceptos de la oferta y la demanda al dinero como a cualquier otra mercancía, se sentó la base de una importante teoría de la ciencia económica: la teoría cuantitativa del dinero.

Esencialmente éste busca explicar la causa de los cambios en el valor del dinero, o su poder adquisitivo, indicando que estos cambios están determinados por variaciones en la cantidad de dinero en circulación. Como con cualquier otra mercancía, cuando el dinero es abundante su valor cae, es decir, los precios suben. Posteriormente, la teoría recibió una formulación que la hizo famosa: $M \times V = P$, donde M simboliza la cantidad de moneda; V, la velocidad de circulación de la misma, y P, un nivel general de precios.

Cuando se incrementa la cantidad de dinero, todos nos encontramos con más dinero en el bolsillo y, dado que los productos son siempre los mismos, nuestra competencia adicional por ellos hará que sus precios suban en la exacta proporción para absorber todo ese dinero adicional. Si bien los precios pueden variar por muchas causas (sequías, inundaciones, nuevos descubrimientos y demás), sólo los cambios en la cantidad de moneda influyen en el nivel general de precios. Esto es, manteniéndose la cantidad de moneda fija, si la sequía determina que haya menos trigo y su precio sube, deberá gastarse ahora una mayor cantidad de dinero en trigo y menos en otros productos, cuyo precio deberá bajar, sin haber entonces cambios en el nivel general de precios. Éste sólo puede subir con un crecimiento de la cantidad de moneda.

Sin embargo, con todos los méritos que tiene la teoría cuantitativa en cuanto a la aplicación de los conceptos de la oferta y la demanda al dinero, llevó a muchos a caer en graves errores. Esto se debió principalmente al hecho de que aborda conceptos generales como la cantidad de moneda, el nivel «general» de precios o la velocidad de circulación, sin tener en cuenta las actuaciones individuales que determinan cada uno de estos conceptos.

Creer que la variación de la cantidad de dinero afecta el «nivel» de precios llevó al poco tiempo a olvidar que esta variación jamás puede afectar a todos los precios de los productos y servicios al mismo tiempo. En la realidad, algunos reciben el nuevo dinero primero y se enriquecen; otros lo hacen mucho después y se empobrecen. Es que en la economía no existe un nivel «general» de precios, sino una infinidad de precios distintos. Nuevamente ese nivel general es un invento del hombre, que encubre así las ganancias de unos y las pérdidas de otros.

La tormenta cambió los carteles

Cualquier variación de la cantidad de dinero necesariamente modifica la distribución de los bienes entre los individuos u organizaciones. Esto es mucho más importante que el mero efecto de la variación de la cantidad de dinero en los precios. La cantidad de dinero que se encuentra disponible en el mercado sólo puede variar en la medida en que varíe la cantidad de dinero de personas determinadas.

Si el gobierno emite una cierta cantidad de moneda, en realidad lo que está haciendo es sacarles ese dinero a algunos de sus súbditos, como si se tratara de un impuesto; por eso, se habla del impuesto de la inflación o impuesto inflacionario. El mecanismo funciona de la siguiente forma: con el dinero emitido, el gobierno paga productos o servicios que adquiere, o los intereses de deudas que contrajo antes; es decir, compra ahora más cosas de las que antes podía. Cuando los vendedores y productores de estos bienes y servicios se encuentran con una demanda adicional, los precios de esos productos o servicios suben. Esto los hace más caros para los demás, de igual forma que si se les hubiera aplicado un impuesto. Algunos ciudadanos, sobre todo los de menores recursos, deberán ahora, ante los precios más altos, restringirse en sus compras o bien directamente no realizarlas.

Para entender los efectos de la expansión monetaria, hay que tener en cuenta que no se trata de un aumento general de precios porque, si hay un aumento de todos los precios por igual, el poder adquisitivo no se pierde; el salario real no se ve afectado. Supongamos que tenemos un salario de 100 y lo utilizamos para adquirir productos por 100. ¿Qué problema tendríamos si después de la emisión de moneda esos mismos productos costaran 200 y mi salario fuera de 200? Salvo la incomodidad de los nuevos cálculos que debemos realizar con los nuevos precios, nuestro poder adquisitivo no variaría. El problema es que la expansión monetaria modifica los precios relativos, algunos suben por el ascensor, otros por la escalera, y los salarios lo hacen, generalmente, por esta última.

Cuando el gobierno inicia este proceso, los precios de los productos o servicios suben, pero muchos otros permanecen igual. Quienes le vendieron al gobierno esos productos o servicios, tienen ahora más dinero en sus manos y pueden comprar más cosas, que a su vez también tenderán a subir. De esa forma, poco a poco, se va extendiendo el aumento de precios a toda la economía.

Ese aumento de algunos precios distorsiona las decisiones que se toman, ya que no se puede establecer una clara diferencia entre una mayor demanda por un cambio en las preferencias de los consumidores o por una mayor emisión de dinero. Ciertas actividades se tornan rentables y otras dejan de serlo; se destruyen ahorros entre aquéllos poco prevenidos en protegerlos; se pierden capitales.

El sistema de precios es un gran mecanismo de transmisión de información que señala faltantes o excedentes e incentiva a actuar respecto de ellos. Pero la inflación distorsiona esa información y multiplica los errores en la asignación de los recursos. Es como una tormenta que se desata repentinamente y modifica las señales. Veamos cómo describe los efectos de la tormenta Hans Christian Andersen en su cuento «*La tormenta cambió los carteles*»:

En los viejos tiempos, cuando el abuelo era sólo un niño y usaba pantalones y saco rojo, una faja alrededor de la cintura y una pluma en su gorro (porque ésa era la forma en que eran vestidos los niños en aquella época cuando usaban sus mejores ropas), en aquel entonces, tantas cosas eran diferentes de lo que son hoy. A menudo, había en las calles grandes carteles que ahora no vemos más, porque han sido todos retirados ya que se pasaron de moda; pero es encantador escuchar al abuelo hablar sobre ellos. Debe haber sido un espectáculo haber visto a los zapateros cambiar sus carteles cuando se mudaron a su nuevo edificio.

En su bandera de seda, que se flameaba al viento, habían pintado una gran bota y un águila de dos cabezas; el más joven de ellos llevaba la «copa de la bienvenida» y el «cofre» de su gremio, y llevaba puestas cintas rojas y blancas en las mangas de su camba; los más viejos llevaban espadas con un lizón en la punta. Había una banda de músicos, y el instrumento más bello era el pájaro, como llamaba el abuelo a una pértiga con una media luna al tope y toda clase de chucherías colgando; una música muy turca. Se lo elevaba y se lo sacudía de un lado al otro y campaneaban y rechinaban, y hasta dolían los ojos de ver tanto oro y plata y bronce sobre los que brillaba el sol.

Al frente de la procesión corría un arlequín vestido con ropas hechas de retazos de todos los colores, con la cara pintada de negro, y campanas en la cabeza como los caballos de los trineos. Tocaba a la gente con su batuta, que hacía un gran ruido, pero sin lastimar, y la gente se apiñaba unos contra otros tratando de escapar; niños y niñas se caían unos sobre otros y todos en la cuneta; las mujeres ancianas se habrían camino con los codos, miraban fijo y seguían regañando. Algunos reían y otros hablaban; había gente en todas las puertas y en las ventanas, y hasta en los techos.

El sol brillaba con fuerza; entonces, empezó a llover un poco, pero eso era bueno para los campesinos, y cuando la gente estaba totalmente empapada era eso una bendición para el país.

¡Ah, cómo contaba las historias el abuelo! Cuando era niño había visto todos esos espectáculos en su más grande esplendor. El viajante más viejo del gremio dio un discurso desde el andamio donde se iría a colocar el cartel, y el discurso fue como un verso, tal como si fuera un poema, y de hecho lo fue; tres personas se habían ocupado de componerlo, y se habían tomado antes una fuente entera de ponche para que les saliera realmente bien. Y la gente aplaudió y vitoreó el discurso, pero gritaron y aplaudieron mucho más aún cuando el arlequín se subió al andamio y les hizo caras graciosas. El bufón era muy bueno haciéndose el tonto y tomaba melaza en las copas de aguardiente, y las tiraba a la gente, quienes las agarraban en el aire.

El abuelo tenía una de esas copas, que el albañil que había mezclado el cemento le había dado. Fue todo muy divertido, y luego colgaron el nuevo cartel con flores y adornos.

—Tal vista uno nunca olvida, no importa cuán viejo uno se vuelva —decía el abuelo; y no se la olvidaba, aunque había visto muchas otras cosas esplendorosas, sobre las que nos contaba a menudo. Vero lo que más nos divertía era escucharlo contar acerca del cambio de carteles en el gran pueblo al cual fue una vez a vivir.

El abuelo había estado allí con sus padres cuando era pequeño; nunca antes había visto al pueblo más grande del país. Había tanta gente en la calle que pensó que seguramente estarían por mover los carteles, y había muchos en verdad: se podrían haber llenado unos 100 cuartos con ellos, si es que se hubieran colgado adentro y no afuera de los edificios. Así, había toda clase de vestimentas pintadas en los carteles de los sastres: podían hacer del más andrajoso parecer gente de la nobleza; había carteles también fuera de los locales de los que fabricaban cigarros mostrando a los niños más encantadores; había carteles en los que se habían pintado arenques ahumados, sotanas para clérigos y ataúdes, con inscripciones y anuncios de todo tipo. Uno podía fácilmente pasarse todo el día recorriendo la calle de arriba abajo, mirando los carteles hasta cansarse, y al mismo tiempo aprender qué clase de gente vivía en las casas donde habían colgado los carteles; y, como decía el abuelo, era eso muy bueno, e instructivo también, poder conocer quién vivía en cada casa de un pueblo tan grande.

Pero justo cuando el abuelo llegó sucedió con los carteles lo que les voy a contar. Me lo contó él mismo, y no estaba engañándome, como dice mamá que siempre hacía cuando quería obtener algo de raíz; parecía como si uno pudiera confiar en cada palabra que dijera.

La noche en la que llegó al gran pueblo el clima estaba terrible como pocas veces se ha visto; tan malo como nadie alguna vez recuerde. El aire se llenó de tejas, se volaban las cercas, hasta una carretilla corrió hacia arriba por la calle para salvarse. El viento soplaba, se arremolinaba y sacudía a todo con lo que entrara en contacto. Era, en verdad, una tormenta terrible. El agua de los canales chocaba contra los bordes; no sabía qué hacer de sí misma. La tormenta cayó sobre el pueblo llevándose consigo a las chimeneas. Más de uno de los venerables campanarios de las iglesias tuvo que doblarse, y nunca más pudieron enderezarse.

Fuera de la casa del viejo y respetado jefe de bomberos, quien siempre llegaba a los incendios con el último equipo, había una garita de centinela. El viento la arrancó de su base, la arrastró por toda la calle y, curiosamente, la dejó parada en la puerta del tonto carpintero que había salvado tres vidas durante el último incendio. Vero a la garita no le importó.

El cartel del barbero, que era como un gran plato color bronce, fue arrancado y arrojado por la ventana del juez, y parecía que se hubiera hecho por malicia, así decían todos los vecinos, porque ellos y los amigos más íntimos del juez llamaban a la mujer de éste, la «navaja», porque era tan filosa.

Sabía más sobre la gente de lo que ellos mismos sabían. Luego voló un cartel con un abadejo seco pintado. Se plantó sobre la puerta de la casa donde vivía un hombre que escribía en un periódico. Era una broma tonta de la tormenta, no se acordaba que con un periodista no se juegan bromas. El es rey en su propio papel y en su propia opinión. La veleta voló al techo de enfrente y allí se quedó, una verdadera muestra de malicia, decían los vecinos.

El barril del barrilero quedó justo debajo de un cartel que decía «peluquería para damas». El menú del restaurante, que estaba colgado cerca de la puerta en un pesado marco, fue colocado por la tormenta a la entrada del teatro, al cual no iba nadie. Era un programa divertido «Sopa de rabanitos y repollo relleno». Pero entonces vino mucha gente al teatro.

La piel de zorro del peletero, el signo honorable de su profesión, terminó con el campanero de la iglesia, que siempre iba a misa temprano y que siempre buscaba la verdad y era un «joven modelo» como decía mi tía.

La inscripción «Instituto de Alta Educación» se voló al club de billar y el instituto mismo recibió otro cartel a cambio: «Se crían niños con biberones». Esto no era ingenioso, pero la tormenta lo había hecho, y uno no puede controlar las tormentas.

¡Fue una noche terrible, y en la mañana, imagínense!, todos los carteles del pueblo habían sido cambiados de lugar, y en algunos casos con tanta malicia que el abuelo ni siquiera quería contarnos; pero yo notaba que él se reía, y posiblemente se acordaba de alguna travesura.

Los desafortunados habitantes del pueblo, y especialmente los extranjeros, se equivocaron de rumbo cuando querían llegar a un sitio. No era para menos, ya que se guiaban por los carteles. Algunos que iban a una muy solemne reunión de ancianos, donde se iban a tratar temas muy importantes, se encontraron en una ruidosa escuela para niños, donde los pequeños saltaban sobre las mesas. Hubo gente que se confundió la iglesia con el teatro.

Tormenta como aquella nunca ha habido en nuestros días. Sólo el abuelo ha experimentado una, y esto fue cuando era un niño. Dicha tormenta no puede ocurrir ahora, pero tal vez puede pasarles a nuestros nietos, y sólo podemos rogar y esperar que se queden dentro de sus casas, mientras la tormenta cambia los carteles.[3]

Los precios de los productos y servicios no varían del mismo modo ni al mismo tiempo ante un aumento de la circulación monetaria. Algunos se benefician; otros pierden. Cuando la tormenta inflacionaria pasa, todo se ha trastornado; las relaciones entre los precios son distintas. De la misma forma que en el cuento, quien busca un instituto educativo termina metiéndose en un billar. Todos los ciudadanos reciben señales cambiadas. El productor no sabe si la demanda adicional que recibe se debe a que hay mayor interés por lo que ofrece o es que hay mayor cantidad de moneda y demandantes

---

[3] HANS CHRISTIAN ANDERSEN, *Andersen's Fairy Tales*, Nueva York, Beekman House, 1978, pp. 295-299..

que quieren deshacerse de ella. No sabe, por lo tanto, si debe producir más o elevar sus precios. ¿Cuántas son las historias que conocemos de extrema pobreza o riqueza causadas porque graves procesos inflacionarios cambiaron los carteles de lugar?

Lo que la inflación produce no es una elevación del índice de precios, sino una convulsión de los precios, de la misma forma que es más importante para los habitantes de nuestro cuento que los carteles hayan cambiado de lugar que el hecho de que exista un índice de la variabilidad de los carteles. Los que hemos vivido con la inflación durante años conocemos bien sus efectos. Pero existe otra secuela, no tan visible en forma directa, aunque con nefastas consecuencias: el consumo de capital. Desde el más pequeño negocio hasta la empresa más compleja, deben tener en cuenta los gastos de reposición de sus activos. Es decir, el almacenero debe considerar cuánto deberá pagar por reponer su *stock* de la misma forma que una empresa siderúrgica deberá considerar la reposición de su tren de laminado de acero. Si no acierta en calcular esta circunstancia, si no toma en cuenta que mañana deberá pagar más por ello, terminará vendiendo su stock anual pero sólo podrá reponer, digamos, la mitad. Perderá en el proceso la mitad de su *stock* sin saber por qué.

Es que la inflación falsea todo el cálculo económico y provoca el consumo de capital que lleva a la pobreza a los países, tal como lo muestran aquellos que han sufrido prolongados períodos inflacionarios. Además, la inflación no puede dejar de causar ese efecto, ya que éste es precisamente el beneficio para los gobiernos que la impulsan.

Sólo encontrando desprevenidos a los individuos pueden apropiarse del llamado «impuesto inflacionario».

La experiencia, la gimnasia «inflacionaria», hace que los individuos adquieran la capacidad de anticiparla para cubrirse de sus efectos. Así, por ejemplo, si el gobierno aumenta la cantidad de dinero en un 10 por ciento y, descontando esa inflación, todos aumentamos los precios en ese porcentaje, no contará con más recursos para pagar sus gastos, pues los precios de los bienes y servicios que compra ya habrán subido. Por eso, sólo la inflación inesperada puede surtir su efecto. Ésta es, también, la razón por la cual la inflación se autoalimenta hasta convertirse en una carrera alocada llamada «hiperinflación»: para obtener ese efecto inesperado es necesario aumentar cada vez más la emisión de moneda. Cuando el gobierno incrementa la moneda en un 5 por ciento anual, con el tiempo, los individuos descontarán ese aumento como previsión para el siguiente año. En ese caso, para lograr su efecto sorpresivo será necesario elevar la moneda un 10 por ciento. Cada vez más, para lograr el mismo efecto hace falta una emisión superior, hasta llegar al desborde hiperinflacionario.

Dieciocho

EL GASTO PÚBLICO
Fausto y Principe y mendigo

Entre estas lacras que devoran lentamente nuestra
economía y nuestra sociedad occidental, figuran dos
en cabeza: el avance, al parecer incontenible, del
Estado de bienestar o Estado-providencia, y la pérdida
del poder adquisitivo de la moneda, conocida bajo
el nombre de inflación reptante. Ambos hechos están
íntimamente relacionados entre sí, tanto en razón de
sus causas como de su fomento mutuo.[1]

WILHELM ROPKE (1899-1966)

En 1789, Benjamin Franklin escribía una carta a M. Leroy con una frase que luego pasaría a la historia: «En este mundo nada es seguro salvo la muerte y los impuestos». Por lo menos, desde que las sociedades han estado regidas por un Estado, éste ha necesitado fondos para cubrir sus gastos, pero esos fondos no provienen solamente de los impuestos, de la misma forma que sus gastos no siempre han sido los mismos.

A partir del siglo XX, el Estado ha asumido numerosas tareas adicionales a las que tradicionalmente realizaba en materia de seguridad, defensa y justicia: servicios de salud y educación, jubilaciones; la provisión de servicios de transporte ferroviario, aéreo; la administración de teatros, canales de televisión, radios; la provisión de servicios de agua, electricidad, telecomunicaciones, energía; la administración de fábricas, de campos, de comercios,

---

[1] WILHELM ROPKE, *Más allá de la oferta y la demanda*, Madrid, Unión Editorial, 1979, p. 197.

de minas, de bodegas y viñedos, de líneas marítimas de carga, de hoteles, de parques, de imprentas, de agencias de publicidad, de centros deportivos y recreativos y de muchas otras cosas más.

Todas estas actividades no son gratuitas, sino que tienen su costo y requieren para su administración una creciente «burocracia», expresada por medio de todo tipo de secretarías, subsecretarías, organismos, asesores y funcionarios, misiones al extranjero y demás. Para conseguir los recursos que esto demanda, se debe exigir a los ciudadanos una parte de su patrimonio o de sus ingresos. Al margen de que pensemos que el Estado deba hacer esto o no, lo cierto es que alguien tiene que pagarlo y, en definitiva, no hay otro «alguien» más que los contribuyentes de ese Estado. Probablemente, si éste le planteara directamente a sus ciudadanos para qué se necesita ese dinero y qué se va a hacer con él, los ciudadanos, en la mayoría de las oportunidades, se negarían a dárselo.

El Estado tiene las siguientes alternativas para financiar su gasto:

1. Cobrar impuestos
2. Endeudarse
3. Vender activos
4. Generar ingresos propios por la venta de servicios
5. Emitir moneda.

Impuestos

Suele decirse que los impuestos son el medio «genuino» de financiar los gastos del Estado. Esto se debe a que tarde o temprano, buena parte de los otros métodos terminan siendo impuestos o son impuestos disfrazados.

Aunque suelen ser divididos en «directos» (a las ganancias, al patrimonio) e «indirectos» (a las ventas, al valor agregado), lo cierto es que todos los impuestos afectan el patrimonio de los contribuyentes. Y si bien los impuestos tienen como objetivo principal aportar los recursos necesarios para financiar las actividades estatales, los gobernantes se han visto tentados de imponerlos con el objetivo de alentar o desalentar ciertas conductas que estiman beneficiosas en un caso o nocivas en otro.

Acerca de esto discuten los profesores que encuentra Gulliver en su viaje, al visitar la Academia en la isla de Lagado:

> Asistí a un debate muy acalorado entre dos profesores acerca del modo más cómodo y efectivo de recaudar dinero sin oprimir a los contribuyentes. El primero sostenía que el método más justo sería poner un tributo sobre los vicios e idioteces de cada individuo; un jurado de vecinos sería el encargado de fijar la cantidad del modo más objetivo posible. El segundo sostenía la opinión enteramente opuesta; quería que cada persona tributase por las cualidades físicas y espirituales de las que se enorgullecía; cuanto más alta estima uno se tuviese, más elevado sería el impuesto; el importe sería fijado porcada uno. El impuesto más elevado recaería sobre los hombres de mayor éxito con las mujeres y variaría según el número y naturaleza de los favores recibidos. El

cómputo se fijaría por las declaraciones del propio interesado. La inteligencia, el valor, y la cortesía estaban también sujetas a severo tributo; se recaudaba del mismo modo: la cantidad dependía de las declaraciones del propio contribuyente. El honor, justicia, prudencia y saber estarían totalmente exentos de impuestos, porque son calificaciones tan singulares que nadie las valora ni en uno mismo ni en el prójimo.

Las mujeres tributarían por su belleza y elegancia en el vestir, otorgándoseles el mismo privilegio masculino: el de fijar ellas mismas la cantidad. Pero la constancia, castidad, el sentido común y la bondad no estaban en consideración, porque no cubrirían los costes recaudatorios.[2]

El debate es aleccionador en dos aspectos. En primer lugar, los profesores tratan de encontrar un impuesto que no oprima a los contribuyentes. En verdad, esto no es posible, ya que se trata de una exacción, un pago forzoso, necesario para mantener los gastos del Estado. Por ello, no puede haber discusión acerca de los impuestos sin que la haya acerca de los gastos.

En segundo lugar, ambos profesores se guían por un criterio correcto, esto es, cuando se aplica un impuesto sobre un producto, se obtiene menos de ese producto. Uno de los profesores quiere imponer impuestos sobre los vicios, con el objetivo de que éstos disminuyan. El otro, en realidad, no tiene una opinión diferente, ya que intenta colocar un impuesto sobre las cualidades que cada uno estima tener, con el objetivo de reducir la pedantería y el engreimiento.

---

[2] JONATHAN SWIFT, *Los viajes de Gulliver*, Madrid, Alianza, 1984.

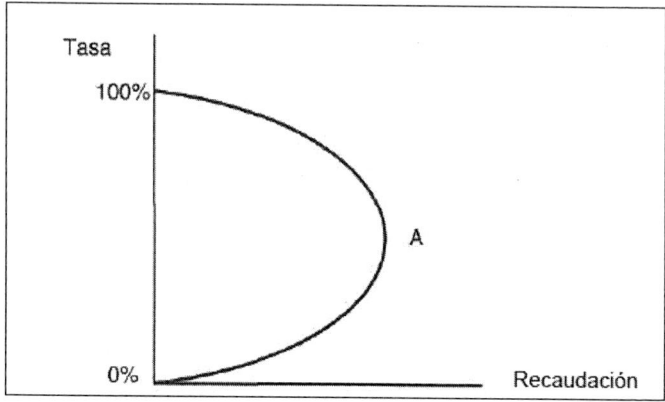

En nuestra dura realidad, los impuestos se aplican muchas veces sobre las actividades productivas y, por lo tanto, obtenemos menos de ellas. Incluso se llega a niveles de impuestos tan altos que ciertas actividades se ven forzadas a cesar. Éste es un viejo concepto que ha recobrado actualidad a través de una presentación simplificada, bajo el nombre de «curva de Laffer», en honor del economista que la presentó mediante un simple gráfico.

Obviamente, un impuesto cuya tasa fuera del cero por ciento no proporcionaría recaudación. En el otro extremo, si la tasa fuera del 100 por ciento tampoco la habría, pues nadie realizaría ningún esfuerzo para luego ver esfumarse el resultado en el pago del impuesto.

A medida que la tasa crece a partir de cero, la recaudación aumenta, pero en un punto (señalado en el gráfico con la letra A), comienza a reducirse hasta llegar a cero, cuando la tasa alcanza el 100 por ciento. Este fenómeno es el que describe la curva:

En algún punto, entonces, si se aumentan los impuestos, se recauda menos. Esto es así por dos razones: la primera de ellas ya fue mencionada. A una cierta tasa, algunas actividades no pueden sostenerse, no son rentables, no conviene realizarlas, por lo que decaen y se termina recaudando menos. La segunda se refiere a que, a mayor tasa, mayor es el incentivo para evadir el impuesto. Enfrentado al pago de un determinado impuesto, un contribuyente se ve ante la necesidad de resignar rentabilidad para pagarlo. Cuando las tasas son moderadas, puede ser que su sentido del deber lo lleve a no cuestionarse el pago del impuesto y pagarlo, para evitar asumir el riesgo de ser descubierto y el monto del castigo. Pero cuando la situación se acerca a la del punto anterior —la supervivencia del ingreso—, entonces la «conciencia del contribuyente» se diluye y aumenta el «premio» de evadir. No es lo mismo arriesgarse para evadir un mero 10 por ciento, que no determina la vida de un negocio, que arriesgarse ante una tasa del 85 por ciento cuando un negocio se ve amenazado de muerte.

Resulta, entonces, fundamental determinar en qué lugar de la curva se encuentra un país, pues puede ocurrir que se encuentre por encima del punto A, y que un gobierno decida aumentar los impuestos, con lo cual terminará ahogando la actividad económica e incluso recaudando menos. En tales circunstancias, sería conveniente reducirlos.

Es necesario aclarar que el punto A no es un punto «óptimo», porque lo que es necesario «maximizar» es la producción de bienes y servicios, no la recaudación im-

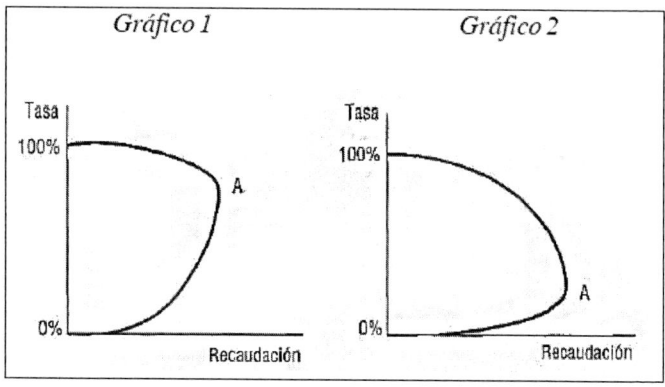

positiva. Es cierto que con mayores niveles de producción el gobierno termina recaudando más pero ¿para qué? Una vez que los ciudadanos obtienen del Estado los servicios que estiman necesarios, y el Estado los brinda en la forma más eficiente, no es necesario recaudar más, sino, en todo caso, aliviar la carga impositiva sobre los contribuyentes para que éstos destinen esos recursos a aquellos fines que estiman más convenientes.

Por otro lado, la «forma» de la curva no es igual en todas las sociedades. Algunas tienen mayor preferencia por los servicios públicos que otras, o reciben buenos servicios a cambio de sus impuestos (Gráfico 1); en otras, los contribuyentes tienen una menor preferencia por ellos o estiman que a cambio de sus impuestos no reciben servicios que valoren (Gráfico 2).

En el primer caso (Suecia, por ejemplo), la gente está dispuesta a pagar elevadas tasas y la recaudación se reduciría solamente después de que se alcanzaran tasas muy altas (aunque es necesario señalar que en Suecia los impuestos a las empresas son muy bajos, de otra forma no podrían competir internacionalmente, y la carga impositiva recae principalmente en los individuos). También podría ser, en este caso, que la elevada carga impositiva sobre la renta personal presente un costo más alto para evitarla, pues haría necesario que los suecos se trasladaran de su país a otro (los «millonarios» suecos como Ingmar Bergman o Bjorn Borg suelen ser residentes de lugares como Montecarlo); por otro lado, la carga impositiva sobre las empresas sería baja porque éstas no tendrían mayor problema en trasladarse a lugares de menor presión fiscal.

En el otro caso (Gráfico 2), la recaudación cae rápidamente ante tasas mucho menores porque la gente no cree estar recibiendo buenos servicios por parte del estado o por problemas de cultura fiscal, rebelión, etcétera.

Deuda

Como se mencionó antes, existe una preferencia por parte de los gobiernos a financiar sus gastos con deuda, si es que pueden tomarla. La razón es simple: los efectos positivos del mayor gasto se perciben de inmediato, mientras que los costos llegarán más adelante, como dijimos.

Cuando el gobierno se endeuda, no sucede nada distinto que cuando cualquier persona lo hace: el endeudarse le permite un mayor nivel de gasto ahora, pero como deberá devolver la suma prestada, esto significa que tendrá que reducir su gasto en el futuro. En otros términos, deuda hoy son impuestos mañana, y la deuda que hoy se paga es lo que han gastado otros antes.

Esto genera algunas consecuencias importantes, tanto económicas como políticas. En cuanto a las económicas, cuando un gobierno asume deuda, «desplaza» al sector privado, eleva la tasa de interés, con lo que hace más caro el financiamiento de la actividad productiva y ésta se ve reducida. En relación con las políticas, plantea la polémica cuestión acerca de si corresponde hipotecar los futuros ingresos de contribuyentes que hoy no votan y, por lo tanto, no pueden opinar acerca de la carga que van a tener que pagar en el futuro. Algunos incluso todavía no han nacido... y ya tienen una deuda sobre sus hombros.

De igual forma que sucede con una familia o una empresa, se puede seguir aumentando la deuda hasta que se llega a un punto en el cual nadie está dispuesto a continuar prestando, ya que el riesgo de incumplimiento (default) es muy elevado y no hay tasa de interés que justifique asumirlo.

En la actualidad, esto es medido por el así llamado «riesgo país», que toma en cuenta la diferencia de tasas de interés entre la deuda emitida por un país sólido y estable, y el resto. Cuanto más amplia es esa diferencia, más elevado es el «riesgo país».

Existen básicamente dos formas distintas de tomar deuda pública: obtener préstamos o emitir bonos. En el primer caso, al igual que puede hacerlo un particular, se recurre a una institución financiera y se pide un préstamo, el que demandará luego la devolución del capital, más un determinado interés. El segundo caso no es muy diferente, pues el gobierno emite unos papeles (bonos) que son adquiridos por ahorristas en las mismas condiciones generales: devolución del capital más un determinado interés. Hay, sí, una diferencia práctica para los gobiernos, ya que en el primer caso es más sencillo negociar si un gobierno tiene problemas para el pago de la deuda. En los años ochenta se organizaban «clubes de bancos» que renegociaban las condiciones de los préstamos. Pero en el caso de la venta de bonos, como éstos pueden estar diseminados en un gran número de ahorristas de muchos países, esa negociación no es posible, por lo que el Estado que quiera «renegociar» los términos de su deuda debe ofrecer un nuevo bono, en otras condiciones, tentar a los ahorristas para que los cambien y probar el resultado que obtiene. Este procedimiento se denomina «canje de deuda».

La deuda pública suele también ser clasificada como «externa» e «interna». La primera sería aquella que está en manos de acreedores extranjeros, pero también suele darse ese nombre a toda deuda que está expresada en moneda extranjera (bonos en dólares, por ejemplo, aunque los tengan ahorristas locales), mientras que interna sería aquella que está en poder de acreedores locales o expresada en moneda local.

Sólo existe una diferencia económica en el caso de deudas denominadas en moneda local o extranjera. La razón es que la primera puede pagarse emitiendo moneda, y de esa forma se «licúa», mientras que en la segunda no existe tal posibilidad, pues un gobierno no puede emitir moneda extranjera. Existe también una diferencia «política» si la deuda está en manos de acreedores internos o externos: para un Estado resulta más sencillo incumplir con los pagos de su deuda en el primer caso, ya que a sus ciudadanos puede imponerles condiciones más fácilmente que a acreedores externos.

Por último, el hecho de que tanto los bancos como los fondos de jubilaciones y pensiones sean instituciones donde se deposita dinero, los ha tornado siempre apetecibles para gobiernos sedientos de deuda, ya que allí encontraban fondos depositados que podían tomarse voluntaria o forzosamente. A lo largo del tiempo, esto ha provocado varias veces el colapso de los sistemas financieros, tal como lo muestra la historia de la primera institución que cumplió esa función: los templarios.

Aún hoy subsisten en, muchos países de Europa las ruinas de las fortificaciones de los Caballeros del Templo, más conocidos como templarios. Esta orden religiosa de caballeros fue fundada alrededor del año 1118 en Jerusalén, por los cruzados. Su nombre completo era Orden Militar de los Caballeros del Templo de Salomón, y sus miembros dedicaban sus vidas a servir a la Iglesia y, en particular, a liberar la Tierra Santa de los «infieles». En busca de tal objetivo se convirtieron en la primera institución bancaria de la historia y operaron internacionalmente por unos doscientos años.

Los templarios reclutaban jóvenes nobles que no heredaban títulos o riqueza por no ser primogénitos. Vivían cerca de las ruinas del Templo de Salomón y asumieron como su especial obligación mantener la seguridad de los caminos que llevaban a la Tierra Santa.

Observaban normas muy estrictas y una dieta rigurosa. Los hombres casados podían sumarse pero debían ser castos a partir del momento de su ingreso. Sólo los solteros vírgenes podían usar la tradicional túnica blanca con una cruz roja.

Mantenían un estricto código de batalla que virtualmente prohibía la rendición frente a la derrota, por lo que se convirtieron en temidos combatientes.

Aunque creada en la estricta pobreza, una serie de bulas papales les otorgó el derecho de retener los bienes capturados a los musulmanes en las Cruzadas; también podían aceptar donaciones y legados. Con esos recursos, fueron construyendo una poderosa serie de fortalezas que permitieron cumplir su objetivo de mantener abiertos los caminos. Esas fortalezas se convirtieron en los lugares más seguros para depositar valores, y la bravura de sus combatientes los convirtió en el mejor servicio de transporte de valores, algo que ellos ya hacían para sí mismos con destino a Jerusalén.

Posteriormente, los templarios comenzaron a prestar dinero a los soberanos e incluso administraban sus bienes cuando éstos partían hacia las Cruzadas: Felipe II de Francia dejó en manos de la orden la recolección de impuestos, mientras partía como cruzado. La casa central en París era ya uno de los principales Tesoros de Europa; la orden ocupaba unas 7000 personas y poseía 870 castillos y casas desde Inglaterra hasta Palestina.

Los templarios se convirtieron así en una orden poderosa fuera del control de país o rey alguno. Eran un blanco atractivo.

En 1295, Felipe IV de Francia, irónicamente conocido como Felipe el Justo, quitó a los templarios el manejo de sus finanzas e instaló su propio Tesoro en el Louvre. Sus desesperadas necesidades financieras lo llevaron a reducir el contenido de plata de la moneda y a endeudarse con judíos y lombardos. La deuda lo agobiaba.

Y resultaba claro dónde estaba la riqueza que le hacía falta. En 1307, emitió una orden secreta que comenzaba denunciando a la orden en estos términos: «Algo repudiable, lamentable, horrible para contemplar, terrible para escuchar, un crimen detestable, un mal execrable, una tarea abominable, una desgracia detestable, algo casi inhumano, en verdad separado de toda humanidad...»

El 12 de mayo de 1310, soldados franceses capturaron a cincuenta y cuatro prominentes figuras de la orden y los quemaron vivos. Arrestaron también al gran maestro Jacques de Molay y a Geoffroi de Charney, a quienes quemaron vivos cuatro años más tarde, el 18 de marzo de 1314.

Ése fue el final de la primera institución bancaria del mundo y tal fue su relación con el poder de turno. El ataque a la orden destruyó este incipiente sistema financiero, que, sin embargo, comenzaría a resurgir lentamente en aquellas ciudades italianas que garantizaban el respeto a la propiedad y el cumplimiento de los contratos.

Venta de activos

La venta de los activos que posee un gobierno suele ser un mecanismo para obtener recursos. Esto suele denominarse en la actualidad «privatización», aunque no se limita a la venta de empresas en manos del Estado, sino que se extiende a la venta de todo tipo de propiedad estatal.

Puede ser que esta política se lleve adelante no con el objetivo específico de obtener recursos, sino con otros, como el de reducir la cantidad de actividades en manos del Estado, obtener mejores servicios y demás. De todas formas, sea cual sea el objetivo, se obtienen recursos que ingresan en las arcas fiscales y permiten financiar el gasto del Estado o reducir su deuda.

Por cierto que este ingreso se realiza por única vez, aunque en el caso de las privatizaciones, al pasar la propiedad a manos privadas, comienza a partir de allí a pagar impuestos, algo que en la mayoría de los casos no sucedía antes del traspaso.

Ingresos propios

Se refiere a los que obtiene el Estado por la venta o el cobro de determinados bienes y servicios, tales como el ingreso a un parque nacional, la publicidad en un canal de televisión o radio estatal, el servicio que se cobra en un hospital o en una universidad. Muchas agencias estatales obtienen recursos propios de esta forma. La ventaja sobre los impuestos consiste en que los pagan aquellos que usan los servicios o consumen los bienes; es decir, existe una relación directa entre el pago y el uso, algo que no sucede con los impuestos cuyo pago está relacionado con ello tan sólo indirectamente. Pero, por supuesto, es necesario plantearse si esas actividades corresponden a la esfera estatal.

Emisión de moneda

Esta es una forma muy tentadora de financiar el gasto público, por varias razones.

A diferencia de los impuestos explícitos, un gobierno no suele someter a aprobación parlamentaria la cantidad de dinero que va a emitir.

No se presenta a la población como un impuesto. Por supuesto que lo es, ya que la emisión de moneda es un impuesto sobre las tenencias de dinero en efectivo. Esto afecta sobre todo a aquellos de menores ingresos, pues dedican la mayor parte de su dinero al consumo, y los precios de los artículos crecen, como hemos visto, debido a la mayor cantidad de moneda en el mercado.

Se puede y se suele echar la culpa de sus efectos (aumento de precios, reducción del poder adquisitivo de los salarios y jubilaciones) a otros, tales como comerciantes, empresarios o especuladores.

Dentro del conjunto de temas y tramas que plantea la monumental obra Fausto, del escritor alemán Johann W. von Goethe, encontramos una alusión a los problemas fiscales que el emperador enfrenta. En términos actuales, podríamos decir que el imperio estaba en default y que ya no contaba con recursos para hacer frente a los gastos públicos. No había dinero para abonar a los soldados, tampoco a los proveedores.

Mefistófeles se presenta ante el emperador y le propone una solución fantástica. El problema principal es la falta de dinero, en ese momento el oro, pero sabido es que existen en todo el imperio ciertos tesoros enterrados que nunca han sido descubiertos. Todos sabemos que en el transcurso de los siglos distintos tesoros han sido escondidos y luego se han perdido. Si bien aparentemente nadie sabe dónde están, en algún lugar deben encontrarse.

Vana es la resistencia del canciller, quien ataca al nuevo asesor, pero no tiene una propuesta alternativa.

Al verlos discutir, el emperador ordena:

> Con eso no se remedian nuestras necesidades. ¿Qué pretendes ahora con tu sermón de cuaresma? Harto estoy de estos sempiternos si y como. Lo que hace falta es dinero. Pues bien, a ver si nos lo facilitas.[3]

El canciller le ofrece, entonces, al emperador una solución que propone sólo felicidad para éste y ningún costo. Siguiendo el argumento anterior con respecto a que seguramente hay tesoros enterrados en el imperio pero no han sido encontrados aún, sugiere emitir billetes cuyo respaldo sea ese oro escondido, que todos consideramos que debe existir, pero que no sabemos exactamente dónde. Entra el senescal, alto funcionario de la corte y dice:

> Cuenta tras cuenta, todo está pagado; las garras de los usureros están aplacadas; libre estoy de tal tormento del infierno. Ni en el cielo se puede ser más feliz.

---

[3] JOHANN WOLFGANG VON GOETHE, *Fausto*, Madrid, Cátedra, p. 251.

E informa el generalísimo:

> A cuenta se ha satisfecho la soldada: todo el ejército se
> ha enganchado otra vez, el lansquenete [soldado alemán
> mercenario] siéntese con sangre nueva, y posadero y mozas
> hacen su agosto.

El milagro se logró con un billete cuyo texto era el siguiente:

Sépalo cualquiera que lo desee. El presente billete vale mil coronas. Quédale asegurado, como garantía cierta, un sinnúmero de bienes sepultados en territorio imperial. Se han tomado providencias para que el rico tesoro, una vez extraído, sirva de reintegro.

Ni el emperador puede creerlo:

> Barrunto una fechoría, una monstruosa farsa. ¿Quién ha
> falsificado aquí la firma del Emperador? ¿Ha quedado impune
> semejante delito?

Sin embargo, el tesorero le recuerda haber firmado tal billete en aquella noche de fiesta donde estaba más «contento» que de costumbre.

> Tú los trazaste claros, y luego, esta noche, unos hechiceros
> reprodujeron esto rápidamente a millares; a fin de que todos se
> aprovechen del beneficio sin dilación alguna, hemos timbrado
> después la serie entera. Billetes de diez, treinta, cincuenta y
> ciento están prestos ya. No podéis figuraros cuánto bien ha
> hecho esto al pueblo. Ved vuestra ciudad, antes medio en-
> mohecida en la muerte: ahora todo vive y bulle saboreando
> el placer. Por más que tu nombre haga desde mucho tiempo
> la felicidad del mundo, nunca se le ha considerado de un

modo tan halagüeño. El alfabeto desde hoy está de más. Con este signo, ahora cada uno llega a ser feliz.

Sigue el emperador, incrédulo:

Y para mis subditos, ¿vale eso como buen oro? Para el ejército, para la corte, ¿basta eso como plena paga? Por mucho que ello me asombre, debo admitirlo.

El senescal no puede, finalmente, sino dejar entrever la realidad:

Imposible retener las fugitivas hojas; con la celeridad del rayo hanse diseminado en la circulación. Las casas de cambio tienen las puertas abiertas de par en par, y allí se hace honor a cada billete por medio del oro y de la plata, con algún descuento, es verdad.[4]

«Con algún descuento» señala la imposibilidad de eludir las consecuencias económicas de decisiones como ésas. El aumento de los precios que percibe luego la población es la contracara de la caída del poder adquisitivo de la moneda debido a su emisión, llamada aquí «descuento».

La eficiencia del gasto público

Si bien la calidad de los servicios que el Estado brinda es muy dispar según países, en cada uno de ellos se observa una clara diferencia de eficiencia entre las actividades que

---

[4] *Op, cit*, p. 276.

lleva a cabo el sector público y aquellas que lleva a cabo el sector privado.

¿Por qué esa gran diferencia entre la actividad productiva de los individuos y la del Estado? Se debe a los incentivos de las personas que se ocupan de uno y otro, los cuales derivan del uso y disposición de la propiedad.

Cuando la propiedad es privada y los beneficios que derivan de su uso también (aunque sólo se refieran al propio trabajo), el ser humano tiene los mejores incentivos para prosperar, para resguardar su capital y para incrementar su beneficio. Cuando la propiedad es pública, es de todos y no es de nadie; el que la administra no tiene mayor incentivo para que ésta prospere, ya que el beneficio que de ello pueda obtenerse no es suyo, ni las pérdidas derivadas de su mal manejo serán un castigo para él. Por eso, el mismo ser humano que en su propia casa se cuida de no gastar más de lo que ingresa, de no destruir su propiedad, de ser eficiente en la administración de sus escasos recursos, no tiene ninguna necesidad de aplicar esos mismos principios cuando de manejar los fondos de otros se trata.

Los incentivos para la eficiencia en el sector privado son muy fuertes, y uno no podría definir claramente cuál es más poderoso, si las ganancias o las pérdidas. Si el producto o servicio es bueno, las ganancias pueden ser grandes; si es malo, se puede terminar perdiendo el capital invertido. Son como el garrote y la zanahoria para hacer que el burro camine.

Pero en el sector estatal esos incentivos se encuentran inevitablemente aletargados: un gran administrador no se va a llevar todas las ganancias que su accionar genere, como tampoco asumirá las pérdidas quien sea ineficiente. Cuando se disfruta de las ganancias, pero también se deben asumir las pérdidas, como sucede en una casa de familia, cada gasto se medita muy bien y la familia trata siempre de vivir con los ingresos de los que dispone. Esto no sucede así cuando se trata del Estado. Las decisiones sobre el gasto público están sujetas a las presiones de los lobbies y a los problemas que vimos en el Capítulo Dieciséis. Esto produce dos efectos: uno es el recién mencionado de la ineficiencia; el otro es que no siempre el gasto público va dirigido hacia donde los ciudadanos quisieran que vaya.

Tom Canty, convertido por el azar en el nuevo rey de Inglaterra, en Príncipe y mendigo, la obra de Mark Twain, no comprende aún esta diferencia entre las limitaciones que existen en el uso de los recursos propios y el de los recursos comunes cuando por primera vez se enfrenta a la oportunidad de tratar los gastos de su reino:

> Otro secretario de Estado empezó a leer un preámbulo relativo a los gastos de la casa del difunto rey, que habían ascendido a veintiocho mil libras durante los seis meses anteriores, cantidad tan inmensa que dejó a Tom con la boca abierta; y más cuando se enteró de que veinte mil libras estaban aún pendientes de pago; y otra vez abrió la boca cuando apareció que las arcas del rey estaban casi vacías y sus mil doscientos criados en grave apuro por la falta de pago de sus salarios.
>
> Tom dijo con vivo temor:
> —Es evidente que iremos a la ruina. Es necesario y conveniente que tomemos una casa más pequeña y despidamos a los criados,

ya que no sirven más que para ocasionar retrasos y para molestarle a uno con oficios que perturban el espíritu y avergüenzan el alma, pues sólo son a propósito para un muñeco que no tenga cabeza ni manos o no sepa servirse de ellas. Ahora recuerdo una casita que hay frente a la pescadería en Billingsgate...

Una fuerte presión en el brazo de Tom interrumpió sus palabras y le hizo sonrojarse, pero ninguno de los presentes dio muestras de haberse fijado en las extrañas frases del monarca.

Un secretario del monarca dio cuenta de que en atención a que el difunto rey había dispuesto en su testamento que se otorgara el título de duque al conde de Hertford y se elevara a su hermano sir Thomas Seymour a la dignidad de par y al hijo de Hertford a un condado, junto con análogas concesiones a otros grandes servidores de la corona, el consejo había resuelto celebrar sesión el 16 de febrero para la entrega y confirmación de tales honores; y que entretanto, no habiendo inconvenientes para sostenimiento de tales dignidades, el consejo, que conocía sus deseos particulares a este respecto, había creído conveniente otorgar a Seymour quinientas libras de tierra «al hijo de Hertford "ochocientas libras de tierra"», con más «trescientas libras del primer obispado que quedara vacante», si a ello accedía Su Majestad actual.

Iba Tom a decir algo respecto de la conveniencia de empezar por el pago de las deudas del difunto rey antes de despilfarrar todo aquel dinero, pero un toque oportuno en el brazo del previsor Hertford le evitó tal indiscreción; y el niño dio su asenso real sin comentario alguno, mas no sin cierto disgusto interior. Mientras reflexionaba sobre la facilidad con que estaban haciendo milagros extraños y sorprendentes, cruzó por su cabeza una idea feliz. ¿Por qué no hacer a su madre duquesa de Offal Court y darle los correspondientes estados? Pero al instante borró esta idea un triste pensamiento. Él no era más que rey de nombre, pues aquellos graves ancianos y encumbrados nobles eran sus amos. Como para ellos su madre no era sino creación de mente perturbada, no harían más que escuchar su proyecto con incredulidad y en seguida mandarían por el médico.

Tediosamente prosiguió el aburrido trabajo. Leyéronle memoriales, proclamas, patentes y toda clase de papeles fatigosos, formulistas y cancillerescos relativos a los negocios públicos; y por fin Tom suspiró patéticamente diciéndose:

—¿Qué delito habré cometido para que Dios me haya privado de los campos, del aire libre y de la luz del cielo para encerrarme aquí y hacerme rey y afligirme de esta suerte?

Por fin su pobre cabeza embrollada se movió un rato y acabó por caer sobre un hombro. Y los negocios del reino quedaron suspendidos por falta de un augusto factor, el poder de ratificación. Sobrevino el silencio en torno del dormido niño y los sabios cesaron en sus deliberaciones.[5]

---

[5] MARK TWAIN, *Príncipe y mendigo*, Bs. Aires, Acme, 1962, p.87.

DIECINUEVE

MERCADOS O JERARQUÍAS

El señor de los anillos, George Orwell y Gulliver

*¿Es mejor para un soberano ser amado que temido, o
ser temido que amado? Podría contestarse que quisiera
ambas cosas, pero, debido a lo difícil que es unirlas en
una persona, resulta mucho más seguro ser temido que
amado, cuando ha de dejarse una de lado.*[1]

NICOLÁS MAQUIAVELO (1469-1527)

Al regresar a la Comarca después de sus largas aventuras,
Frodo y sus compañeros en *El señor de los anillos*, se acercan
a la casa de Hob para pedirle alojamiento por una noche,
dado que la posada ya no existía:

—Lo siento, señor Merry —dijo Hob, pero no está permitido.

— ¿Qué no está permitido?

—Alojar huéspedes imprevistos, y consumir alimentos de más,
y esas cosas —dijo Hob.

—¿ Qué diantre pasa? —dijo Merry—. ¿Han tenido un año
malo, o qué? Creía que el verano había sido espléndido, y la
cosecha óptima.

—Bueno, sí, el año fue bastante bueno —dijo Hob—. Cultivamos
mucho y de todo, pero no sabemos adónde va a parar. Son esos
«recolectores» y «repartidores», supongo, que andan por aquí
contando y midiendo y llevándoselo todo para almacenarlo. Es
más lo que recolectan que lo que reparten, y la mayor parte de
las cosas nunca las volvemos a ver.[2]

---

[1] NICOLÁS MAQUIAVELO, *El Príncipe*, Barcelona, Altaya, 1993, p. 67.

[2] J. R. R. TOLKIEN, *El señor de los anillos*, tomo III, El retorno del rey,
Barcelona, Minotauro, 1991, p. 359.

Existen dos formas básicas de organizar las relaciones sociales: por medio de la cooperación voluntaria y de los incentivos, o por medio del poder y las órdenes. Podemos encontrar ejemplos históricos de cada caso en distintos países, sobre todo durante los siglos XIX y XX; se trata del debate entre la economía de mercado o la economía planificada. Quedan pocos ejemplos de la segunda, pues han fracasado y han sido reemplazadas por economías abiertas en distinto grado. Incluso en países que aún se autodenominan «comunistas», la economía de mercado y la propiedad privada se han extendido notablemente (China, Vietnam).

Alejado, pero no aislado, de los vehementes debates políticos sobre el socialismo durante el siglo XX, se desarrolló una discusión académica sobre el «cálculo socialista»; lo que principalmente se discutía no era la conveniencia o inconveniencia de planificar la economía, sino si tal cosa era viable.

Aunque este debate es ya una cuestión del pasado y ningún economista propone ya la «planificación», sus conclusiones se extienden mucho más allá de su ámbito inicial, para extenderse a todo tipo de organizaciones. Si la discusión económica era «mercados versus planificación», en el ámbito de las organizaciones es «mercados versus jerarquías».

El debate sobre el socialismo se inició en 1922 cuando Ludwig von Mises sostuvo que la planificación de la economía era imposible después de que el socialismo hubiera abolido el dinero, la propiedad privada, los precios y los mercados. Su argumento puede sintetizarse de la siguiente forma: en la economía, los recursos son asignados para satisfacer las necesidades de los consumidores a través de los precios; éstos son el resultado de las distintas valoraciones de compradores y vendedores, y la relación de intercambio que se realiza entre ellos es un precio; el dinero como medio de intercambio permite expresar los precios en la misma unidad, lo que hace el cálculo posible, y determinan si se ha generado valor o no; para que esos intercambios se realicen, las partes han de ser propietarias de lo que están intercambiando; al no existir la propiedad, no existirán precios, por lo que será imposible conocer las preferencias de los consumidores y asignar los recursos de forma económica para su satisfacción.

Por ejemplo: técnicamente es factible construir un puente con platino, y sería un puente muy sólido. Si actualmente no se hace así es porque el platino es escaso y tiene una valoración mayor para otros usos. Esta información es transmitida por los precios elevados que tiene éste en relación con otro material que suele utilizarse en los puentes: el acero. Sin estos precios para guiar la toma de decisiones, ¿cómo sabría el planificador si le conviene utilizar uno u otro? Actualmente, la respuesta nos parece sencilla, ya que sabemos la diferencia histórica de precio entre uno y otro, pero esto se debe a que el mercado ya nos ha proporcionado esa información.

Respondieron a este desafío algunos de los economistas socialistas más prominentes: Oskar Lange y Abba Lerner. Su respuesta fue que los planificadores no buscarían «ordenar» todas las transacciones de la economía, sino que fijarían los precios de los bienes de consumo y de los factores de producción, y dejarían que los administradores de las fábricas del Estado buscaran el mayor rendimiento de cada una de esas empresas. El Estado ajustaría esos precios cuando detectara faltantes o sobrantes.

La respuesta de Mises, y ahora también de Friedrich von Hayek, fue que el mercado recoge en los precios información específica que no puede ser transmitida de otra forma a quienes deberían tomar las decisiones: el ganadero que conoce las peculiaridades de cada animal, el cajero del banco que conoce las preferencias de cada cliente y demás. La información no está «dada», sino que es fruto de un constante descubrimiento, y éste se obtiene a través de las acciones de los emprendedores; no estaría disponible para los planificadores.

En la práctica, los países socialistas tomaron, para su planificación, los precios relativos de los países de economía de mercado; es decir, mantenían la relación de precios, por ejemplo, entre una lechuga y un automóvil, y a partir de ello asignaban «indicadores» a cada uno de los productos que funcionaban como si fueran precios. La gran diferencia pudo verse con el trascurso de los años, pues en el mercado los precios cambian en forma constante para incorporar información acerca de cambios en la demanda o en la oferta, pero los planificadores no podían hacer eso y terminaban copiando los precios de un año a otro; por lo que éstos no reflejaban en absoluto las condiciones actuales. El resultado eran grandes faltantes y largas colas o grandes excedentes que nadie quería.

Como señaló Hayek, el problema no es si hay que planificar o no, ya que la respuesta es claramente afirmativa. El problema es quién deberá planificar; si lo hará una autoridad central o si lo harán muchas personas en forma descentralizada. La preferencia por esa planificación descentralizada se basa en que el conocimiento necesario se encuentra disperso y no está disponible para el planificador central. Como dice Hayek mismo:

> En el lenguaje ordinario describimos por medio de la palabra «planeamiento» un complejo de decisiones interrelacionadas acerca de la asignación de recursos disponibles. Toda la actividad económica es, en este sentido, «planeamiento»; y en cualquier sociedad en la cual cooperan muchas personas, este planeamiento, quienquiera que lo haga, tendrá que estar basado en alguna medida, en conocimiento que, en primer término, no es dado al planificador sino a otra persona, y que en segundo término debe ser comunicado al planificador.
>
> Las diversas formas en que este conocimiento sobre el cual las personas basan sus planes les es comunicado es el problema crucial para cualquier teoría que explique el proceso económico. El problema de decidir cuál es la mejor manera de utilizar el conocimiento que inicialmente se encuentra disperso entre toda la gente es, cuando menos, uno de los principales problemas de la política económica o, lo que es lo mismo, del intento de diseñar un sistema económico eficiente.[3]

A esto se le sumaba un problema de incentivos, ya que la «igualdad» pregonada por el socialismo impedía la remuneración sobre la base de los resultados obtenidos.

---

[3] FRIEDRICH A. VON HAYEK, «The Use of Knowledge in Society», *American Economic Review*, n.° 35 (1945), pp. 519-30.

La consigna era «de cada cual según su capacidad, a cada cual según su necesidad», no según su contribución o su esfuerzo. La única motivación posible era «cultural»: el apoyo al sistema socialista que generaría un «hombre nuevo». Pero ésta probó ser insuficiente: un tornero podía esforzarse y producir diez veces más que otro, pero si al final del mes cobraba lo mismo que todos, ¿cuál sería su motivación para continuar con el esfuerzo? El administrador de una empresa estatal, ¿tendría incentivos para manejarla en forma eficiente, reducir costos y obtener los productos de mejor calidad? Incluso, ¿cuáles serían los incentivos de los planificadores mismos para producir lo que la gente necesita y no lo que ellos estiman que es necesario?

Del mismo modo, no parece que tuvieran incentivos para hacer cosas útiles los miembros de la Academia de Lagado, que visita Gulliver:

El 16 de febrero me despedí de Su Majestad y de la corte. El rey me regaló una cantidad equivalente a unas doscientas libras inglesas y su pariente y mi protector, otras tantas, junto con una carta de recomendación para un amigo suyo de Lagado, la capital; la isla flotaba a unas dos millas de una montaña y se me descendió de la galería inferior del mismo modo que había sido izado.

La zona continental sometida al rey de la Isla Flotante recibe el nombre general de Balnirabiy la capital, como ya dije anteriormente, se llama Lagado. Mi satisfacción de hallarme en tierra firme de nuevo no fue escasa. Me encaminé hacia la ciudad sin preocupación alguna, vestido como estaba como cualquier nativo y con suficiente conocimiento de su idioma para poder

conversar. Pronto localicé la casa de la persona a quien iba reco-
mendado; le hice entrega de la carta de su amigo, el dignatario
isleño, y se me acogió con gran amabilidad. Este gran señor,
cuyo nombre era Munodi, me hizo preparar una habitación en
su propia mansión. Allí viví durante mi estancia y fui tratado
con exquisita hospitalidad.

A la mañana siguiente de mi llegada, me llevó en su coche
para visitar la ciudad, que es como la mitad de Londres aproximadamente. Las casas tienen una construcción muy extraña, la
mayoría casi en estado ruinoso. La gente caminaba deprisa, tenía
un aspecto huraño, la mirada fija y sus vestidos, por lo general,
harapientos. Atravesamos una de las puertas de la ciudad y nos
internamos unas tres millas por la campiña, donde vi a muchos
campesinos cultivando la tierra con diversas clases de instrumentos,
pero no pude colegir lo que hacían, y, aunque la tierra parecía
muy fértil, no vi tallo alguno de grano o hierba. No pude reprimir
mi sorpresa ante el extraño aspecto de la ciudad y del campo y
me atreví a preguntar a mi anfitrión que tuviera la amabilidad
de explicarme la causa de que tanta ocupación y preocupación
reflejada en cabezas, manos y rostros, no tuviera consecuencias
productivas en las calles y en los campos. Al contrario, yo nunca
había visto campos tan mal cultivados, casas tan mal construidas
y de estado tan ruinoso, o gente que reflejase tanta miseria y
penuria en su aspecto y vestimenta.

El señor Munodi era un personaje de alto rango. Había sido
gobernador de Lagado durante varios años; pero había sido
destituido por incapacidad merced a una intriga ministerial.
El rey, sin embargo, le trataba con afecto, como a hombre bien
intencionado, pero de inteligencia ridículamente limitada.

Cuando efectué esta franca crítica del país y sus habitantes
se limitó a contestar, junto con otros tópicos parecidos, que no
llevaba tiempo suficiente con ellos como para poder juzgar y

que cada nación tiene sus peculiares costumbres. Pero cuando regresamos a palacio me preguntó si me gustaban los edificios, qué cosas absurdas había observado y cuál era mi opinión del atuendo y aspecto de la servidumbre. No se exponía a nada, ya que todo lo que le rodeaba era magnífico, regular y refinado. Yo le contesté que la prudencia, distinción y fortuna de Su Excelencia, le había ahorrado los defectos que la locura y miseria habían engendrado en otros. Me dijo que si le acompañaba a su casa de campo, ubicada en medio de sus propiedades, a unas veinte millas de la ciudad, estaríamos más a gusto para abordar estos temas. Contesté a Su Excelencia que estaba a su entera disposición. Nos pusimos, pues, en camino a la mañana siguiente.

Durante el trayecto me hizo observar los diferentes métodos de los labriegos en el cultivo de sus tierras. A mí me parecieron poco productivos porque, excepto en unos pocos lugares, no pude descubrir ni una espiga o brizna de hierba. Pero a las tres horas de camino el panorama varió totalmente. Nos adentramos en una hermosísima campiña; las granjas eran numerosas y de esbelta construcción, con breve separación entre ellas y los campos cercados con viñedos, maizales y praderas. No recuerdo haber visto jamás un cuadro tan encantador. Su Excelencia vio que mi rostro se iluminaba. Me dijo con un suspiro que estábamos entrando en sus propiedades y que el paisaje no cambiaría hasta su casa. Sus compatriotas, continuó, le ridiculizaban por gobernar tan mal sus asuntos, ya por constituir tan mal ejemplo para la monarquía. Su ejemplo era seguido por muy pocos, todos tan anticuados, torpes y pusilánimes como él.

Llegamos, al fin, a la casa, un edificio noble, construido de acuerdo con las mejores normas de la arquitectura antigua. Las fuentes, jardines, paseos, avenidas y arboledas estaban diseñados con criterio exacto y gusto. No escatimé mis elogios de todo lo que veía. Su Excelencia no pareció haberlos entendido una vez que acabamos de cenar. Entonces, al estar solos, me dijo, con un aspecto muy melancólico, que temía verse obligado a derribar sus casas de la ciudad y campo, reconstruirlas de acuerdo con la moda vigente, destruir todas sus plantaciones, y cultivarlas de nuevo de acuerdo con la normativa actual, y dar las mismas órdenes a sus granjeros a menos que quisiera soportar las censuras por su orgullo, singularidad, afectación, ignorancia, capricho y quizá incrementar el descontento de Su Majestad.

Que mi presente admiración cesaría o disminuiría cuando me informase de algunos detalles que probablemente nunca había oído mencionar en la corte, ya que los cortesanos están demasiado absortos en sus especulaciones como para ocuparse de lo que sucede aquí abajo.

He aquí, en resumen, su relato: que unos cuarenta años ha ciertas personas habían subido a Laputa, bien por negocios o por diversión; después de cinco meses regresaron con un ligero tinte matemático, pero con la cabeza repleta de rumores volátiles que se adquieren en las regiones etéreas. Que estas personas, a su regreso, habían empezado a descuidar el gobierno de las cosas terrenas, y concibieron el proyecto de hacer tabla rasa de todas las artes, ciencias, lengua y técnicas. Obtuvieron a este efecto una carta real que instituía en Lagado la Academia de PLANIFICADORES; y esta tendencia se incubó en el pueblo de tal manera que no hay ciudad que se precie de tal en el reino sin su correspondiente academia. En esos colegios, los profesores descubren nuevas reglas y métodos para la agricultura y la construcción; nuevas herramientas o instrumentos para todas las artes y oficios; gracias a los cuales, afirmaban, un hombre hacía el trabajo de diez; un palacio sería construido en una semana con materiales perennes, sin precisar reparación alguna. Todos los frutos de la tierra madurarán en la estación que creamos conveniente y la producción se incrementará en un cien por cien; y así con

muchas otras prometedoras proposiciones. El único defecto
radica en que ninguno de los proyectos ha sido terminado y, entre
tanto, todo el pan se ha hundido en la miseria: las casas están en
ruinas, y las gentes carentes de alimentos y vestido. Pero lejos
de desanimarse, se empeñan en imponer sus proyectos con un
ardor centuplicado, empujados por la esperanza no menos que
por la desesperación; por lo que a él respecta, no siendo persona
de iniciativa, se contentaba con seguir las costumbres antiguas, y
vivir en las casas que sus antepasados habían construido y actuar
como ellos, sin innovar nada, en el diario quehacer. Esto mismo
habían hecho otras pocas personas nobles y acomodadas, pero se
las miraba con menosprecio y malquerencia, como enemigas de
la ciencia, ignorantes, poco interesadas en el bien común, que
anteponía su propia comodidad y pereza al progreso de su país.

¿Los proyectos que proponían investigar los planificadores
eran realmente útiles?

La Academia de Lagado no se compone de un edificio único,
sino de una serie de edificaciones a ambos lados de una calle
dedicada a tal fin., después de haberla comprado en un total
estado de ruina.

Me recibió el director con gran amabilidad y volví muchos
días a ella. En cada habitación hay uno o más proyectistas y
no creo que entrase en menos de quinientas salas. El primer
académico que vi presentaba un aspecto enclenque, con rostro
y manos cubiertas de hollín, pelos y barba crecidos, andrajoso
y chamuscado en diversos puntos. Su traje, camisa y piel eran
del mismo color. Llevaba ocho años dedicado a un proyecto
consistente en extraer rayos de sol de los pepinos, encerrarlos
en recipientes sellados herméticamente y sacarlos para caldear
el aire en veranos fríos y lluviosos. Me contó, convencido, que
dentro de ocho años proporcionaría luz solar a los jardines del
gobernador a un precio razonable; pero se quejó de que sus

existencias eran muy escasas y me suplicó le diese algo en favor de la ciencia, sobre todo porque los pepinos iban muy caros en aquella temporada. Le entregué un pequeño óbolo, ya que mi anfitrión, sabedor de lo pedigüeños que los inventores son con sus visitantes, me había proporcionado dinero al efecto.

Vi a otro tratando de calcinar hielo en pólvora e igualmente me mostró un tratado que había escrito con vistas a su publicación sobre la maleabilidad del fuego.

Había también un arquitecto genial que había diseñado un nuevo método de construir las casas comenzando por el tejado y siguiendo de allí a los cimientos. Me dijo que se inspiraba en la misma técnica de los insectos inteligentes, la abeja y la araña.

Había un hombre con diversos aprendices, ciegos de nacimiento como él. Su trabajo consistía en mezclar los colores para los pintores: su maestro les enseñaba a distinguirlos por el tacto y el olor. Tuve la mala suerte de encontrarlos en una época en que no habían asimilado las lecciones muy bien; por otra parte el mismo profesor suele equivocarse con frecuencia. Este científico gozaba de gran predicamento y apoyo por parte de toda la fraternidad.

Me agradó mucho encontrar en otra celda a un inventor que había encontrado la técnica de arar la tierra con cerdos para ahorrarse el gasto de arados, ganado y mano de obra. El método era el siguiente: en un acre de terreno se entierran, a intervalos de seis pulgadas, y a ocho de profundidad, cierto número de dátiles, nueces, bellotas y otros frutos o vegetales de los que gustan a estos animales; luego se sueltan seiscientos o más cerdos por el campo; a los pocos días habrán excavado toda la tierra en busca de alimento y la dejarán preparada para la siembra y abonada con sus excrementos. A decir verdad, la experiencia había mostrado que el procedimiento era costoso y difícil de poner en práctica y poco productivo, con una cosecha nula o escasa. Sin embargo, no hay duda que ese invento es susceptible de grandes perfeccionamientos.

Había un astrónomo que pretendía colocar un reloj de sol en la veleta principal del ayuntamiento, por lo que debía adecuar los movimientos anuales y diarios de la Tierra y el Sol a los cambios accidentales del viento.

Visité otras muchas salas, pero, amante como soy de la brevedad, no quiero cansar al lector con todas las peculiaridades que observé.[4]

El cálculo económico en las organizaciones

Dos son los temas principales que surgen del debate sobre el cálculo económico en el socialismo: la información necesaria para planificar y los incentivos para actuar según esta información. Los temas tratados en esa discusión se extienden, no obstante, mucho más allá de ese ámbito, ya que las preguntas que se intentaron contestar allí comprenden todo tipo de organizaciones.

Si no fuera posible planificar la economía de un país de mediano tamaño, ¿cómo sería posible hacerlo con una empresa internacional cuyo volumen de ventas supera en tamaño la producción anual de ese país? ¿El problema de la transmisión de información específica a quien toma las decisiones no se le presenta también al ejecutivo de la General Motors, quien incluso tiene a su cargo la producción en muchos países? ¿El problema de los incentivos no es

---

[4] JONATHAN SWIFT, *Los viajes de Gulliver*, Madrid, Alianza, 1984.

el mismo que discuten los administradores o gerentes de recursos humanos respecto de cómo incentivar y motivar a los empleados de una organización? En ese caso, ¿qué son preferibles: los incentivos materiales o los «culturales»?

Planificar organizaciones no es un tema sencillo, sobre todo cuando no se tiene información para tomar las decisiones. Es lo que les sucede a los animales que han tomado la granja bajo su control, en la famosa novela alegórica de Orwell:

En enero llegó un duro clima. La tierra estaba como hierro y no podía hacerse nada en los campos. Se hicieron muchas reuniones en el granero, y los cerdos tomaron a su cargo la tarea de planificar el trabajo de la próxima temporada. Se había llegado a aceptar que los cerdos, quienes eran manifiestamente más inteligentes que los demás, debían decidir todas las cuestiones de la política agrícola, si bien sus decisiones debían ser ratificadas por voto mayoritario. Este acuerdo podría haber funcionado bien si no hubiera sido por las disputas entre Bola de Nieve y Napoleón. Los dos discrepaban en cada punto donde era posible el desacuerdo.

Si uno sugería sembrar una superficie mayor de cebada, el otro ciertamente demandaría una mayor superficie de centeno, y si uno decía que tal lote era bueno para repollos, el otro diría que era inútil para cualquier cosa excepto pasto. Cada uno tenía sus seguidores, y hubo varios debates violentos. Durante las Asambleas, Bola de Nieve ganaba a menudo la mayoría con sus discursos brillantes, pero Napoleón era mejor para conseguir apoyo entre tanto.

Este era especialmente exitoso con las ovejas. Últimamente las ovejas gritaban «Cuatro piernas bien, dos piernas mal» e interrumpían la Asamblea con esto. Se notó que a menudo irrumpían con sus gritos «Cuatropiernas bien, dos piernas mal», en momentos cruciales de los discursos de Bola de Nieve. Este había realizado un minucioso estudio de varios números atrasados de la revista Granjero y Ganadero, que había encontrado en la casa, y estaba lleno de planes para realizar innovaciones y mejoras. Hablaba muy seriamente de desagües, silos, y había desarrollado un complicado esquemapara que todos los animales llevaran sus desperdicios directamente a los campos, en un lugar distinto cada día, para ahorrar mano de obra en el transporte. Napoleón no presentó ningún plan propio, pero dijo por lo bajo que los planes de Bola de Nieve no llevarían a nada.[5]

En la economía de mercado, con propiedad privada y, por ende, precios, la asignación del recurso de la tierra a un cultivo en particular se resuelve realizando el cálculo económico gracias a los precios, pero «dentro» de las organizaciones no existen «mercados», sino «jerarquías». Si ha de producirse más trigo o más cebada, lo dirán los precios de esos productos y sus respectivos costos de producción; pero si el empleado de una empresa pasa del departamento de contabilidad al de comercialización lo decide el gerente y no «el mercado» ni los «precios».

Existen organizaciones claramente jerárquicas, tales como el ejército o la Iglesia, pero aun en ellas no se toman todas las decisiones desde la cúpula. No obstante, sus estructuras son ciertamente burocráticas, y los cambios suceden lentamente.

---

[5] GEORGE ORWELL, *Animal Farm*, Londres, Longmans, Green & Co., 1965, p. 121.

Pero la competencia en el mercado demanda organizaciones ágiles, que sepan aprovechar toda la información «dispersa» entre sus miembros, ese conocimiento de tiempo y lugar que cada uno posee. Para captar esa información, la estructura de las grandes empresas ha cambiado con el tiempo: desde la forma F (funcional), donde las divisiones internas se realizan en virtud de funciones tales como finanzas, administración, producción, ventas; hasta la forma M (multidivisional), donde la empresa se organiza por unidades de negocios basadas en determinados productos o servicios, cada una de las cuales realiza las funciones antes mencionadas.

Las unidades de negocios miden sus propios resultados, lo que permite determinar si están contribuyendo positivamente al resultado general de la empresa; son responsables de sus ventas y de sus costos y la remuneración de sus miembros está parcialmente vinculada a dicho resultado. Cada una, entonces, realiza un «cálculo económico», basado también en «precios internos» para las transacciones que se hacen entre distintas unidades.

Estas estructuras copian, en cierta medida, la estructura de los mercados, descentralizando la planificación y las decisiones sobre los recursos. La asignación de poder de decisión a las unidades de negocios implica otorgarles un cierto «derecho de propiedad» sobre los recursos que manejan, los cuales intercambian entre sí por medio de «contratos» y «precios». Por ejemplo, una unidad de una empresa automotriz produce carrocerías que entrega a otra unidad para que las ensamble y las pinte. La primera unidad «vende» productos no terminados a la segunda. Cada unidad, luego, es remunerada según obtenga resultados positivos (ganancias) o negativos (pérdidas).

No obstante, no es lo mismo una organización que un mercado: en la primera, los participantes buscan un objetivo en común; en el segundo, cada cual realiza intercambios en busca de su propio objetivo. Salvando estas diferencias, la administración de organizaciones ha tomado muchas ideas del funcionamiento de los mercados y de la forma en la que éstos incentivan a sus participantes.

En el debate acerca de incentivos «materiales» o «culturales», las organizaciones han comprendido las bondades de utilizar ambos. En el caso de los incentivos materiales, nos encontramos con las escalas salariales que motivan a los empleados a alcanzar posiciones superiores y, sobre todo, la remuneración vinculada a los resultados obtenidos, ya sean comisiones por ventas, bonos anuales según resultados o la oferta de acciones u opciones de acciones de la misma empresa. Los incentivos «culturales», por otro lado, pueden ser menos costosos en términos monetarios y tan efectivos como los otros: incluyen el sentido de pertenencia a la organización, la comunión con los objetivos de la misma, el reconocimiento de los esfuerzos realizados, entre otros.

En definitiva, vale la pena volver a una de nuestras primeras enseñanzas: el individualismo metodológico. El sistema ideal para motivar e incentivar a los miembros de una organización será aquel que mejor preste atención a sus preferencias particulares: habrá así algunos que responden mejor a los premios en dinero, mientras que otros lo harán con el prestigio o el agradecimiento.

Las organizaciones, entonces, están aplicando ahora la receta que Maquiavelo descartaba, buscan «seducir» a las personas para que actúen en pos del objetivo común y no que lo hagan por «temor», cumpliendo órdenes. Las jerarquías se flexibilizan siguiendo una cantidad de recomendaciones que los administradores usualmente etiquetan en inglés, como empowerment, outsourcing, pay for performance y otras, que reflejan la descentralización en la toma de decisiones y la utilización de instrumentos de mercado dentro de las organizaciones.

Pero si ésta es la forma de obtener lo mejor de las personas, impulsando su iniciativa y aprovechando su conocimiento específico, ¿cómo obtener lo mismo de los que están al mando de las organizaciones? ¿Cómo hacer para que persigan los objetivos que acuerdan con aquellos que los han contratado? O, utilizando una frase de la filosofía política: ¿quién custodia a los custodios?

El contrato de agencia

Un contrato de agencia surge cuando una persona, el agente, acuerda brindar un servicio a otro, el principal. El intercambio, como ya se mencionó, se realiza porque uno valora más el servicio que va a recibir que el monto que va a pagar, mientras que el otro tiene una valoración inversa; en cualquier caso, el cumplimiento del contrato necesita ser controlado. En el caso del agente, éste controlará que el principal cumpla con el pago determinado y otras cláusulas del contrato de agencia. En el caso del principal, el control se da porque si bien el que contrata pretende que el agente actúe contribuyendo a su interés, esa persona puede verse tentada de perseguir objetivos propios, los cuales no coinciden para nada con los del principal.

El ejemplo tal vez más familiar que podemos presentar es el de la relación empleador-empleado. Ambos ingresan en esa relación por propia conveniencia: uno para recibir el servicio del agente, el otro para ser remunerado por el principal. Sin embargo, los intereses de ambos no se encuentran perfectamente alineados: el empleado puede preferir dedicar su tiempo a otros asuntos o hacer llamadas telefónicas personales (la literatura económica actual llama a esto riesgo moral) y el empleador se ve en la necesidad de controlarlo; el empleador puede verse tentado de requerir esfuerzos que no fueron acordados previamente o de tratar de reducir costos no cumpliendo con parte del contrato.

¿Cuál es el diseño contractual óptimo? En otros términos, ¿qué tipo de diseño institucional puede contribuir a alinear los intereses del agente con los del principal?

Administradores y accionistas como agente y principal

Que la relación entre los administradores y los accionistas forma parte de las relaciones anteriormente analizadas parece obvio. La divergencia de intereses ya era señalada por Adam Smith:

Los negocios de una sociedad por acciones se manejan siempre por un Consejo de Administración. Este Consejo, por lo regular, se halla sujeto a control de una Junta general de accionistas. Pero suele ocurrir que la mayor parte de los titulares de las acciones apenas se interesan en los negocios de la compañía, y cuando el espíritu de facción no prevalece entre ellos, ni siquiera se toman incomodidad alguna, sino que de buen grado se contentan con los dividendos anuales o semestrales que les pagan los directores de la sociedad. Pero como los directores de estas compañías administran caudales ajenos, y no los propios, no es de esperar que pongan en su manejo aquella vigilancia y diligencia extremada que suelen poner en los suyos los miembros de una sociedad colectiva [...] Por esta razón la negligencia y la prodigalidad suelen siempre prevalecer, en mayor o menor grado, en la administración de los negocios de esta clase de compañías.[6]

El fenómeno señalado por Adam Smith no era extendido en tanto y en cuanto predominaban en número las empresas familiares o unipersonales. En esos casos, en que el accionista principal y el administrador coincidían en la misma persona, no se presentaban problemas de divergencia de intereses (subsistían en otro tipo de relaciones contractuales, por supuesto, lo cual obligaba al accionista/administrador a controlar e incentivar).

Esto fue cambiando en el transcurso del presente siglo, debido a la difusión masiva de la propiedad accionaria. La consiguiente separación entre propiedad y control fue

---

[6] ADAM SMITH, *Investigación sobre la naturaleza y causas de la riqueza de las naciones*, México, FCE, 1958 (1776), p. 665.

señalada por primera vez por A. Berle y G. Means.[7] Ellos afirmaron que esas grandes empresas son propiedad de un número tan grande de accionistas que ninguno de ellos es propietario de un porcentaje importante y no tiene, por lo tanto, el poder para controlar las acciones de los administradores, los que se convierten de facto en dueños de la empresa. Berle y Means definieron como «importante» la posesión de un 20 por ciento de las acciones de una empresa; según ese criterio, en 1929, un 58 por ciento de las 200 principales empresas no financieras eran controladas por los administradores, ya que ningún accionista poseía tal cantidad.

En esas circunstancias, el interés de un pequeño accionista por controlar a los administradores sufriría típicos problemas de «acción colectiva». Es decir, el servicio de control de los administradores tendría las características de «bien público»: cualquiera que incurriera en el costo (tiempo y esfuerzo como mínimo) de controlar a los administradores no podría recuperar esos costos «cobrando» a los otros accionistas porque no puede «excluirlos», ni su consumo del servicio es «rival». Todos serían *free-riders* de su esfuerzo (véase al respecto el Capítulo Catorce).

Si un accionista decidiera realizar el control tan sólo porque quiere hacer uso de su derecho de propiedad, no podría cobrarles a otros porque los demás se darían cuenta de que recibirían los beneficios de esa acción de todas formas. Como todos piensan lo mismo, nadie

---

[7] BERLE, ADOLF y MEANS GARDINER C., *The Modern Corporation and Private Property*, Nueva York, Commerce Clearing House, 1932.

realiza el control: los administradores se convierten en dueños efectivos.

Si ese control no existe, no es de extrañar que la divergencia de intereses lleve a los administradores a la búsqueda de objetivos que no son necesariamente los de los propietarios. Pueden resistirse a distribuir dividendos, pueden fijar sus miras en el corto plazo, pueden buscar agrandar la empresa tan sólo para acumular mayor poder... o pueden abusar del uso de los activos de los accionistas. Un buen ejemplo, aunque tal vez extremo, es el caso de F. Ross Johnson, quien fue el principal ejecutivo de RJR Nabisco. Entre otras cosas, Johnson regalaba asiduamente relojes de 1500 dólares, contrataba a figuras para jugar en torneos de golf que la compañía promovía, y a Frank Sinatra o Bob Hope para entretener a los clientes; autorizaba oficinas excesivamente lujosas, proporcionaba a sus principales ejecutivos Cadillac, Mercedes y Rolls Royce con chofer; tenía treinta y seis pilotos para los diez aviones de la empresa, que se usaban a gusto. El resultado no es de extrañar. Sin accionistas que ejercieran el control, Johnson terminó perdiendo su posición cuando la empresa fue adquirida por Kohlberg, Kravis, Roberts & Co (KKR).

La situación parece bastante problemática. No obstante, el análisis realizado no está exento de problemas. Para empezar, ¿cómo es posible que un arreglo institucional, como el de la empresa con gran cantidad de accionistas, haya sido capaz de sobrevivir hasta la fecha? ¿Cómo es que los accionistas no han escapado de esta trampa con un simple y sencillo remedio: vendiendo sus acciones? La continuidad de este tipo de empresas y la permanente inversión de accionistas en ellas parece mostrar que algún tipo de mecanismo de control está vigente y funciona. ¿Cuáles son esos mecanismos?

El control a los administradores

Varios son los mecanismos por medio de los cuales esa «disciplina» es establecida. Para una mejor exposición, los denominaremos «externos» e «internos». Comencemos con los primeros:

EXTERNOS

1. *La competencia en el mercado de productos o servicios*

Se refiere a la competencia en el mercado de los productos o servicios que la empresa vende. Cuanto mayor es el grado de competencia allí, mayor presión existe en los administradores para alcanzar la eficiencia, mejorar la calidad, reducir los costos; por ende, menor margen tienen para generar beneficios personales que sean costos para la empresa. En este caso, la empresa con mayores costos corre el riesgo cierto de perder mercados y, eventualmente, desaparecer.

Obviamente, en el caso de que la empresa tenga otorgado un monopolio o se encuentre protegida de la competencia, este mecanismo pierde eficacia para forzar a los administradores.

2. *La carrera del ejecutivo a largo plazo*

Los objetivos de una carrera individual a largo plazo también generan autodisciplina por parte de los administradores: solamente alcanzará mejores posiciones en empresas cada vez más importantes quien se haya desempeñado correctamente en sus cargos anteriores. Por otro lado, ese individuo se encuentra en competencia con otros potenciales candidatos alternativos.

El mecanismo parece suficientemente claro, pero si asumimos que el problema del principal-agente existe, y que en la práctica el ejecutivo maneja la empresa como si fuera propia, el ascenso en la carrera interna de los funcionarios puede estar más estrechamente vinculado a satisfacer los objetivos del ejecutivo principal que el de los accionistas. En este caso, la carrera a largo plazo se realiza dentro de un «mercado laboral interno», en buena parte aislado del mercado externo. El ejecutivo principal, por otra parte, podría estar interesado en contratar personas que contribuyeran a su objetivo personal.

3. *El mercado de fusiones y adquisiciones*

Los mecanismos de control mencionados hasta aquí son poderosos, aunque no son perfectos. En última instancia, existe una poderosa fuerza disciplinante de los administradores que no atienden los intereses de los accionistas dispersos que suele llamarse el «mercado del control empresario», o de fusiones y adquisiciones.[8]

Pensemos en el pequeño accionista que tiene pocas posibilidades de controlar a los administradores de la empresa. Puede, sin embargo, realizar una importante acción: vender. Cuando muchos accionistas quieren vender y pocos inversores quieren comprar, el precio de la acción baja, enviando una señal acerca de la eficiencia de los administradores. Una buena empresa mal administrada es candidata ideal para ser adquirida por otra.

Esa adquisición puede realizarse con el consentimiento de los administradores y accionistas, o con el consentimiento de estos últimos y la resistencia de aquéllos, en cuyo caso se trata de un takeover hostil. Sobre todo en el segundo caso, los administradores corren serio riesgo de perder sus posiciones. El comprador cumple, entonces, un papel fundamental, ya que se dirige directamente a los accionistas y les ofrece un precio por sus acciones superior al que cotiza en ese momento en la Bolsa. El mensaje es: los administradores actuales no han logrado generar valor adecuadamente; yo estoy en condición de hacerlo, por eso estoy dispuesto a pagar más.

Un buen ejemplo es el caso de F. Ross Johnson ya mencionado. A fines de 1988, Johnson y los principales administradores de la empresa anunciaron su intención de adquirir un porcentaje mayoritario de la empresa ofreciendo a los accionistas 75 dólares por acción. Otros pensaron que ése era un valor bajo. Así, la firma Kohlberg, Kravis, Roberts & Co (KKR) ofreció 90 dólares y se inició

---

[8] HENRY G. MANNE, «M*ergers and the market for corporate contro*l», Journal of Political Economy, vol. 75, p. 110.

una competencia de ofertas hasta que el directorio eligió la propuesta de KKR de 109 dólares por acción, pese a que era levemente inferior a la de Johnson. ¿Por qué lo hicieron? Pues no podían dejar de preguntarse cómo era que el administrador de la empresa estaba dispuesto a pagar hasta 112 dólares por acción cuando su gestión no había logrado un precio de 75. Al adquirir la empresa KKR, Johnson perdió su posición y buena parte de su reputación.

INTERNOS

¿Qué pueden hacer los accionistas para disminuir la divergencia de intereses entre ellos y los administradores? Básicamente dos cosas:

1. *El sistema de compensación*

La compensación de los administradores es un sistema de premios (y eventualmente castigos) para incentivarlos a alcanzar los objetivos de los accionistas. Implica, por supuesto, la vinculación de la remuneración a resultados.

Pero es necesario, en este punto, realizar una aclaración importante. El diseño del sistema de compensación es fundamental y puede constituir un arma de doble filo: bien diseñado promoverá los intereses de los accionistas, pero en caso contrario puede resultar particularmente dañino. Por ejemplo: una remuneración fija reduce el interés del ejecutivo principal en obtener resultados positivos; pero no sólo eso: hasta un bono anual puede centrar la atención del ejecutivo en el resultado de corto plazo, en detrimento de la solvencia a largo plazo de la firma.

Alcanzar un buen sistema de compensación ejecutiva no es sencillo, pues los objetivos a conseguir pueden ser diversos y hasta contrapuestos entre sí. Para atraer la atención del administrador en el largo plazo suelen utilizarse pagos diferidos y opciones de acciones.

Por otra parte, se plantean cuestiones de difícil respuesta: ¿en qué medida existe una relación directa entre el valor de una acción y la habilidad o el esfuerzo del ejecutivo? De la misma forma en que puede verse beneficiado por circunstancias ajenas a su accionar (problemas de un competidor, una economía pujante), puede verse afectado por ellas (una crisis económica, por ejemplo).

Ante estas situaciones habrá que evaluar de otra forma la trayectoria de los administradores. Aquí es donde cumple un papel importante la siguiente alternativa:

2. *El directorio*

El directorio de una compañía es la institución que los accionistas han creado como representante de sus intereses. Su objetivo es promover los intereses y la adecuación de las acciones de los administradores a éstos. Es el componente «democrático» dentro de las empresas.

Nuevamente, el mecanismo no es perfecto; la información y el conocimiento detallado del negocio por parte de los ejecutivos son claramente superiores a los de los directores. No obstante, hay evidencias de que un pobre desempeño en el mercado accionario está seguido de un reemplazo del ejecutivo principal en un grado más alto de lo normal, dando a entender que los directores efectivamente controlan y se ocupan de los intereses de los accionistas. Obviamente, todo depende de qué tipo de directorio se forme; si se limita a refrendar las acciones del ejecutivo principal, poco es lo que logrará en beneficio de los accionistas.

3. Órdenes o incentivos

En definitiva, se trata de saber si puede obtenerse lo mejor de la cooperación social por medio de las relaciones de poder y las órdenes, o por medio de las acciones voluntarias y los incentivos, ya sean materiales o culturales. Cuando se trata de una organización de órdenes extensos, como las sociedades actuales, y de organizaciones que superan un tamaño pequeño, los últimos brindan resultados muy superiores.

Solamente en sociedades pequeñas, como las tribales, o en organizaciones de reducida magnitud, como las pequeñas empresas familiares, puede funcionar hasta cierto punto el comando y el control. Más allá de eso, los problemas de información e incentivos llevan a pobres resultados. Es una conclusión contraintuitiva aquella que afirma que cuanto más complejos son el orden social y la organización, menos conviene que estén basados en el cumplimiento de órdenes y el temor a los controles, y más deben fiarse de la capacidad emprendedora individual, el conocimiento específico disperso y los incentivos.

Veamos lo que les pasó a los hobbits, después de haber liberado a la Comarca de las órdenes del malvado Zarquino:

> Mientras tanto los trabajos de restauración avanzaban con rapidez y Sam estaba siempre ocupado. Los hobbits son laboriosos como las abejas, cuando la situación lo requiere y se sienten bien dispuestos. Ahora había millares de manos voluntarias de todas las edades, desde las pequeñas pero ágiles de los jóvenes y las muchachas hasta las arrugadas y callosas de los viejos y aun de las abuelas. Para el Año Nuevo no quedaba en pie ni un solo ladrillo de las Casas de los Oficiales, ni de ningún edificio construido por los «Hombres de Zarquino»; pero los ladrillos fueron todos empleados en reparar numerosas cavernas antiguas, a fin de hacerlas más secas y confortables. Se encontraron grandes cantidades de provisiones, y víveres, y cerveza que los rufianes habían escondido en cobertizos y graneros yen cavernas abandonadas, especialmente en los túneles de Cavada Grande y en las viejas canteras de Scary. Y así, en las fiestas de aquel Fin de Año hubo una alegría que nadie había esperado.[9]

---

[9] J.R.R. TOLKIEN, *op. cit*, p. 391.

Epílogo

Para muchos, la economía parece ser una disciplina ardua, plagada de palabras complicadas, de números y cifras. Incluso para los estudiantes de Economía, las cosas se hacen difíciles cuando se encuentran frente a profesores que llenan pizarrones completos con fórmulas matemáticas, sin explicar los conceptos fundamentales que ellas intentan presentar.

Recuerdo que, en mis épocas de estudiante, me encontraba en una de esas clases, concentrado en copiar un desarrollo matemático de vaya a saber qué modelo; la fórmula era tan extensa que abarcaba casi dos metros en el pizarrón. A final de la clase, observo que el profesor se detiene, contempla el pizarrón durante largos minutos mientras juega con una tiza entre sus manos, amaga con volver a escribir hasta que, finalmente, nos informa de un error: donde había un signo más (+) debía ir uno menos (-).

La carcajada fue general, pero más que alegría, expresaba angustia frente a lo incomprensible. En ese momento pensé que lo que estaba aprendiendo nada tenía que ver con la realidad, esa misma realidad que yo, precisamente, buscaba comprender.

Estaba equivocado, al menos en parte. Para comprender la realidad uno necesita «teorías» que permitan explicarla y que nos guíen en la búsqueda de información adicional. De no ser así, solamente veríamos datos, pero no podríamos comprender la relación entre ellos.

En la economía esto es muy importante porque, como dice el principito: «Lo esencial no es visible a los ojos».

Pero en el desarrollo de esas teorías hay que utilizar la «navaja de Ockham». William of Ockham (12851347) fue un filósofo inglés que enunció el siguiente principio: Entia non sunt multiplicanda, praeter necessita— tem. Traducido del latín, quiere decir que «las entidades no se deben multiplicar innecesariamente» o, dicho en forma más sencilla: «en igualdad de factores, la solución más simple tiende a ser la correcta». Si podemos explicar algo con pocos elementos, ¿para qué introducir elementos superfluos? Si dos teorías demuestran exactamente lo mismo, la más simple de ellas es la mejor.

Desafortunadamente, no solemos aplicar este principio. Muy a menudo nos hallamos frente a textos que parecieran seguir el principio opuesto: «Si las cosas pueden hacerse difíciles, ¿para qué hacerlas fáciles?».

Es innegable que la precisión en el análisis requiere muchas veces el desarrollo de nuevos conceptos o la reinterpretación de los existentes para darles otro significado, pero con frecuencia se procede —erróneamente— como si esta operación fuera necesaria para que un trabajo sea considerado «científico».

El presente libro fue escrito pensando que la literatura puede actuar como la navaja del filósofo inglés para no «multiplicar las entidades innecesariamente». La literatura puede ser parte de la fantasía pero, en última instancia, presenta la condición humana. Y como la economía estudia a los humanos actuando, no es de extrañar que sea relativamente sencillo encontrar ejemplos como los que se han presentado en este libro. La literatura es la vida; la economía, también.

Espero que el lector haya podido disfrutar de los textos y comprender las explicaciones y los comentarios. Y si no fue así, habrá que pasar la navaja nuevamente.

Bibliografía citada
y de referencia

Ciencias políticas

BASTIAT, E. (1967): *La ley*, Buenos Aires, Centro de Estudios sobre la Libertad.

HAMILTON, MADISON y JAY (1957): *El Federalista*, México, Fondo de Cultura Económica.

HAYEK, F. A. VON (1975): *Los fundamentos de la libertad*, Madrid, Unión Editorial, (1959).

HOBBES, THOMAS (1642): *Leviatán*, Barcelona, Altaya, 1994 (1642).

HUME, DAVID (1975): *Ensayos políticos*, Madrid, Unión Editorial.

LOCKE, JOHN (1969): *Ensayo sobre el gobierno civil*, Madrid, Aguilar.

MAQUIAVELO, NICOLÁS (1993): *El Príncipe*, Barcelona, Altaya.

NOZICK, ROBERT (1988): *Anarquía, Estado y Utopía*, México, Fondo de Cultura Económica, 1988.

POPPER, K. (1984): *Sociedad abierta, universo abierto*, Madrid, Taurus.

Rawls, John (1978): *Teoría de la justicia*, México, Fondo de Cultura Económica (1971).

Rousseau, J. J. (1988): *El contrato social*, Madrid, Tecnos (1762).

Sartori, G. (1988): *Teoría de la democracia*, Madrid, Alianza.

Tocqueville, Alexis de (1957): *La democracia en América*, edición a cargo de J. R Meyer, México, FCE.

Textos generales

Mises, Ludwig von (1980): *La acción humana. Tatado de Economía*, 6ª edición, Madrid, Unión Editorial(1949).

Robbins, L. (1944): *Ensayo sobre la naturaleza y significación de la Ciencia Económica*, México, FCE (1932).

Rothbard, Murray (1962): *Man, Economy and State*, Nueva York, Van Nostrand & Co.

Schumpeter, Joseph (1968): *Capitalismo, socialismo y democracia*, Madrid, Aguilar (1950).

— (1997): *Teoría del desenvolvimiento económico*, México, Fondo de Cultura Económica.

Economía argentina

Alberdi, Juan Bautista (1886): *Obras completas*, Buenos Aires, La Tribuna Nacional, 1886.

— (1954): *Sistema económico y rentístico de la Confederación Argentina según su constitución de 1853*, Buenos Aires, Raigal (1854).

— (1966): *Bases y puntos de partida para la organización política de la República Argentina*, Buenos Aires, Editorial Universitaria de Buenos Aires(1858).

— (1986): *La omnipotencia del Estado*, Guatemala, Centro de Estudios Económicos y Sociales.

Clásicos

KEYNES, JOHN MAYNARD (2001): *Teoría general de la ocupación, el interés y el dinero*, México, Fondo de Cultura Económica(1936).

MALTHUS, THOMAS (1977): *Principios de economía política*, México, Fondo de Cultura Económica, 1977.

MANDEVILLE, B. (1982): *La fábula de las abejas, o los vicios privados hacen a la prosperidad pública*, México, Fondo de Cultura Económica (1714).

MARSHALL, ALFRED (1978): Obras escogidas, México, Fondo de Cultura Económica.

MARX, KARL (1984): *El Capital: critica de la economía política*, México, Fondo de Cultura Económica.

— (1970): *Contribución crítica de la economía política*, La Habana, Instituto Cubano del libro.

MENGER, C. (1985): «El origen del dinero», *Libertas*, año II, N° 2, mayo (1892).

— *Principios de economía política*, Madrid, 2.ª ed., Unión Editorial, 2012 (1871).

MILL, JOHN STUART, *Principios de economía política*, México, Fondo de Cultura Económica, 1951 (1848).

Pareto, Vilfredo (1945): *Manual de economía política*, Buenos Aires, Ayala (1889).

Ricardo, David (1959): Principios de economía política y tributación, México, Fondo de Cultura Económica.

Say, Jean-Baptiste, (2001): *Tratado de economía política*, México, Fondo de Cultura Económica.

Smith, Adam (1958): *Investigación sobre la naturaleza y causas de la riqueza de las naciones,* México, Fondo de Cultura Económica (1776).

Epistemología y metodología de la ciencia

Hospers, John (1979): La conducta humana, Madrid, Tecnos.

Lakatos, I. (1989): *La metodología de los programas de investigación científica*, Madrid, Alianza.

Mises, L. von (1975): *Teoría e historia*, Madrid, Unión Editorial (1957).

Manuales de texto

Barro, Robert (2002): *Macroeconomía: teoría y política*, Madrid, McGraw-Hill.

Benegas Lynch, A. (1990): (h), Fundamentos de análisis económico, Buenos Aires, Abeledo-Perrot (1972).

Fisher, Stanley, Rudiger Dornbusch y Richard Schmalensee (1989): *Economía*, Madrid, McGraw-Hill.

Friedman, Milton (1993): *Teoría de los precios*, Barcelona, Altaya.

HEYNE, PAUL (1998): *Conceptos de economía*, Barcelona, Prentice May.

MANKIW, GREGORY (1998): *Principios de economía*, Madrid, McGraw- Hill.

ROBINSON, JOAN (1983): *Introducción a la economía moderna*, México, Fondo de Cultura Económica.

SAMUELSON, PAUL (1986): *Economía*, Madrid, McGraw-Hill.

SARGENT, THOMAS J. (1982): *Teoríamacroeconómica*, vol. I, Barcelona, Bosch.

VARIAN, HAL R. (1992): *Análisis micro económico*, 3 ª edición, Barcelona, Antoni Bosch.

ZANOTTI, GABRIEL J. (1981): *Introducción a la escuela austríaca de economía*, Buenos Aires, Centro de Estudios sobre la Libertad.

El funcionamiento del mercado

COASE, RONALD H. (1996): «La naturaleza de la firma» (1937), en Oliver E. Williamson y Sydney G. Winter (compiladores), *La naturaleza de la firma: orígenes, evolución y desarrollo*, México, Fondo de Cultura Económica, 1996.

FRIEDMAN, MILTON y ROSE (1980): *Libertad de elegir*, Barcelona, Gri- jalbo.

HAYEK, FRIEDRICH VON (1937): «Economics and Knowledge», *Economica*, n° 4.

— (1954): «The use of knowledge in Society»; American Economic Review, N° 34.

HAZLITT, HENRY (1973): *La economía en una lección*, Madrid, Unión Editorial.

KIRZNER, ISRAEL M. (1975): *Competencia y función empresarial*, Madrid, Unión.

RODRÍGUEZ BRAUN, CARLOS (2000): *Estado contra mercado*, Madrid, Aguilar.

ROTHBARD, MURRAY (1979): *Moneda libre y controlada*, Buenos Aires, Bolsa de Comercio.

— (1965): *Monopolio y competencia*, Buenos Aires, Centro de Estudios sobre la Libertad.

Política económica

BAUER, PETER (1961): *Análisis y política económica de los países subdesarrollados*, Madrid, Tecnos.

BRENNAN, GEOFFREY y BUCHANAN, JAMES M. (1997): *El poder fiscal*, Barcelona, Folio (1980).

BUCHANAN, JAMES M. (1973): *La hacienda pública en un proceso democrático*, Madrid, Aguilar.

— (1983): *Déficit del sector público y democracia*, Madrid, Rialp, 1983.

ERHARD, LUDWIG (1981): *El orden del futuro*, Buenos Aires, EUDEBA.

FRIEDMAN, MILTON (1979): *Moneda y desarrollo económico*, Buenos Aires, El Ateneo(1972).

— (1971): *Dólares y déficit*, Buenos Aires Emecé (1968).

— (1977): *Paro e inflación*, Madrid, Unión.

HABERLER, GOTTFRIED (1942): *Prosperidad y depresión*, México, Fondo de Cultura Económica (1937).

Hayek, Friedrich von (1976): *Denationalisation of Money*, Londres, The Institute of Economic Affairs.

Mises, Ludwig von (1961): *Teoría del dinero y crédito*, Barcelona, Zeus, 1961.

Musgrave, Richard A., y Musgrave, Peggy B. (1997): *Hacienda pública*. Teóricayaplicada, 5ª edición, México, McGraw-Hill, 1997.

Rueff, Jacques (1972): *El pecado monetario de Occidente*, Buenos Aires Emecé.

La economía y las instituciones

Brennan, G. y Buchanan, J. (1987): *La razón de las normas*, Madrid, Unión.

Buchanan, J. (1981): *Los límites de la libertad: entre la anarquía y el Leviatán*, México, Premia (1975).

Hayek, F. A. von (1990) *La fatal arrogancia*, Madrid, Unión, 1990.

Hirschman, Albert O. (1970): *Exit, Voice and Loyalty: Responses to Decline in Firms, Organizations and States*, Cambridge, Harvard University Press.

Hodgson, Geoffrey M. (1995): *Economía y evolución: revitalizando la economía*, Madrid, Celeste.

North, Douglass G. (1993): *Instituciones, cambio institucional y desempeño económico*, México, Fondo de Cultura Económica.

Rueff, Jacques (1964): *El orden social*, Madrid, Aguilar.

Problemas de acción colectiva y planificación

AXELROD, ROBERT (1984): *The Evolution of Cooperation*, Nueva York, Basic Books.

CHEUNG, STEVEN N. S. (1980): *El mito del coste social: crítica de la economía del bienestar y de sus implicaciones políticas*, Madrid, Unión.

COASE, RONALD H. (1960): «The Problem of Social Cost», *The Journal of Law and Economics*, N° 3, octubre.

— (1974): «The Lighthouse in Economics», *The Journal of Law and Economics*, N° 17, octubre.

COWEN, TYLER (ed.) (1988): *The Theory of market Failure: A Critical Examination*, Virginia, George Mason University Press.

HARDIN, GARRETT (1968): «The Tragedy of the Commons», *Science*, N° 162.

HOPPE, HANS-HERMANN (1993): *The Economics and Ethics of Private Property*, Boston, Kluwer Academic Publishers.

HUERTA DE SOTO, J. (1992): *Socialismo, cálculo económico y función empresarial*, Madrid, Unión Editorial.

MISES, LUDWIG VON (1968): *Socialismo*, Buenos Aires, IPN.

OLSON, M. (1992): *La lógica de la acción colectiva*, México, Limusa (1965).

PIGOU, A.C. (1932): *The Economics of Welfare*, Londres, Macmillan (1920).

ROTHBARD, MURRAY (1990): «Law, Property Rights and Air Polu- tion», en Walker, Michael (ed.), *Economics and the Environment*, Vancouver, The Fraser Institute.

TULLOCK, GORDON (1974): Necesidades privadas y medios públicos, Madrid, Aguilar.

Historia del pensamiento económico

BLAUG, MARK (2001): *Teoría económica en retrospección*, México, Fondo de Cultura Económica.

EKELUND, ROBERT B. y ROBERT F. HÉBERT (1992): *Historia de la teoría económica y de su método*, Madrid, McGraw-Hill.

SCHUMPETER, JOSEPH (1971): *Historia del análisis económico*, Barcelona, Ariel (1954).

Economía y política

BOULDING, KENNETH (1993): *Las tres caras del poder*, Buenos Aires, Paidós.

BUCHANAN, JAMES M. y GORDON TULLOCK (1980): *El cálculo del consenso: fundamentos lógicos de la democracia constitucional*, Madrid, Espasa-Calpe.

MUELLER, DENNIS C (1984): Elección pública, Madrid, Alianza.

TULLOCK, GORDON (1979): *Los motivos del voto*, Madrid, Espasa-Calpe.

Economía y ética

ACTON, HARRY BURROWS (1978): *La moral del mercado*, Madrid, Unión.

KNIGHT, FRANK (1976): *Etica de la sociedad competitiva*, Madrid, Unión.

ROPKE, WHILHELM (1979): *Más allá de la oferta y la demanda*, Madrid, Unión.

SEN, AMARTYA (2000): *Desarrollo y libertad*, Buenos Aires, Planeta.

WEBER, MAX (1965): *Economía y sociedad*, México, Fondo de Cultura Económica (1922).

Otras visiones

DOBB, MAURICE (1999): *Estudios sobre el desarrollo del capitalismo*, México, Siglo XXI.

— (1998): *Teorías del valor y de la distribución desde Adam Smith*, México, Siglo XXI.

FURTADO, CELSO (1999): *El capitalismo global*, México, Fondo de Cultura Económica.

GALBRAITH, J. K. (2001): *Introducción a la economía*, Buenos Aires, Planeta.

KRUGMAN, PAUL (2001): *Economía internacional: teoría y política*, Barcelona, Addison-Wesley Iberoa.

MYRDAL, GUNNAR (1999): *Equilibrio monetario*, Madrid, Pirámide.

SEN, AMARTYA (2001): *La desigualdad económica*, México, Fondo de Cultura Económica.

SOLOW, ROBERT (1992): *La teoría del crecimiento*, México, Fondo de Cultura Económica.

STIGLITZ, JOSEPH (1994): *Principios demicroeconomía*, Madrid, Planeta.

— (1988): *La economía del sector público*, Madrid, Distal.

Martin Krause

(Buenos Aires, 1952) es doctor en Administración. Dicta clases en la Facultad de Derecho de la UBA, en la Escuela Superior de Economia y Administración de Empresas (ESEADE), de la que además es rector, y en la Universidad Francisco Marroquin, de Guatemala. Ha participado como observador en distintos procesos electorales en todo el mundo, y realizó trabajos de consultoría para diversos organismos internacionales como la OEA y el BID. Es autor de numerosos artículos publicados en revistas académicas y periódicos de toda América, y ha publicado los libros *Proyectos para una sociedad abierta* (1993, con Alberto Benegas Lynch [h]), *Democracia directa* (1997, con Margarita Molteni), *En defensa de los más necesitados* (1998) y *El cuento de la economía* (2001).

Para más información,
vease nuestra página web
www.unioneditorial.es